문제로 쉬워지는 중학영문법

그래머 클라우드

3000제

LEVEL 3

그래머 클라우드 3000제
문제를 풀며 중학영문법의 개념을 잡는다!

- **한눈에 이해되는!** 문장 구조를 시각화한 문법 포인트별 개념 정리
- **단계별로 학습하는!** 개념확인 문제와 기본연습 문제로 이해하고, 실전 문제로 마무리
- **학교 시험 만점 맞는!** 틀리기 쉬운 내신포인트를 확인하며 정답 적중률 높이기

학습자의 마음을 읽는 **동아영어콘텐츠연구팀**

동아영어콘텐츠연구팀은 동아출판의 영어 개발 연구원, 현장 선생님,
그리고 전문 원고 집필자들이 공동연구를 통해 최적의 콘텐츠를 개발하는 연구조직입니다.

원고 개발에 참여하신 분들

고미라 박현숙 원혜진 윤희진 이정아 정혜진

교재 기획에 도움을 주신 분들

김기성 김나영 김설하 김효성 박정미 이루다 이지혜

문제로 쉬워지는 중학영문법

그래머 클라우드

3000제

LEVEL 3

구성과 특징

POINT별 문법 개념 이해하기

1 핵심 문법 Point 학습

학교 시험 대비에 꼭 필요한 문법 포인트를 정확한 설명과 시각화한 문장 구조도를 통해 익힙니다.

2 개념 확인

배운 문법의 기본적인 개념을 잘 이해했는지 간단한 문제로 확인합니다.

3 기본 연습

문법 포인트별 꼭 맞는 유형으로 많은 연습 문제를 풀며 문법 사항을 자연스럽게 이해합니다.

4 틀리기 쉬운 내신 포인트

시험에 꼭 나오는 틀리기 쉬운 내신 포인트를 확인함으로써 실제 학교 시험에서 정답 적중률을 높입니다.

2 통합하여 개념 완성하기

[개념완성 TEST]

❶ **(STEP 1)** **Map으로 개념 정리하기**

해당 Chapter의 문법 내용을 이해하기
쉽게 시각화한 Map을 통해 문법 개념을
정리합니다.

❷ **(STEP 2)** **기본 다지기**

해당 Chapter의 문법 내용을 통합하여
연습 문제를 풀며 실력을 다집니다.
(빈칸 완성, 오류 수정, 문장 전환 등)

❸ **(STEP 3)** **서술형 따라잡기**

해당 Chapter의 문법 내용을 통합하여
서술형에 많이 나오는 유형을 집중적으로
훈련합니다.
(그림 이해, 영작 완성, 문장 영작 등)

3 실제 학교 시험 유형으로 내신 대비하기

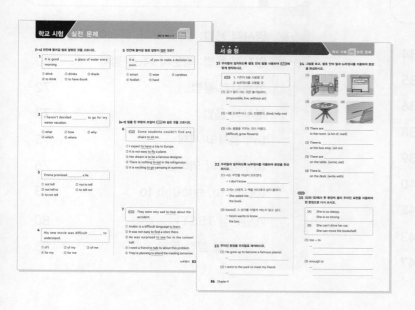

[학교 시험 실전 문제]

해당 Chapter의 문법 내용을 바탕으로
학교 시험에서 자주 출제되는 객관식과
서술형 문제를 풀며 내신 시험에 완벽하게
대비합니다.

차례

차례

문법 기초 다지기

8품사

품사는 각각의 단어를 기능에 따라 나눈 것으로, 영어에는 다음과 같이 8개의 품사가 있다.

| 명사 | 대명사 | 동사 | 형용사 | 부사 | 전치사 | 접속사 | 감탄사 |

명사

명사는 사람이나 사물, 장소 등 **모든 것에 붙여진 이름**이다.
문장에서 주어, 목적어, 보어로 쓰인다.

예시 book, tree, cat, desk, teacher, friendship, Nancy, Korea 등

Nancy is a fashion model. 〈주어〉 Nancy는 패션모델이다.

My mom likes **coffee** very much. 〈목적어〉 우리 엄마는 커피를 아주 많이 좋아한다.

My younger brother is **a singer**. 〈보어〉 내 남동생은 가수이다.

대명사

대명사는 앞에 나온 명사를 반복해서 쓰지 않기 위해 **명사를 대신해서 쓰는 말**이다.
문장에서 주어, 목적어, 보어로 쓰인다.

예시 I, you, he, she, they, your, us, theirs, myself, it, this, that 등

This is John. **He** is my best friend. 〈주어〉 이 사람은 John이다. 그는 내 가장 친한 친구이다.

Look at this bag. I bought **it** at the market. 〈목적어〉 이 가방을 봐. 나는 그것을 시장에서 샀다.

Where is Mina? This book is **hers**. 〈보어〉 미나는 어디에 있니? 이 책은 그녀의 것이다.

동사

동사는 사람, 동물, 사물의 **동작이나 상태를 나타내는 말**이다.
동사에는 be동사와 일반동사, 조동사가 있다.

예시 be, come, have, visit, make, buy, can, will, must, should 등

My friends **are** in the library. 〈be동사〉 내 친구들은 도서관에 있다.

I **visited** my grandparents yesterday. 〈일반동사〉 나는 어제 조부모님을 방문했다.

She **can** play the piano well. 〈조동사〉 그녀는 피아노를 잘 연주할 수 있다.

형용사

형용사는 **명사의 색깔이나 모양, 크기, 성질 등을 나타내는 말**이다. 문장에서 명사나
대명사를 꾸며주는 수식어로 쓰이거나 명사나 대명사를 보충 설명하는 보어로 쓰인다.

예시 tall, short, beautiful, cute, hungry, long 등

He gave me **beautiful** flowers. 〈명사 수식〉 그는 내게 아름다운 꽃을 주었다.

The leaves are **green**. 〈주격 보어〉 그 나뭇잎들은 초록색이다.

부사

부사는 **시간, 장소, 방법, 정도, 빈도 등을 나타내는 말**로, 동사, 형용사, 다른 부사를 꾸며 준다.

예시 very, really, slowly, fast, late, early, carefully 등

A woman talked **loudly** on the phone. 〈동사 수식〉 여자는 전화로 큰 소리로 말했다.

The room was **perfectly** clean. 〈형용사 수식〉 그 방은 완벽히 깨끗했다.

She gets up **very** early. 〈부사 수식〉 그녀는 매우 일찍 일어난다.

전치사

전치사는 **명사나 대명사 앞에서 시간, 장소, 수단 등의 뜻을 더해 주는 말**이다.

예시 at, on, in, under, for, during, by, from, to, with 등

Amy takes a walk **at** 9 o'clock. 〈시간〉 Amy는 9시에 산책을 한다.

My favorite bakery is **on** Green Street. 〈장소〉 내가 가장 좋아하는 빵집은 Green 가에 있다.

We will go to Busan **by** train. 〈수단〉 우리는 기차를 타고 부산에 갈 것이다.

접속사

접속사는 **단어와 단어, 구와 구, 절과 절을 연결해 주는 말**이다.

예시 and, but, or, so, that, because, if, after 등

I need milk **and** butter. 〈단어+단어〉 나는 우유와 버터가 필요하다.

He goes out to eat **or** cooks at home. 〈구+구〉 그는 외식을 하거나 집에서 요리한다.

She said goodbye to us **before** she left. 〈절+절〉 그녀는 떠나기 전에 우리들에게 작별 인사를 했다.

감탄사

감탄사는 말하는 사람의 기쁨, 슬픔, 놀람 등의 **감정을 표현하는 말**이다.

예시 oh, wow, oops, hooray 등

Wow, that's a tall tower! 와, 저것은 높은 탑이구나!

Oh, the painting is beautiful! 오, 그림이 아름답구나!

Quiz

다음 단어들의 품사를 쓰시오.

1 buy (   ) **2** carefully (   )

3 from (   ) **4** their (   )

5 student (   ) **6** old (   )

7 because (   ) **8** hooray (   )

| 정답 | 1. 동사 2. 부사 3. 전치사 4. 대명사 5. 명사 6. 형용사 7. 접속사 8. 감탄사

문장의 구성 요소

문장은 단어를 조합하여 내용을 표현한 것이다. 문장을 이루는 구성 요소에는 주어, 동사, 목적어, 보어가 있다.

주어	동사	목적어	보어

주어

주어는 **동작이나 상태의 주체가 되는 말**로, 우리말의 '누가, 무엇이'에 해당한다. 주어로는 명사나 대명사가 올 수 있다.

위치 주로 문장의 맨 앞에 오고 그 뒤에는 동사가 온다.

She is my new friend. 그녀는 내 새 친구이다.

He helps the children in Africa. 그는 아프리카에 있는 아이들을 돕는다.

동사

동사는 **주어의 동작이나 상태를 나타내는 말**로, 우리말의 '～이다, ～하다'에 해당한다. 동사에는 be동사, 일반동사, 조동사가 있다.

위치 주로 주어 뒤에 온다.

My sister **is** taking pictures of flowers. 내 여동생은 꽃 사진을 찍고 있다.

Brian **arrived** at the airport in time. Brian은 공항에 제시간에 도착했다.

목적어

목적어는 **동사의 대상이 되는 말**로, 우리말의 '누구를, 무엇을'에 해당한다. 목적어로는 주로 명사(구), 대명사가 올 수 있다.

위치 주로 동사 뒤에 온다.

I met **them** on my way home. 나는 집에 가는 길에 그들을 만났다.

Mia showed **her photos** to me. 미아는 내게 그녀의 사진들을 보여 주었다.

보어

보어는 **주어나 목적어를 보충 설명해 주는 말**이다. 보어로는 주로 명사(구), 대명사, 형용사(구), 분사(구) 등이 올 수 있다.

위치 주격보어는 동사 뒤에 오고, 목적격보어는 목적어 뒤에 온다.

My brother became **a singer**. 〈주격보어〉 내 형은 가수가 되었다.

I found French **difficult**. 〈목적격보어〉 나는 프랑스어가 어렵다는 것을 알았다.

Quiz

밑줄 친 부분이 문장의 구성 요소 중 무엇에 해당하는지 쓰시오.

1 Time turned his hair gray.
( )( )

2 My aunt cooked a nice meal for us.
( ) ( )

3 My mom's voice sounded angry this morning.
( ) ( )

| 정답 | 1. 목적어, (목적격)보어 2. 동사, 목적어 3. 주어, (주격)보어

구와 절

두 개 이상의 단어가 모여 하나의 품사 역할을 하는 것을 구나 절이라고 한다.
구는 go swimming처럼 주어와 동사를 포함하지 않고, 절은 because he is late처럼 주어와 동사를 포함한다.

| 명사구, 명사절 | 형용사구, 형용사절 | 부사구, 부사절 |

명사구, 명사절

명사구와 명사절은 문장 안에서 주어, 목적어, 보어로 쓰인다.

Drawing pictures is my hobby. 〈명사구〉

그림을 그리는 것은 내 취미이다.

I'm sure **that he told the truth**. 〈명사절〉

나는 그가 진실을 말했다고 확신한다.

형용사구, 형용사절

형용사구와 형용사절은 형용사처럼 명사나 대명사를 꾸민다.

Who is the boy **singing on the stage**? 〈형용사구〉

무대 위에서 노래하고 있는 그 소년은 누구니?

Look at the girl **who is walking her dog**. 〈형용사절〉

개를 산책시키고 있는 그 소녀를 봐라.

부사구, 부사절

부사구와 부사절은 부사처럼 동사, 형용사, 다른 부사, 또는 문장 전체를 꾸민다.

Some sheep are eating grass **in the field**. 〈부사구〉

몇 마리 양이 들판에서 풀을 먹고 있다.

You have to go home **before it gets dark**. 〈부사절〉

어두워지기 전에 너는 집에 가야 한다.

Quiz

밑줄 친 부분이 무엇에 해당하는지 고르시오.

1 Do you know the man <u>swimming in the sea</u>?　　　　(명사구 / 형용사구 / 부사구)

2 My brother is good at <u>riding a horse</u>.　　　　(명사구 / 형용사구 / 부사구)

3 <u>If you hurry</u>, you won't miss the train.　　　　(명사절 / 형용사절 / 부사절)

4 The problem is <u>that I don't have time</u>.　　　　(명사절 / 형용사절 / 부사절)

The wisest men follow their own direction.
Euripides

문장의 구조

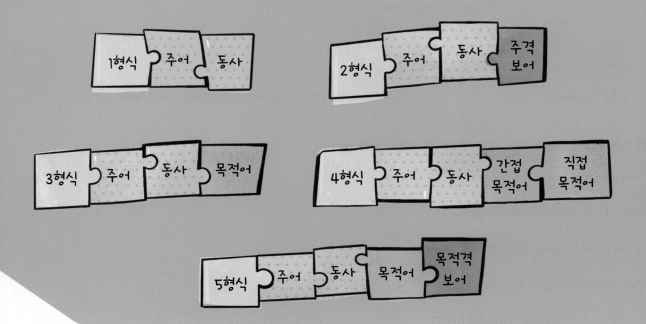

문장을 이루는 최소 단위는 주어와 동사이며,
동사 뒤에 어떤 문장 요소가 오는지에 따라서 다섯 가지의 문장 형식으로 구분한다.

POINT 1 1형식

1형식 문장: 「주어＋동사」 뒤에 수식어(구)가 붙기도 해요.

주어 + 동사		수식어(구)	
The sun	**disappeared**.		해가 사라졌다.
Birds	**flew**	slowly.	새들이 천천히 날았다.
Ann and I	**went**	to the park.	Ann과 나는 공원에 갔다.

1형식 동사	come(오다), go(가다), happen(일어나다), arrive(도착하다), disappear(사라지다), live(살다), walk(걷다), run(달리다), sleep(자다), cry(울다) 등

Tips 수식어(구)는 주로 부사(구)로 행동에 대한 추가 설명이나 시간, 장소에 대한 추가 정보를 제공하는 등 문장의 의미를 풍부하게 해 준다. 1~5형식 문장에 모두 쓸 수 있으며, 문장 형식에 영향을 미치지 않는다.

「There＋be동사 ～」는 '～이 있다'라는 뜻으로, 1형식 문장이다. be동사 뒤에 오는 명사가 주어예요.

There + be동사 + 주어			수식어(구)	
There	is	a baseball cap	on the bench.	벤치 위에 야구 모자가 있다.
	are	many tourists	in the village.	마을에 많은 관광객이 있다.

↳ 뒤에 나온 주어에 동사의 수 일치를 시켜요. (There is + 단수 명사 / There are + 복수 명사)

개념확인 주어와 동사 찾기

1 My family lives in Busan.

2 There are some books on the desk.

기본연습 밑줄 친 부분의 문장 요소를 주어, 동사, 수식어구 중에서 골라 쓰시오.

1 He traveled all over Korea.

2 My family swam in the river.

3 There are three rooms in this house.

4 Mr. Smith always drives carefully.

5 Is there a post office around here?

6 Our school stands on the hill.

7 Her baby is sleeping on the bed.

8 A black cat suddenly appeared this morning.

9 My uncle works for a computer game company.

POINT 2 2형식

2형식 문장: 「주어 + 동사 + 주격보어」

2형식 동사로 상태·변화동사, 감각동사가 쓰여요.

상태·변화동사 뒤에는 주격보어로 명사나 형용사를 써요.

주어	상태·변화동사	주격보어 <명사, 형용사>	수식어(구)	
She	**is**	my best friend.		그녀는 나의 가장 친한 친구이다.
He	**stayed**	calm.		그는 침착함을 유지했다.
He	**became**	tired	after hiking.	그는 하이킹 후 피곤해졌다.

상태·변화동사	be(~이다), keep(~인 상태를 유지하다), remain(~인 채로 있다), stay(~인 채로 있다), become(~이 되다), turn(~하게 변하다), grow(~하게 되다), get(~해지다)

감각동사 뒤에는 주격보어로 형용사를 써요.

주어	감각동사	주격보어 <형용사>	
The girl	**looks**	sleepy.	그 소녀는 졸려 보인다.
The story	**sounds**	sad.	그 이야기는 슬프게 들린다.
The water	**feels**	very cold.	물이 매우 차갑게 느껴진다.

감각동사	look(~해 보이다), sound(~하게 들리다), smell(~한 냄새가 나다), taste(~한 맛이 나다), feel(~하게 느끼다)

Tips 감각동사 뒤에 명사가 오는 경우, 「감각동사+like+명사」의 형태로 쓴다.
The soap **smells like** roses. 그 비누는 장미 같은 냄새가 난다.

주격보어 자리에 부사는 쓰지 않아요.

개념확인 주격보어 찾기

1 He is wise and brave.   **2** Her voice sounded strange.   **3** The noise grew louder.

기본연습 **A** 괄호 안에서 알맞은 것을 고르시오.

1 The children are very (happy / happily).

2 This silk scarf feels (soft / softly).

3 The weather is getting (warm / warmly).

4 They kept (quiet / quietly) in the library.

5 She looks (beautiful / beautifully) in the red dress.

6 The old lady feels very (lone / lonely) these days.

7 The eraser (looks / looks like) a car.

8 We (came / became) tired after a long day.

9 These cookies (taste / taste like) really sweet.

10 The result of the experiment remained (a secret / secretly).

B 밑줄 친 부분이 틀린 경우 바르게 고쳐 쓰시오. (옳은 경우 ○표 할 것)

1 This ice cream <u>tastes</u> melons. → _____

2 Traveling in Africa will be <u>exciting</u>. → _____

3 The students suddenly got <u>quietly</u>. → _____

4 My aunt <u>became</u> a famous pianist. → _____

5 We should keep <u>silently</u> in the museum. → _____

6 The final exam was very <u>difficultly</u>. → _____

7 His voice <u>sounded like</u> angry this morning. → _____

C 우리말과 일치하도록 괄호 안의 말을 바르게 배열하여 문장을 쓰시오.

1 이 꽃들은 매우 예쁘다. (very, are, these flowers, pretty)
→ _____

2 그 개는 매우 영리해 보인다. (looks, very, the dog, smart)
→ _____

3 나뭇잎들은 가을에 붉은색으로 변한다. (leaves, red, in fall, turn)
→ _____

4 이 샴푸는 오렌지 같은 냄새가 난다. (oranges, smells, this shampoo, like)
→ _____

5 그 우유는 상했다. (the milk, bad, went)
→ _____

6 네 계획은 좋은 생각처럼 들린다. (sounds, a good idea, like, your plan)
→ _____

7 그 사람들은 지진 중에 침착하게 있었다. (calm, stayed, the people, during the earthquake)
→ _____

**틀 리 기 쉬 운
내/신/포/인/트**

감각동사는 주격보어로 형용
사를 쓰고, 부사를 쓰지 않는
것을 기억하세요.

다음 중 어법상 올바른 문장은?
① She felt very tiredly.
② This bread tastes well.
③ The tiger looks friendly.
④ This candy smells sweetly.

3형식 문장: 「주어＋동사＋목적어」

↗ 목적어로 명사(구), 대명사, to부정사(구), 동명사(구), 명사절 등이 와요.

주어	동사	목적어	
I	**want**	something to drink. <대명사>	나는 마실 것을 원한다.
He	**likes**	to play the violin. <to부정사구>	그는 바이올린을 연주하는 것을 좋아한다.
She	**enjoys**	swimming in the pool. <동명사구>	그녀는 수영장에서 수영하는 것을 즐긴다.
We	**know**	that he is honest. <명사절>	우리는 그가 정직하다는 것을 안다.

3형식 동사	want(원하다), like(좋아하다), enjoy(즐기다), buy(사다), meet(만나다), see(보다), know(알다), use(사용하다), find(발견하다), need(필요하다), think(생각하다) 등

주의 marry, enter, discuss 등은 3형식 동사이므로, 동사 뒤에 전치사를 쓰지 않도록 주의한다.

> marry(~와 결혼하다), resemble(~와 닮다), enter(~에 들어가다),
> attend(~에 참석하다), answer(~에 대답하다), reach(~에 도착하다)

Linda **married** David last month. Linda는 지난달에 David와 결혼했다.
He **attended** the meeting this morning. 그는 오늘 아침 그 회의에 참석했다.

개념확인 목적어 찾기

1 They read the newspaper in the morning.   2 She has many friends in her hometown.

기본연습 밑줄 친 부분이 틀린 경우 바르게 고쳐 쓰시오. (옳은 경우 ○표 할 것)

1 He <u>bought</u> a new smartphone last week. → _____

2 She <u>likes listening</u> to the radio. → _____

3 He doesn't <u>resemble with</u> his parents. → _____

4 I <u>discussed</u> the problem with my friends. → _____

5 We <u>reached</u> the top of the mountain at noon. → _____

6 Bob will <u>marry with</u> Jessica this Sunday. → _____

7 Sam <u>entered to</u> the post office with his sister. → _____

8 They <u>need</u> something to wear in winter. → _____

9 He <u>attended to</u> the cooking class yesterday. → _____

10 Her family <u>wanted to stay</u> longer in New York. → _____

POINT 4 4형식

4형식 문장: 「주어＋동사＋간접목적어(~에게)＋직접목적어(…을)」

주어	동사	간접목적어	직접목적어	
Mr. Brown	**teaches**	us	science.	Brown 선생님은 우리에게 과학을 가르친다.
She	**gave**	her sister	a present.	그녀는 여동생에게 선물을 주었다.

수여동사	give(주다), send(보내다), make(만들어 주다), teach(가르치다), show(보여 주다), buy(사 주다), write(쓰다), bring(가져오다), lend(빌려주다), cook(요리해 주다), ask(물어보다), tell(말해 주다), pass(건네주다)

↳ '~에게 …을 해 주다'라는 의미를 가진 동사로, 두 개의 목적어가 필요해요.

4형식 문장은 「주어＋동사＋직접목적어＋전치사＋간접목적어」 형태의 3형식 문장으로 바꿀 수 있다.

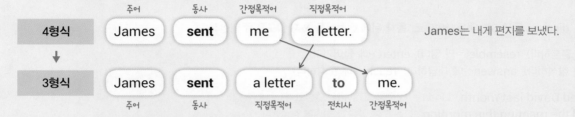

James는 내게 편지를 보냈다.

4형식 → 3형식 전환 시 동사에 따라 간접목적어 앞에 쓰는 전치사가 다르다.

to를 쓰는 동사	give, send, tell, bring, lend, show, teach, write, pass 등
for를 쓰는 동사	buy, make, build, cook, find, get 등
of를 쓰는 동사	ask

개념확인 간접목적어와 직접목적어 찾기

1 Chris made his children spaghetti.　　　　**2** I showed my friend some photos.

기본연습 **A** 괄호 안의 말을 바르게 배열하여 문장을 완성하시오.

1 I _____. (my dad, passed, the car key)

2 My grandmother _____. (a sweater, me, sent)

3 The boy _____. (asked, a question, me)

4 My aunt _____. (pocket money, me, gave)

5 The clerk _____. (toy cars, showed, the boy)

6 Kate _____ for the party. (a blue dress, lent, Judy)

7 My sister _____ this morning. (me, made, chicken soup)

B 빈칸에 알맞은 전치사를 쓰시오.

1 My friend sent an invitation card _____ me.

2 Ms. Jones taught music _____ her students.

3 The old man built a school _____ children.

4 He cooked a delicious dinner _____ us last night.

5 Elizabeth lent her camera _____ her cousin.

6 Eric made tuna sandwiches _____ his family.

7 My dad bought a baseball glove and a bat _____ me.

C 4형식 문장을 3형식 문장으로 바꿔 쓰시오.

1 His grandfather made him a kite.

→ _____

2 She told us her secret.

→ _____

3 Mr. Green sent his wife some flowers.

→ _____

4 She bought him a birthday present.

→ _____

5 Rosa gave her nephew a big hug.

→ _____

6 The girl wrote the singer a fan letter.

→ _____

7 He brought me some food and water.

→ _____

틀 리 기 쉬 운
내/신/포/인/트

4형식 문장을 3형식 문장으로
바꿀 때 동사에 따라 전치사
to, for, of를 사용해요.

빈칸에 들어갈 전치사가 <u>다른</u> 하나는?

① Mary showed her album _____ me.
② My aunt made a doll _____ me.
③ He sent a Christmas card _____ me.
④ Could you lend your jacket _____ me?

POINT 5 5형식

5형식 문장: 「주어＋동사＋목적어＋목적격보어」

↗ 목적어를 보충 설명해 주는 말로, 동사에 따라 목적격보어로 명사, 형용사, to부정사 등을 써요.

목적격보어로 명사(구)를 쓰는 동사	call(~을 …라고 부르다), name(~을 …라고 이름 짓다), make(~을 …로 만들다), elect(~을 …로 선출하다) 등

They **named** the ship Star. 그들은 그 배를 'Star'라고 이름 지었다.
　　　　　목적어　　목적격보어

We **elected** Rachel club president. 우리는 Rachel을 동아리 회장으로 선출했다.
　　　　　　목적어　　　목적격보어

목적격보어로 형용사를 쓰는 동사	make(~을 …하게 하다/만들다), keep(~을 …하게 유지하다), find(~이 …함을 알게 되다), turn(~이 …되게 바꾸다), leave(~을 …하게 남겨 두다), think(~이 …라고 생각하다), consider(~이 …라고 여기다) 등

Today's menu **made** them happy. 오늘의 메뉴는 그들을 행복하게 했다.
　　　　　　　목적어　목적격보어

The air conditioner **kept** the room cool. 에어컨이 그 방을 시원하게 유지했다.
　　　　　　　　　　목적어　　　목적격보어

목적격보어로 to부정사를 쓰는 동사	want(원하다), ask(요청하다), tell(말하다), advise(조언하다), allow(허락하다), expect(기대하다), order(명령하다), wish(원하다) 등

I **asked** John to carry the box. 나는 John에게 그 상자를 옮겨달라고 요청했다.
　　　　목적어　　　　목적격보어

She **told** me to take the subway. 그녀는 내게 지하철을 타라고 말했다.
　　　　　목적어　　　목적격보어

주의 4형식의 직접목적어 *vs.* 5형식의 목적격보어 ↗ 보충 설명하는 말인지 아닌지를 파악해야 해요.

〈4형식〉　He made her a sandwich.　<her ≠ a sandwich>　그는 그녀에게 샌드위치를 만들어 주었다.
　　　　　　　　 간접목적어　직접목적어

〈5형식〉　He made her a movie star.　<her = a movie star>　그는 그녀를 영화배우로 만들었다.
　　　　　　　　 목적어　　목적격보어

> 주격보어와 마찬가지로 목적격보어로 부사는 쓰지 않아요.

개념확인 문장에서의 역할 고르기

1 She found the movie exciting.

　☐ 목적어　　　☐ 목적격보어

2 They bought me a chocolate cake.

　☐ 직접목적어　　　☐ 목적격보어

기본연습 **A** 각 문장에서 목적어와 목적격보어를 찾으시오.

1 She named her cat Bob.

2 He allowed me to use his computer.

3 I thought the idea pretty good.

4 My sister always keeps her room clean.

5 The snow made his boots dirty.

6 Mom wants me to go to bed early on weekdays.

B 괄호 안에서 알맞은 것을 고르시오.

1 This coat keeps me (warm / warmly).

2 He called his puppy (Spot / to Spot).

3 The judge ordered the man (sit / to sit) down.

4 The delicious food made her (happy / happily).

5 We thought the firefighter (brave / bravery).

6 His friends expect him (win / to win) the first prize.

7 The teacher advised the students (keep / to keep) a diary.

8 The bad food made (their / them) sick.

C 우리말과 일치하도록 괄호 안의 말을 바르게 배열하여 문장을 완성하시오.

1 나는 내 여동생에게 그녀의 아침을 먹으라고 말했다. (eat, told, her breakfast, to, my sister)

→ I _____.

2 그 사서는 그 학생들에게 조용히 하라고 요청했다. (the students, be quiet, asked, to)

→ The librarian _____.

3 내 남동생은 그 문을 열어 두었다. (left, open, the door)

→ My brother _____.

4 그들은 Austin을 그들의 리더로 뽑았다. (elected, their leader, Austin)

→ They _____.

5 Julie는 그 소설이 흥미롭다는 것을 알게 되었다. (interesting, the novel, found)

→ Julie _____.

6 Hanson 씨는 우리가 그녀의 개들과 놀도록 허락해 주었다. (play, allowed, to, with her dogs, us)

→ Ms. Hanson _____.

7 그 의사는 환자에게 채소를 더 먹으라고 조언했다. (to eat, the patient, advised, more vegetables)

→ The doctor _____.

**틀 리 기 쉬 운
내/신/포/인/트**

to부정사를 목적격보어로 쓰는
동사는 want, ask, tell,
advise, order 등이 있어요.

다음 빈칸에 들어갈 수 없는 것은?

She _____ her sister to turn down the music.

① told　　　　　　② asked

③ kept　　　　　　④ wanted

POINT 6 5형식: 사역동사

사역동사는 '(목적어)가 ~하게 하다'라는 뜻의 동사로, **make, have, let**이 있다. 목적격보어로 동사원형을 쓴다. ☆

	┌──능동 관계──┐		
주어	사역동사	목적어	목적격보어 <동사원형>
Mr. Ray	**made**	us	**ask** many questions.
My dad	**had**	me	**take** care of my sister.
She	**lets**	her dog	**sleep** on the bed.

Ray 선생님은 우리가 많은 질문을 하게 했다.

아빠는 내가 여동생을 돌보게 했다.

그녀는 그녀의 개가 침대 위에서 자게 한다.

준사역동사 **help**는 '(목적어)가 ~하는 것을 돕다'라는 뜻으로, 목적격보어로 동사원형 또는 **to**부정사를 쓴다.
준사역동사 **get**은 '(목적어)가 ~하게 시키다'라는 뜻으로, 목적격보어로 **to**부정사를 쓴다.

	┌──능동 관계──┐		
주어	준사역동사	목적어	목적격보어
He	**helped**	me	**(to) carry** the baggage.
Jenny	**got**	him	**to set** the table.

그는 내가 짐을 옮기는 것을 도왔다.

Jenny는 그가 식탁을 차리게 했다.

목적어와 목적격보어가 수동 관계일 때는 목적격보어로 과거분사를 쓴다.

	┌──수동 관계──┐		
주어	(준)사역동사	목적어	목적격보어 <과거분사>
Brian	**had**	his computer	**fixed.**
I	**got**	the door	**locked.**

Brian은 그의 컴퓨터가 고쳐지게 했다.

나는 문이 잠기게 했다.

개념확인 옳은 해석 고르기

1 Kelly helped me cook.
- [ ] 나를 도운 후 요리했다
- [ ] 내가 요리하는 것을 도왔다

2 I had my watch fixed.
- [ ] 나의 시계가 고쳐지게 했다
- [ ] 나의 고쳐진 시계를 가졌다

기본연습 A 괄호 안에서 알맞은 것을 고르시오.

1 The teacher had him (close / to close) the window.

2 Harry's parents let him (go / to go) to the concert.

3 My sister had her hair (cut / to cut) yesterday.

4 Jennifer got me (do / to do) yoga with her.

5 I helped my grandmother (plant / planted) flowers.

6 My dad made me (read / to read) lots of books.

7 Ms. Baker got her children (wash / to wash) their hands.

8 They will have their house (paint / painted) tomorrow.

9 The project made him (stay / stayed) up all night.

10 My friend helped me (solved / to solve) the crossword puzzle.

11 The manager didn't let us (drink / to drink) soda in the museum.

12 Mr. White had his wallet (steal / stolen) on the street.

B 우리말과 일치하도록 보기 의 단어를 이용하여 빈칸에 알맞은 말을 쓰시오.

| 보기 | stop | finish | water | go | do | ride | clean | repair |

1 그의 부모님은 그가 화분에 물을 주게 한다.

→ His parents have him ＿＿＿＿＿＿＿＿＿＿＿ the plants.

2 경찰은 그 남자를 멈추게 했다.

→ The police made the man ＿＿＿＿＿＿＿＿＿＿＿.

3 아빠는 지난주 일요일에 그의 차가 세차되게 했다.

→ My dad had his car ＿＿＿＿＿＿＿＿＿＿＿ last Sunday.

4 선생님은 우리가 그 과학 프로젝트를 끝내게 했다.

→ The teacher got us ＿＿＿＿＿＿＿＿＿＿＿ the science project.

5 Monica는 내가 그녀의 자전거를 타게 했다.

→ Monica let me ＿＿＿＿＿＿＿＿＿＿＿ her bicycle.

6 Patrick은 어제 그의 컴퓨터가 수리되게 했다.

→ Patrick had his computer ＿＿＿＿＿＿＿＿＿＿＿ yesterday.

7 우리 형은 내가 수학 숙제하는 것을 도와준다.

→ My brother helps me ＿＿＿＿＿＿＿＿＿＿＿ my math homework.

8 엄마는 내가 내일 그 콘서트에 가게 하지 않을 것이다.

→ My mom won't let me ＿＿＿＿＿＿＿＿＿＿＿ to the concert tomorrow.

틀리기 쉬운 내/신/포/인/트

사역동사 make, have, let과 준사역동사 help, get의 목적격보어로 무엇을 쓰는지 기억해야 해요.

빈칸에 들어갈 말로 알맞은 것을 모두 고르면?

Helen helped her sister ＿＿＿＿＿＿ the table.

① cleared ② clear

③ clearing ④ to clear

5형식: 지각동사

정답 및 해설 p.3

지각동사는 '(목적어)가 ~하는 것을 보다/듣다/냄새 맡다/느끼다'라는 뜻의 동사로, 목적격보어로 동사원형 또는 현재분사를 쓴다.

지각동사	see(보다), watch(보다), look at(~을 보다), hear(듣다), listen to(~을 듣다), feel(느끼다), smell(냄새 맡다)

I **saw** a dog **run**(**running**) on the grass. 나는 개가 잔디밭에서 달리는 것을 보았다.
We **watched** him **dance**(**dancing**) on the stage. 우리는 그가 무대 위에서 춤추는 것을 보았다.
They **heard** a parrot **talk**(**talking**). 그들은 앵무새가 말하는 것을 들었다.
He **felt** the train **move**(**moving**) on the rails. 그는 기차가 선로 위에서 움직이는 것을 느꼈다.

(Tips) 목적어와 목적격보어가 수동 관계일 때는 목적격보어로 과거분사를 쓴다.
I **heard** my name **called**. 나는 내 이름이 불리는 것을 들었다.

궁금해요!
목적격보어로 동사원형을 쓸 때와 현재분사를 쓸 때 의미가 다른가요?

의미 차이는 거의 없어요. 현재분사를 쓰면 동작이 진행 중임을 강조하는 거예요.

개념확인 옳은 문장 고르기

1 나는 그가 웃는 것을 보았다.

☐ I saw him laugh. ☐ I saw him to laugh.

2 나는 그녀가 노래 부르는 것을 들었다.

☐ I heard her to sing. ☐ I heard her singing.

기본연습 **A** 괄호 안에서 알맞은 것을 고르시오.

1 They saw her (waiting / waited) for the bus.

2 He watched them (play / to play) badminton.

3 She felt someone (touch / to touch) her hair.

4 We smelled something (burning / to burn) in the kitchen.

5 I looked at the tourists (taking / taken) pictures of the tower.

6 He heard his name (mention / mentioned) on the radio.

7 She listened to someone (playing / played) the guitar in the subway.

B 다음 문장에서 **틀린** 부분을 바르게 고쳐 문장을 다시 쓰시오.

1 I heard someone to knock on the door.

→ _____

2 He saw the students ran in the playground.

→ _____

3 He felt someone to touch his shoulder in the dark.

→ _____

개 념 완 성 TEST

STEP 1 Map으로 개념 정리하기

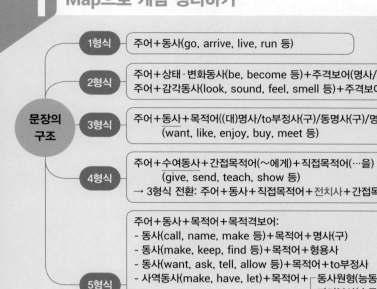

Quick Check

❶ We (entered / entered to) the museum.

❷ You look (happy / happily) today.

❸ I want (take / to take) a walk in the park.

❹ Ms. Brown teaches (us history / history us).

❺ Grandma made a sweater _____ me.

❻ She told me _____ my desk. (clean)

❼ She let me _____ her computer. (use)

❽ He had his watch _____. (repair)

❾ (saw, playing, the children, soccer)

　→ I _____.

STEP 2 기본 다지기

빈칸완성

A 우리말과 일치하도록 보기의 단어를 이용하여 빈칸에 알맞은 말을 쓰시오.

보기	feed	become	sing	taste	take

1 그 어린 소녀는 위대한 발명가가 되었다.

　→ The little girl _____ a great inventor.

2 이 수프는 짠맛이 난다.

　→ This soup _____ salty.

3 부모님은 내가 개들에게 먹이를 주게 했다.

　→ My parents had me _____ the dogs.

4 나는 여동생에게 우산을 가져가라고 말했다.

　→ I told my sister _____ an umbrella with her.

5 Luke는 새 한 마리가 나무에서 노래 부르는 소리를 들었다.

　→ Luke heard a bird _____ in the tree.

B 밑줄 친 부분이 틀린 경우 바르게 고쳐 쓰시오. (옳은 경우 ○표 할 것)

1 There <u>is</u> two pictures on the wall. → _____

2 Most people found the movie <u>interestingly</u>. → _____

3 Jina and Sumin saw the leaves <u>falling</u>. → _____

4 Cindy told her sister <u>wear</u> a coat. → _____

5 The air cleaner keeps the air <u>freshly</u>. → _____

6 My uncle bought this watch <u>to</u> me. → _____

7 I helped an old lady <u>move</u> her luggage. → _____

8 Dr. Green advised me <u>drinking</u> more water. → _____

9 I watched the engineer <u>fix</u> the machine. → _____

10 He didn't let his children <u>to enter</u> the cave. → _____

C 3형식 문장은 4형식 문장으로, 4형식 문장은 3형식 문장으로 바꿔 쓰시오.

1 My aunt teaches me French.

→ My aunt _____.

2 Alice gave her brother a birthday present.

→ Alice _____.

3 Jiho cooked his family Italian food.

→ Jiho _____.

4 He told me Ms. Han's email address.

→ He _____.

5 My sister bought me a baseball cap.

→ My sister _____.

6 The woman made a scarf for her grandson.

→ The woman _____.

7 Aron showed his new smartphone to his friends.

→ Aron _____.

D 우리말과 일치하도록 괄호 안의 말을 이용하여 문장을 완성하시오.

1 록 음악은 나를 행복하게 만든다. (make, happy)

→ Rock music _____.

2 그녀의 부모님은 그녀가 그 축제에 가게 했다. (have, go)

→ Her parents _____ to the festival.

3 그는 내가 그와 함께 쇼핑하러 가기를 원한다. (want, go shopping)

→ He _____ with him.

4 그녀의 목소리는 아름답게 들린다. (sound, beautiful)

→ Her voice _____.

5 그 아기는 인형처럼 보인다. (look)

→ The baby _____ a doll.

6 Andrew는 그의 자전거가 고쳐지게 했다. (have, his bike, fix)

→ Andrew _____.

7 그들은 그가 랩 오디션을 통과하기를 기대한다. (expect, pass)

→ They _____ the rap audition.

8 그 선생님은 우리가 교실을 청소하게 했다. (make, clean)

→ The teacher _____ the classroom.

9 그녀는 그녀의 이름이 불리는 것을 들었다. (hear, her name, call)

→ She _____.

10 나는 사람들이 무지개 사진을 찍는 것을 보았다. (watch, people, take)

→ I _____ pictures of the rainbow.

11 우리는 그를 '걸어 다니는 사전'이라고 부른다. (call, the Walking Dictionary)

→ We _____.

12 Kate는 그녀의 의자가 흔들리는 것을 느꼈다. (feel, her chair, shake)

→ Kate _____.

13 그들은 Steve를 학급 회장으로 선출했다. (elect, class president)

→ They _____.

STEP 3 서술형 따라잡기

그림이해

A Henry의 가족들이 Henry에게 한 말을 이용하여 5형식 문장을 완성하시오.

> Turn off the TV.

> Eat your vegetables.

> Clean your desk.

> Do your homework.

| 보기 | His brother wanted him to turn off the TV. |

1 His mom told him _____.

2 His dad made him _____.

3 His older sister got him _____.

영작완성

B 우리말과 일치하도록 괄호 안의 말을 바르게 배열하여 문장을 쓰시오.

1 경찰은 사람들이 건물을 떠나게 했다. (people, the police, the building, leave, made)

→ _____

2 그는 정기적으로 눈을 검사하게 했다. (he, regularly, had, examined, his eyes)

→ _____

3 그녀는 관광객들이 영어로 말하는 것을 들었다. (talking, heard, she, in English, the tourists)

→ _____

4 부모님은 내가 내 꿈을 따르도록 허락하셨다. (my parents, me, follow, my dream, to, allowed)

→ _____

문장영작

C 우리말과 일치하도록 괄호 안의 말을 이용하여 영작하시오.

1 그 음식은 단맛이 났다. (taste, sweet)

→ _____

2 그녀는 우리에게 그녀의 그림을 보여 주었다. (show, to, her painting)

→ _____

3 Tom은 내가 그 경기에서 승리하도록 도왔다. (help, win the game)

→ _____

4 나는 내 여동생이 내 방으로 들어오는 것을 보았다. (see, come, into my room)

→ _____

1 대화의 빈칸에 들어갈 말로 알맞지 <u>않은</u> 것은?

> A: Who is the girl in the picture?
> B: She's my sister.
> A: She looks _____.

① nice
② smart
③ kindly
④ friendly
⑤ happy

2 다음 중 어법상 <u>틀린</u> 문장은?

① Jaemin walks his dog in the park.
② He showed us an old album.
③ The music sounds peaceful.
④ We didn't go to school on Sundays.
⑤ They reached at the airport on time.

[3-4] 빈칸에 공통으로 들어갈 말로 알맞은 것을 고르시오.

3
> · Mina _____ nervous on the stage.
> · The man _____ a great writer.

① felt
② grew
③ looked
④ became
⑤ stayed

4
> · Jake _____ his sister clean the floor.
> · Her family _____ dinner together on Thanksgiving Day.

① saw
② had
③ fixed
④ let
⑤ kept

[5-6] 문장의 형식이 나머지 넷과 <u>다른</u> 것을 고르시오.

5 ① Juliet is smart and honest.
② The lemon juice tasted sour.
③ You look like a movie star.
④ Tom bought a present for me.
⑤ She became a lawyer last year.

6 ① We found it very easy.
② Jenny sent me a card.
③ She had Tim pick up the trash.
④ My brother called me a princess.
⑤ Helen heard someone shout outside.

7 빈칸에 들어갈 말이 나머지 넷과 <u>다른</u> 것은?

① She lent the book _____ her friend.
② Mike sent a postcard _____ her from Sydney.
③ I wrote a letter _____ my grandmother.
④ The students asked some questions _____ me.
⑤ Alice gave chocolate cookies _____ her friends.

8 빈칸에 들어갈 말로 알맞지 <u>않은</u> 것은?

> She _____ her son to come home early.

① wanted
② asked
③ told
④ made
⑤ expected

9 다음 중 문장의 전환이 어색한 것은?

① Alexandra teaches Spanish to us.

→ Alexandra teaches us Spanish.

② My uncle bought me a history book.

→ My uncle bought a history book for me.

③ Rocky showed me his notebook.

→ Rocky showed his notebook to me.

④ My sister cooked me noodle soup.

→ My sister cooked noodle soup to me.

⑤ I'm going to send her some roses.

→ I'm going to send some roses to her.

10 빈칸에 들어갈 말로 알맞은 것을 모두 고르면?

> They watched him _____ his car.

① park　　　　　② to park

③ parking　　　 ④ parked

⑤ will park

11 밑줄 친 부분의 쓰임이 나머지 넷과 다른 것은?

① Sad movies make me cry.

② Climbing high made me feel dizzy.

③ He always makes people laugh.

④ Terry made his nephew a robot.

⑤ The game made the children excited.

12 주어진 우리말을 영어로 바르게 옮긴 것은?

> 나의 언니는 내가 그녀의 옷을 입어 보게 했다.

① My sister let me try on her clothes.

② My sister let me trying on her clothes.

③ My sister let me to try on her clothes.

④ My sister let my try on her clothes.

⑤ My sister let my trying on her clothes.

13 밑줄 친 부분의 쓰임이 올바른 것은?

① She felt a dog to follow her.

② I saw the kids jumping in the yard.

③ I listened to her sings a pop song.

④ We smelled bread to burn in the kitchen.

⑤ He saw Jane eaten an ice cream on the bench.

고난도
14 빈칸 ⓐ~ⓔ에 들어갈 말로 알맞지 않은 것을 두 개 고르면?

> • The fireworks look ___ⓐ___ .
> • The judge ordered them ___ⓑ___ quiet.
> • Joseph ___ⓒ___ his old friend.
> • She keeps her desk ___ⓓ___ .
> • He sends a letter ___ⓔ___ her every month.

① ⓐ amazingly　　　② ⓑ to be

③ ⓒ married with　　④ ⓓ clean

⑤ ⓔ to

15 (A)~(C)에서 어법상 알맞은 말이 순서대로 짝 지어진 것은?

> · She helped the child (A) read / reading a comic book.
> · His idea sounds (B) creative / creatively .
> · We listened to the pianist (C) to play / playing on the stage.

	(A)	(B)	(C)
①	read	– creative	– to play
②	reading	– creative	– playing
③	read	– creatively	– playing
④	reading	– creatively	– to play
⑤	read	– creative	– playing

16 대화의 빈칸에 들어갈 말로 알맞은 것은?

> A: Why are you so late?
> B: My car suddenly broke down. So I had it _____.

① fix   ② to fix
③ fixing   ④ fixed
⑤ will fix

17 빈칸에 들어갈 말이 순서대로 짝 지어진 것은?

> · They told me _____ regularly.
> · I heard someone _____ in the library.

① exercise – to laugh
② to exercise – laughing
③ exercise – laughing
④ to exercise – to laugh
⑤ exercising – laughing

18 다음 우리말을 영어로 옮길 때 쓰이지 않는 단어는?

> 그들은 그들의 아이들이 밤에 TV를 보게 하지 않는다.

① watch   ② let
③ don't   ④ to
⑤ children

19 다음 중 어법상 틀린 문장은?

① My glasses help me see better.
② Dad made me go fishing with him.
③ I saw people dancing in the park.
④ I had my eyes check last week.
⑤ The doctor advised me to take a rest.

고난도
20 어법상 올바른 문장의 개수는?

> ⓐ Nicole had her bike stolen.
> ⓑ The officer had him to open his bag.
> ⓒ My sister and I felt the ground shaking.
> ⓓ David got his brother buy some bread in the bakery.
> ⓔ This book helps me to learn world history.

① 0개   ② 1개   ③ 2개
④ 3개   ⑤ 4개

21 다음 4형식 문장을 3형식 문장으로 바꿔 쓰시오.

(1) Yena lent Sora a pencil yesterday.

→ _____

(2) Max sent his family a postcard.

→ _____

(3) Lynn bought her brother a pair of shoes.

→ _____

22 우리말과 일치하도록 괄호 안의 말을 바르게 배열하여 문장을 쓰시오.

(1) 그녀는 내가 그녀의 자전거를 타게 했다.

(me, her bike, she, ride, let)

→ _____

(2) 나는 이 기계가 유용하다는 것을 알게 되었다.

(found, this machine, I, useful)

→ _____

23 어법상 틀린 부분을 바르게 고쳐 문장을 다시 쓰시오.

(1) She asked me fill out the form.

→ _____

(2) The cloud in the sky looks a bear.

→ _____

(3) Mr. Jones made them to stand up.

→ _____

24 Tony의 가족 사진을 보고, 괄호 안의 말을 이용하여 사진을 묘사하는 글을 완성하시오.

This is my family photo.

(1) I watched _____

_____.

(play with sand)

(2) My mom helped _____

_____.

(set up the tent)

고난도
25 지진 현장에 있었던 사람들의 말을 이용하여 문장을 완성하시오.

Amy ◁ The earth was shaking.

Daniel ◁ The people cried for help.

(1) Amy felt _____

_____.

(2) Daniel heard _____

_____.

C H A P T E R

2

시제

동사의 형태를 바꿔 동작이나 상태가 언제, 어떻게 일어나는지를 나타낼 수 있는데, 이것을 시제라고 한다.
과거의 일이 기준 시점까지 영향을 미칠 때 완료형을 쓴다.

〈5 years ago〉

〈now〉

I have had a dog for 5 years.

현재시제의 쓰임

현재의 상태나 사실	The weather **is** sunny today. I **have** a younger brother.
반복되는 일이나 습관	Amy **plays** outside *every weekend*.
일반적·과학적 사실 격언·속담	The Earth **moves** around the sun. Water **freezes** at 0℃. The early bird **catches** the worm.

오늘 날씨가 **맑다**.
나는 남동생이 한 명 **있다**.

Amy는 주말마다 밖에서 **논다**.

지구는 태양 주위를 **돈다**.
물은 섭씨 0도에서 **언다**.
일찍 일어나는 새가 벌레를 **잡는다**.

> 주로 함께 쓰이는 부사(구)
> every day/weekend와 같이 반복을 나타내는 부사(구)나 always, usually 등과 같은 빈도부사

Tips 미래의 확정된 계획이나 비행기, 기차 등의 일정은 확실히 일어날 일이므로, 미래의 일이지만 현재시제로 쓸 수 있다.
Jane **comes** to Korea next Monday. Jane은 다음 주 월요일에 한국에 온다.

과거시제의 쓰임

> 주로 함께 쓰이는 부사(구)
> yesterday, last year, two days ago, in 2020 등과 같이 명백한 과거를 나타내는 부사(구)

과거에 일어난 일이나 상태	We **went** to the movies *yesterday*. She **lost** her bike *two days ago*.
역사적 사실	Van Gogh **painted** "The Starry Night" *in 1888*.

우리는 어제 영화를 보러 **갔다**.
그녀는 이틀 전에 자전거를 **잃어버렸다**.

반 고흐는 1888년에 '별이 빛나는 밤'을 **그렸다**.

개념확인 동사 찾은 후 올바른 의미 고르기

1 We went home early yesterday.

☐ 일찍 집에 갔다   ☐ 일찍 집에 간다

2 She walks to school every day.

☐ 걸어서 학교에 갔다   ☐ 걸어서 학교에 간다

기본연습 **A** 괄호 안에서 알맞은 것을 고르시오.

1 I (lived / live) in Jeonju with my family now.

2 He (passed / passes) the dance audition last week.

3 We (had / have) dinner at the Italian restaurant yesterday.

4 My family and I (flew / fly) a drone every Saturday.

5 Julia (missed / misses) the school bus three minutes ago.

B 밑줄 친 부분을 바르게 고쳐 쓰시오.

1 Mina falls down the stairs last month. → _____

2 March had 31 days every year. → _____

3 Children are in the playground an hour ago. → _____

4 Seoul was the capital city of South Korea. → _____

5 The Wright brothers invent the airplane in 1903. → _____

미래의 일이나 계획은 will 또는 be going to를 사용하여 나타낸다.

| will+동사원형 | His letter **will arrive** soon. 그의 편지가 곧 도착할 것이다.
I **won't**(= will not) **lie** to you. 나는 너에게 거짓말을 하지 않을 거야. | → 미래에 대한 예측,
주어의 의지,
막 결정한 일 |
| be동사+going to+동사원형 | His letter **is going to arrive** soon. 그의 편지가 곧 도착할 것이다.
I'm **going to watch** a musical tomorrow. 나는 내일 뮤지컬을 볼 것이다. | → 미래에 대한 예측,
미리 예정된 계획 |

Tips 현재진행형이 미래를 나타내는 부사(구)와 함께 쓰이면 예정된 미래의 일을 나타낼 수 있다.
They **are coming** tomorrow. 그들은 내일 올 예정이다.
Ms. Brown **is leaving** Korea next weekend. Brown 씨는 다음 주 주말에 한국을 떠날 예정이다.

개념확인 옳은 해석 고르기

1 I will order a pizza for dinner.

☐ 피자를 주문해야 한다　　☐ 피자를 주문할 것이다

2 We are going to meet Cindy tomorrow.

☐ Cindy를 만날 것이다　　☐ Cindy를 만나러 가는 중이다

기본연습 괄호 안의 말을 이용하여 주어진 문장을 미래시제로 바꿀 때, 빈칸에 알맞은 말을 쓰시오.

1 James and Harry visit Canada. (will)

→ James and Harry _____ Canada soon.

2 He writes his science report. (be going to)

→ He _____ his science report this afternoon.

3 My little sister likes this present. (will)

→ My little sister _____ this present.

4 The store doesn't open on Mondays. (be going to)

→ The store _____ next Monday.

5 Kelly doesn't work on weekends. (will)

→ Kelly _____ this weekend.

6 I buy some vegetables at the supermarket. (be going to)

→ I _____ some vegetables at the supermarket tomorrow.

7 David attends the club meeting on Fridays. (will)

→ David _____ the club meeting this Friday.

8 My grandmother visits me every week. (be, -ing)

→ My grandmother _____ me next week.

POINT 3 현재완료

정답 및 해설 p.5

현재완료는 「have/has + 과거분사」의 형태로, 과거에 일어난 일이 현재까지 영향을 줄 때 사용한다.

```
        현재완료
과거 ──────────────────→ 현재
```

과거부터 현재까지
2년 동안 쭉 알아왔음

긍정문	have/has + 과거분사	I **have known** him for two years.	나는 그를 2년 동안 **알아왔다.**
부정문	have/has + **not** + 과거분사	I **have not seen** him before.	나는 그를 전에 **본** 적이 없다.
의문문	Have/Has + 주어 + 과거분사 ~?	**Have** you **finished** your work?	너는 네 일을 **끝냈니?**

현재완료는 계속, 경험, 완료, 결과의 의미를 나타낼 수 있다.

용법	의미	
계속	(계속) ~해 왔다	We **have lived** here *for* three years. 우리는 여기에서 3년 동안 **살아왔다.** I **have known** her *since* 2017. 나는 2017년 이후로 그녀를 **알아왔다.**
		〈함께 쓰는 표현〉 for+기간(~ 동안)　since+과거 시점(~ 이후로, ~부터)　how long(얼마나 오래)
경험	~한 적이 있다	He **has** *never* **been** to London. 그는 런던에 **가 본** 적이 전혀 **없다.** **Have** you *ever* **visited** New York? 너는 지금까지 뉴욕을 **방문한** 적이 있니?
		〈함께 쓰는 표현〉 before(전에)　ever(지금까지)　never(전혀 ~ 않다)　once, twice, ~ times(한 번, 두 번, ~ 번)
완료	(막/이미) ~했다	I **have** *just* **had** dinner. 나는 방금 저녁을 **먹었다.** He **hasn't finished** the project *yet*. 그는 아직 프로젝트를 **끝마치지** 않았다.
		〈함께 쓰는 표현〉 just(방금, 막)　already(이미)　yet(아직)
결과	~해 버렸다	I **have lost** my wallet. 나는 내 지갑을 **잃어버렸다.** (그래서 지금 지갑이 없다.) She **has gone** to Canada. 그녀는 캐나다로 **가 버렸다.** (그래서 지금 여기에 없다.)
		〈결과로 자주 쓰이는 표현〉 have lost(잃어버렸다)　have gone(가 버렸다)　have left(떠나버렸다)

> **주의** have/has been to 〈경험〉 vs. have/has gone to 〈결과〉
> She **has been** to Canada. 그녀는 캐나다에 **가 본** 적이 있다.
> She **has gone** to Canada. 그녀는 캐나다로 **가 버렸다.** (그래서 지금 여기에 없다.)

〈현재완료시제 문장에서 부사의 위치〉
• 주로 have와 과거분사 사이: already, just, ever, never
• 주로 문장 끝: before, yet, once, twice, ~ times

개념확인 올바른 의미 고르기

1 I have lost my wallet.

☐ 지금 지갑이 있다　　☐ 지금 지갑이 없다

2 He has been to New Zealand.

☐ 지금 뉴질랜드에 가 있다　　☐ 뉴질랜드에 가 본 적이 있다

기본연습 **A** 우리말과 일치하도록 괄호 안의 말을 이용하여 현재완료시제 문장을 완성하시오.

1 나는 전에 스페인어를 공부한 적이 있다. (study)

→ I _____ Spanish before.

2 나의 이모는 인도 음식을 두 번 먹어 본 적이 있다. (eat)

→ My aunt _____ Indian food twice.

3 너는 지금까지 재즈 음악을 들어 본 적이 있니? (listen)

→ _____ you ever _____ to jazz music?

4 Mike는 어제부터 치통이 있다. (have)

→ Mike _____ a toothache since yesterday.

5 그녀는 아직 내 편지에 답장하지 않았다. (not, reply)

→ She _____ to my letter yet.

6 Smith 씨는 그의 여권을 잃어버렸다. (lose)

→ Mr. Smith _____ his passport.

7 우리는 방금 Sam으로부터 좋은 소식을 들었다. (just, hear)

→ We _____ the good news from Sam.

8 남동생과 나는 유럽에 가 본 적이 전혀 없다. (never, be)

→ My brother and I _____ to Europe.

9 Helen은 얼마나 오래 의사였나요? (be)

→ How long _____ Helen _____ a doctor?

10 Lisa는 그녀가 아이였을 때부터 그를 알아왔다. (know)

→ Lisa _____ him since she was a child.

B 현재완료를 사용하여 주어진 두 문장을 한 문장으로 바꿔 쓰시오.

1 We started living in this house ten years ago. We still live in this house.

→ We _____ in this house for ten years.

2 My uncle went to Russia. He isn't here now.

→ My uncle _____ to Russia.

3 I bought this computer seven years ago. I still use it.

→ I _____ this computer for seven years.

**틀 리 기 쉬 운
내/신/포/인/트**

현재완료의 용법과 쓰임을
구분할 수 있어야 해요.

밑줄 친 부분의 용법이 **보기** 와 같은 것은?

> **보기** I <u>have seen</u> a movie star before.

① Ms. Green <u>has gone</u> to Paris.
② He <u>has never been</u> to Ulsan.
③ They <u>have already finished</u> their project.
④ She <u>has had</u> a cold since yesterday.

POINT **4** 현재완료 vs. 과거시제

현재완료	과거시제
과거에 시작된 일이 현재와 연관성을 가짐	과거의 특정 시점에 일어난 일(현재의 상태는 알 수 없음)

I **have lived** in Busan since 2015. ➥ 2015년부터 현재까지 쭉 부산에서 살고 있음 나는 2015년 이후로 부산에서 **살아왔다.**	I **lived** in Busan in 2015. ➥ 현재도 사는지 알 수 없음 나는 2015년에 부산에서 **살았다.**
She **has lost** her smartphone. ➥ 과거에 잃어버려 현재까지 찾지 못했음 그녀는 스마트폰을 **잃어버렸다.**	She **lost** her smartphone yesterday. ➥ 현재 찾았는지 알 수 없음 그녀는 어제 스마트폰을 **잃어버렸다.**
〈 함께 자주 쓰는 표현 〉 for, since, just, already, ever, yet, once, twice, ~ times 등	〈 함께 자주 쓰는 표현 〉 yesterday, last night/week/month, in+과거 연도, ~ ago 등과 같이 과거의 특정 시점(명백한 과거)을 나타내는 부사(구)

개념확인 올바른 의미와 연결하기

1 He was sick yesterday. •
2 He has been sick since yesterday. •

• ⓐ 어제부터 계속 아픈 상태이다.
• ⓑ 어제 아팠지만 지금도 아픈지는 알 수 없다.

기본연습 괄호 안의 말을 이용하여 과거시제 또는 현재완료시제 문장을 완성하시오.

1 Mr. Hanson _____ Seoul in 2020. (visit)

2 They _____ sick children since 2019. (help)

3 Jimin _____ to Ulleungdo three times. (travel)

4 The students _____ in the gym ten minutes ago. (be)

5 Jenny _____ her gloves in her classroom yesterday. (leave)

6 David and his family _____ in Seattle for five years. (live)

7 When _____ you _____ a letter from Sam? (receive)

8 Lydia _____ to her hometown. So, she isn't here now. (go)

9 My older sister _____ from university last year. (graduate)

10 She _____ the piano since she was a little girl. (play)

틀 리 기 쉬 운 내/신/포/인/트

문장에 쓰인 부사(구)를 살펴보면 시제를 파악하기 쉬워요.

괄호 안의 말을 알맞은 형태로 바꿔 문장을 완성하시오.

(1) I _____ my favorite singer an hour ago. (see)

(2) Tom _____ Hanok village twice. (visit)

POINT 5 현재완료진행형

현재완료진행형은 「have/has been+-ing」 형태로, 과거부터 현재까지 계속 진행되고 있는 동작이나 상태를 강조할 때 쓴다.

| 현재완료진행형 | have/has been+-ing | I **have been reading** a book for three hours.
나는 세 시간째 책을 읽고 있다. | → 지금도 읽고 있음 |
| | | She **has been waiting** for him since this morning.
그녀는 오늘 아침부터 그를 기다리고 있다. | → 지금도 기다리고 있음 |

↳ 과거에 시작된 일이 현재 말하는 시점에도 계속되고 있는 상황을 나타내요.

개념확인 올바른 의미 고르기

1 I have been watching TV for two hours.

☐ TV를 아직 보고 있다 ☐ TV를 더 이상 보지 않는다

2 He has been studying English all day.

☐ 공부를 하려고 한다 ☐ 공부를 하고 있다

기본연습 A 우리말과 일치하도록 괄호 안의 말을 이용하여 현재완료진행형 문장을 완성하시오.

1 우리는 그 노래를 일주일 동안 연습하고 있다. (practice)

→ We ＿＿＿＿＿＿＿＿＿＿＿＿＿＿＿＿＿＿＿ the song for a week.

2 그는 어젯밤부터 그녀의 전화를 기다리고 있다. (wait)

→ He ＿＿＿＿＿＿＿＿＿＿＿＿＿＿＿＿＿＿＿ for her call since last night.

3 그녀는 소파에서 세 시간째 잠을 자고 있다. (sleep)

→ She ＿＿＿＿＿＿＿＿＿＿＿＿＿＿＿＿＿＿＿ on the sofa for three hours.

4 내 남동생은 두 시간째 소설을 읽고 있다. (read)

→ My brother ＿＿＿＿＿＿＿＿＿＿＿＿＿＿＿＿ a novel for two hours.

5 Ann은 오후 3시부터 전화 통화 중이다. (talk)

→ Ann ＿＿＿＿＿＿＿＿＿＿＿＿＿＿＿＿＿＿＿ on the phone since 3 p.m.

6 수미와 나는 한 시간 동안 컴퓨터 게임을 하고 있다. (play)

→ Sumi and I ＿＿＿＿＿＿＿＿＿＿＿＿＿＿＿ computer games for an hour.

B 현재완료진행형을 사용하여 주어진 두 문장을 한 문장으로 바꿔 쓰시오.

1 They started watching the baseball game four hours ago. They're still watching it.

→ They ＿＿＿＿＿＿＿＿＿＿＿＿＿＿＿＿＿＿ the baseball game for four hours.

2 It started raining this morning. It's still raining.

→ It ＿＿＿＿＿＿＿＿＿＿＿＿＿＿＿＿＿＿＿ since this morning.

POINT 6 과거완료

과거완료는 「had+과거분사」의 형태로, 과거의 어느 시점을 기준으로 그보다 먼저 일어난 일을 나타낼 때 쓴다.

과거완료시제	had+과거분사	When we arrived at the station, the train **had** *already* **left**. 　　과거　　　　　　　　　　　　　　과거완료(먼저 일어난 일) 우리가 역에 도착했을 때, 기차는 이미 **떠났다**. She told me that she **had** *already* **seen** the movie. 　　과거　　　　　　　　　과거완료(먼저 일어난 일) 그녀는 그 영화를 이미 **보았다**고 나에게 말했다.

우리가 역에 도착했던 것보다 기차가 떠난 것이 먼저 일어난 일

나에게 말한 것보다 영화를 본 것이 먼저 일어난 일

Tips 과거에 일어난 여러 일 중 먼저 일어난 일을 '대과거'라고 하며 과거완료(had+과거분사)로 표현한다.

Tips already(이미)는 과거완료와 자주 쓰이는 부사로, had와 과거분사 사이에 위치한다.

과거완료는 과거의 어느 시점 이전의 일이 그 시점까지 영향을 줄 때도 쓴다.

She **had**n't **traveled** abroad until last year.
그녀는 작년까지 외국을 **여행한 적이 없었다**.

그 이전부터 과거의 한 시점(작년)까지 계속된 경험 표현

I **had lived** in Seoul for 10 years before I moved to Busan.
나는 부산으로 이사 가기 전에 서울에서 10년을 **살았었다**.

과거의 한 시점(부산으로 이사 가기 전)까지 계속된 상황 표현

> 궁금해요!
> 과거완료의 부정문과
> 의문문은 어떻게 쓰나요?

> 부정문은 「had+not+과거분사」,
> 의문문은 「Had+주어+과거분사 ~?」의
> 형태로 써요.

개념확인 올바른 의미 고르기

When he woke up this morning, the rain had stopped.

☐ 그가 아침에 일어난 후에 비가 그쳤다.　　☐ 그가 아침에 일어나기 전에 비가 그쳤다.

기본연습 **A** 각 문장에서 먼저 일어난 일을 고르시오.

1 When I came home, my brother had gone to bed.

☐ 내가 집에 돌아온 것　　　　　　☐ 남동생이 잠자리에 든 것

2 The play had already started when we arrived.

☐ 연극이 시작된 것　　　　　　　☐ 우리가 도착한 것

3 We went swimming after we had taken the art lesson.

☐ 수영하러 간 것　　　　　　　　☐ 미술 수업을 받은 것

4 They had finished the pizza when Kevin arrived.

☐ 그들이 피자를 다 먹은 것　　　　☐ Kevin이 도착한 것

5 James realized that he had left his wallet at home.

☐ James가 깨달은 것　　　　　　☐ 집에 지갑을 두고 온 것

B 우리말과 일치하도록 괄호 안의 말을 이용하여 과거완료시제 문장을 완성하시오.

1 그가 극장에 도착했을 때, 영화는 이미 시작했었다. (start)

→ When he arrived at the theater, the movie _____ already _____.

2 우리가 그곳에 도착했을 때 식당은 막 문을 닫은 상태였다. (close)

→ The restaurant _____ just _____ when we got there.

3 경찰이 도착했을 때 Ben은 막 그 방을 떠났었다. (leave)

→ Ben _____ just _____ the room when the police arrived.

4 내가 오늘 아침에 일어났을 때, 태풍이 이미 지나가 있었다. (pass)

→ When I woke up this morning, the typhoon _____ already _____ by.

5 유진이는 런던으로 이사 가기 전까지 그곳에 가 본 적이 전혀 없었다. (be)

→ Yujin _____ never _____ to London before she moved there.

6 Philip은 쇼핑몰에서 유명한 가수를 만났었다고 나에게 말했다. (meet)

→ Philip told me that he _____ _____ a famous singer on the mall.

C 우리말과 일치하도록 괄호 안의 말을 순서대로 배열하여 문장을 완성하시오.

1 우리가 도착했을 때 공연은 막 끝나 있었다. (had, the concert, ended, just)

→ _____ when we arrived.

2 그녀는 결혼하기 전에 이 집에서 5년 동안 살았었다. (in this house, she, lived, had)

→ _____ for five years before she got married.

3 나는 내가 버스에 내 우산을 놓고 내렸음을 깨달았다. (my umbrella, had, I, left)

→ I realized that _____ on the bus.

4 그가 노르웨이를 방문하기 전에는 그는 눈을 본 적이 전혀 없었다. (he, seen, snow, never, had)

→ _____ before he visited Norway.

**틀 리 기 쉬 운
내/신/포/인/트**

과거에 일어난 여러 일 중
먼저 일어난 일은 과거완료
로 나타내요.

빈칸에 들어갈 말로 알맞은 것은?

When he arrived at the bus stop, the bus _____.

① has already left   ② has already leave

③ had already left   ④ had been already left

과거완료진행형은 「had been+-ing」 형태로, 과거의 어느 한 시점을 기준으로 그 시점 이전에 시작하여
그 시점까지 진행되고 있던 동작이나 상태를 강조할 때 쓴다.

| 과거완료진행형 | had been+-ing | I **had been reading** a book before she arrived.
과거의 어느 한 시점
나는 그녀가 도착하기 전에 책을 읽고 있던 중이었다.

She **had been waiting** for two hours when he came.
과거의 어느 한 시점
그가 왔을 때 그녀는 두 시간째 기다리고 있던 중이었다. | 그녀가 도착한 시점
이전부터 책을 읽고 있었고,
도착했을 때도 읽고 있었음

그가 온 시점 이전부터
기다리고 있었고, 왔을
때도 기다리고 있었음 |

↪ 과거의 어느 한 시점 이전에 시작된 일이 그 시점에도 계속되고 있는 상황을 나타내요.

개념확인 옳은 해석 고르기

1 I had been watching TV before she came.

☐ TV를 보고 있는 중이다   ☐ TV를 보고 있던 중이었다

2 He had been studying before I arrived.

☐ 공부하고 있는 중이다   ☐ 공부하고 있던 중이었다

기본연습 우리말과 일치하도록 괄호 안의 말을 이용하여 과거완료진행형 문장을 완성하시오.

1 나는 그가 오기 전에 영화를 보고 있던 중이었다. (watch)

→ I _____ a movie before he came.

2 어제까지 사흘 동안 눈이 내리고 있었다. (snow)

→ It _____ for three days until yesterday.

3 Bill은 그의 엄마가 도착하기 전에 라디오를 듣고 있던 중이었다. (listen)

→ Bill _____ to the radio before his mom arrived.

4 White 씨는 그녀의 아기가 울기 전에 책을 읽고 있던 중이었다. (read)

→ Ms. White _____ a book before her baby cried.

5 우리는 오랜 시간 동안 Amy를 기다리고 있던 중이었다. (wait)

→ We _____ for Amy for a long time.

6 불이 나갔을 때 우리는 두 시간째 춤을 추고 있던 중이었다. (dance)

→ We _____ for two hours when the lights went off.

7 Jane은 일주일 동안 그녀의 스마트폰을 찾고 있던 중이었다. (look for)

→ Jane _____ her smartphone for a week.

8 나는 Eric이 문을 열었을 때 몇 시간 동안 숙제를 하고 있던 중이었다. (do)

→ I _____ my homework for hours when Eric opened the door.

개 | 념 | 완 | 성 TEST

정답 및 해설 p.6

STEP 1 Map으로 개념 정리하기

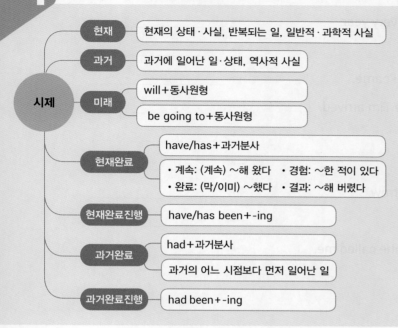

시제		
	현재	현재의 상태 · 사실, 반복되는 일, 일반적 · 과학적 사실
	과거	과거에 일어난 일 · 상태, 역사적 사실
	미래	will+동사원형
		be going to+동사원형
	현재완료	have/has+과거분사
		• 계속: (계속) ~해 왔다 • 경험: ~한 적이 있다 • 완료: (막/이미) ~했다 • 결과: ~해 버렸다
	현재완료진행	have/has been+-ing
	과거완료	had+과거분사
		과거의 어느 시점보다 먼저 일어난 일
	과거완료진행	had been+-ing

Quick Check

❶ The sun (rises / rising) in the east.

❷ King Sejong (invented / has invented) Hangeul.

❸ I'm going (to play / playing) tennis tomorrow.

❹ I have seen the movie before.
해석: _____

❺ She (has been run / has been running) for an hour.

❻ We (had finished / has finished) dinner when he came.

❼ We (had / has) been watching TV when he came.

STEP 2 기본 다지기

빈칸완성

A 우리말과 일치하도록 괄호 안의 말을 이용하여 문장을 완성하시오.

1 그는 매일 아침으로 달걀 2개를 먹는다. (eat)

→ He _____ two eggs for breakfast every day.

2 그녀는 어제 축구 경기에서 두 골을 넣었다. (score)

→ She _____ two goals in the soccer game yesterday.

3 Luke는 이 이야기를 믿지 않을 것이다. (will, believe)

→ Luke _____ _____ this story.

4 나는 미확인 비행 물체를 본 적이 전혀 없다. (never, see)

→ I _____ _____ _____ a UFO.

5 3시간째 비가 내리고 있는 중이다. (rain)

→ It _____ _____ _____ for three hours.

6 그가 버스 정류장에 도착했을 때 통학 버스는 이미 떠나 있었다. (leave)

→ The school bus _____ already _____ when he arrived at the bus stop.

7 아빠가 문을 두드리기 전에 나는 소설을 읽고 있던 중이었다. (read)

→ I _____ _____ _____ a novel before my dad knocked the door.

B 밑줄 친 부분이 어법상 틀린 경우 바르게 고쳐 쓰시오. (옳은 경우 ○표 할 것)

1 Armstrong <u>has walked</u> on the moon in 1969.   → _____

2 Our summer vacation <u>starts</u> in August every year.   → _____

3 Jennifer <u>has traveled not</u> alone before.   → _____

4 My sister <u>has been drawing</u> cats before I came.   → _____

5 We <u>have finished</u> the sandwiches before Tim arrived.   → _____

6 The early bird <u>catch</u> the worm.   → _____

7 They <u>are leaving</u> Korea next Monday.   → _____

8 She <u>is going to wearing</u> a blue hat tomorrow.   → _____

9 He <u>has been jogging</u> for 40 minutes.   → _____

10 I <u>have already baked</u> the cookies when she called me.   → _____

C 주어진 문장을 바르게 해석하시오.

1 Monica drinks a glass of milk every night.

→ _____

2 Alice and I ordered a pizza five minutes ago.

→ _____

3 I won't attend the club meeting this Friday.

→ _____

4 Have you ever seen a famous person?

→ _____

5 Harry is going to watch a horror movie this weekend.

→ _____

6 We have been sitting on the bench for two hours.

→ _____

7 He told me that he had already eaten lunch.

→ _____

8 She had been singing for an hour when I visited her.

→ _____

오류수정

D 우리말과 일치하도록 <u>틀린</u> 부분을 바르게 고쳐 문장을 다시 쓰시오.

1 너는 언제 Chris를 만났니?

When have you met Chris? ⟶ _____

2 농구 경기는 아직 시작하지 않았다.

The basketball game haven't started yet. ⟶ _____

3 나는 지난주 이후로 Paul을 보지 못했다.

I haven't seen Paul for last week. ⟶ _____

4 그녀는 이집트에 방문했을 때까지 사막을 본 적이 없었다.

She hasn't seen a desert until she visited Egypt.

⟶ _____

5 그가 집에 왔을 때, 파티는 이미 끝나 있었다.

When he had come home, the party had already finished.

⟶ _____

문장전환

E 현재완료 또는 현재완료진행형을 사용하여 주어진 두 문장을 한 문장으로 바꿔 쓰시오.

〈현재완료 문장으로 바꾸기〉

1 We started playing the guitar last year. We still play the guitar.

⟶ We _____ the guitar since last year.

2 My uncle went to Los Angeles. So, he isn't here now.

⟶ My uncle _____ to Los Angeles.

3 Ms. Baker bought the table seven years ago. She still uses the table.

⟶ Ms. Baker _____ the table for seven years.

〈현재완료진행형 문장으로 바꾸기〉

4 We started discussing this problem three hours ago. We are still discussing this problem.

⟶ We _____ this problem for three hours.

5 She started practicing her speech this morning. She is still practicing her speech.

⟶ She _____ her speech since this morning.

6 It started snowing two days ago. It is still snowing.

⟶ It _____ for two days.

STEP 3 서술형 따라잡기

그림이해

A 그림을 보고, 예시와 같이 빈칸에 알맞은 말을 쓰시오.

e.g. It has been raining for two hours.

1 John _____ a book for two hours.

2 Jenny and Joe _____ TV for two hours.

영작완성

B 우리말과 일치하도록 괄호 안의 말을 바르게 배열하여 문장을 쓰시오.

1 나는 전에 내 헌 옷을 기부한 적이 있다. (donated, I, have, before, my old clothes)

   → _____

2 너는 지금까지 프랑스 음식을 먹어 본 적이 있니? (you, ever, French food, eaten, have)

   → _____

3 그가 도착했을 때 나는 한 시간째 테니스를 치고 있던 중이었다. (tennis, I, playing, for an hour, been, had)

   → _____ when he arrived.

4 내가 극장에 도착했을 때, 뮤지컬은 이미 끝나 있었다. (already, had, the musical, ended)

   → When I arrived at the theater, _____.

문장영작

C 우리말과 일치하도록 괄호 안의 말을 이용하여 문장을 완성하시오.

1 그는 오늘 밤 보고서를 쓸 예정이다. (going to, write a report)

   → _____ tonight.

2 그녀는 그녀가 아이였을 때부터 Tom을 알아왔다. (know)

   → _____ since she was a child.

3 나는 오후 2시부터 그녀를 기다리고 있는 중이다. (wait for)

   → _____ since 2 p.m.

4 남동생이 집에 왔을 때 나는 이미 저녁을 먹었다. (already, eat dinner)

   → _____ when my brother came home.

1 빈칸에 들어갈 말로 알맞은 것은?

> Julia and Mike _____ apple pies next week.

① had baked   ② baked
③ have baked   ④ have been baking
⑤ are going to bake

[2-3] 빈칸에 들어갈 말이 순서대로 짝 지어진 것을 고르시오.

2

> • Yuna _____ to Switzerland twice.
> • When I arrived at the station, the train _____ already left.

① was – has   ② has been – has
③ was – had   ④ has been – had
⑤ was been – had been

3

> • The dance audition _____ last Monday.
> • We _____ for him since 10 a.m.

① started – wait
② has started – wait
③ started – have been waiting
④ has started – had been waiting
⑤ had started – have been waiting

4 빈칸에 들어갈 말로 알맞은 것을 <u>모두</u> 고르면?

> We have donated old books _____.

① yesterday   ② for six months
③ in 2020   ④ two days ago
⑤ since last year

5 빈칸에 공통으로 들어갈 말로 알맞은 것은?

> • When I came home, everybody _____ gone to bed.
> • She told me that she _____ already read the book.

① was   ② been   ③ has
④ have   ⑤ had

6 우리말과 일치하도록 빈칸에 알맞은 말이 순서대로 짝 지어진 것은?

> 내가 돌아왔을 때 남동생은 두 시간째 음악을 듣고 있던 중이었다.
> → My brother _____ to music for two hours when I _____ back.

① was listening – have come
② has been listening – came
③ has been listening – have come
④ had been listening – came
⑤ had been listening – have come

7 다음 중 어법상 <u>틀린</u> 문장을 <u>모두</u> 고르면?

① Water has frozen at 0°C.
② We won't lose the soccer match again.
③ They hadn't traveled abroad until last year.
④ Edison has invented the light bulb in 1879.
⑤ The boy has been sleeping on the sofa for three hours.

8 주어진 두 문장을 한 문장으로 바꿔 쓸 때 빈칸에 알맞은 말은?

> He lost his tablet PC. He doesn't have it now.
> → He _____ his tablet PC.

① had   ② has had   ③ had lost
④ loses   ⑤ has lost

9 밑줄 친 부분을 어법에 맞게 고친 것 중 **틀린** 것은?

① We are going to <u>celebrating</u> Lucy's birthday tomorrow.   → celebrate

② Mr. Ray is <u>leaving</u> Canada next week.   → 고칠 필요 없음

③ Harry <u>lived</u> in Chicago since 2012.   → has lived

④ Jupiter <u>will be</u> the largest planet in the solar system.   → is

⑤ It <u>was raining</u> for two days until yesterday.   → has been raining

10 주어진 우리말을 영어로 옮길 때 쓰이지 <u>않는</u> 단어는?

내가 그곳에 도착했을 때 영화는 이미 끝나 있었다.

① already   ② have
③ arrived   ④ ended
⑤ had

11 다음 중 어법상 **틀린** 문장의 개수는?

ⓐ The Wright brothers invented the airplane in 1903.

ⓑ It has been snowing all afternoon.

ⓒ She found that she had left her book on the bus.

ⓓ James has been taking pictures before we arrived.

① 0개   ② 1개   ③ 2개
④ 3개   ⑤ 4개

12 밑줄 친 부분의 쓰임이 보기와 같은 것은?

보기   He <u>hasn't finished</u> the project yet.

① My uncle <u>has gone</u> to Spain.
② I <u>have never seen</u> an action movie.
③ We <u>have just heard</u> the good news.
④ Rachel <u>has ridden</u> a horse three times.
⑤ He <u>has grown</u> vegetables since he was 13.

13 다음 두 문장을 한 문장으로 바르게 나타낸 것은?

He started climbing the mountain five hours ago. He's still climbing the mountain.

① He has climbed the mountain before.
② He has climbed the mountain five hours ago.
③ He climbed the mountain since five hours.
④ He has been climbing the mountain for five hours.
⑤ He had climbed the mountain for five hours.

14 밑줄 친 동사를 알맞은 형태로 바꾼 것끼리 짝 지어진 것은?

They <u>finish</u> the pizza when Peter <u>arrive</u>.

① finish – arrived
② finished – arriving
③ had finished – arrived
④ finished – had arrived
⑤ had finished – has arrived

15 우리말과 일치하도록 괄호 안의 말을 배열할 때, 네 번째로 오는 단어는?

> 나는 그녀가 오기 전에 피아노를 치고 있던 중이었다.
> (been, the, I, playing, she, had, piano, came, before)

① had ② the ③ piano
④ been ⑤ playing

16 다음 중 어법상 올바른 문장의 개수는?

> ⓐ I won't make gimbap for dinner today.
> ⓑ Minho does volunteer work every month.
> ⓒ Jake and Judy is going to have a party next weekend.
> ⓓ My sister has just finished her science homework.

① 0개 ② 1개 ③ 2개
④ 3개 ⑤ 4개

17 우리말을 잘못 영작한 것은?

① Green 씨는 그의 고향으로 가 버렸다.(지금 여기에 없다.)
→ Mr. Green has gone to his hometown.
② 그들은 그 연극을 세 시간 동안 보고 있는 중이다.
→ They have been watching the play for three hours.
③ Jim이 도착했을 때 나는 이미 점심을 먹었다.
→ I had already eaten lunch when Jim arrived.
④ 그는 Joan이 전화하기 전에 컴퓨터 게임을 하고 있던 중이었다.
→ He had been playing computer games before Joan had called.
⑤ 그녀는 열 살이었을 때부터 이 집에서 살아왔다.
→ She has lived in this house since she was 10.

18 (A), (B), (C)에 알맞은 것끼리 짝 지어진 것은?

> • He (A) built / has built this house in 2010.
> • (B) When / How long have you been in Seoul?
> • When he woke up this morning, the rain (C) has / had stopped.

(A)	(B)	(C)
① built	— When	— has
② has built	— How long	— had
③ built	— How long	— has
④ has built	— When	— had
⑤ built	— How long	— had

19 빈칸 ⓐ~ⓔ에 들어갈 말로 알맞지 <u>않은</u> 것은?

> • The winter vacation ___ⓐ___ soon.
> • She ___ⓑ___ me a text message every day.
> • He ___ⓒ___ the movie several times.
> • The comedy show ___ⓓ___ when I turned on the TV.
> • We ___ⓔ___ on the phone since this morning.

① ⓐ will start ② ⓑ sends
③ ⓒ has seen ④ ⓓ has already begun
⑤ ⓔ have been talking

20 다음 중 어법상 올바른 문장은?

① Have you ever saw a famous painting?
② I have been cooking spaghetti since an hour.
③ When has the car accident happened?
④ Jenny had been doing yoga before Kevin called her.
⑤ He has lived in Rome for 5 years before he moved to Milan.

21 그림을 보고, 괄호 안의 말을 이용하여 문장을 완성하시오.

⟨three hours ago⟩   ⟨now⟩

Kate _____

for three hours. (watch a movie)

22 경험 여부를 나타낸 표를 보고, 조건 에 맞게 문장을 완성하시오.

	Lucy	Joe
(1) draw a cartoon	○	×
(2) eat Spanish food	×	○
(3) win the lottery	×	×

조건   1. 현재완료를 사용할 것
2. 부정 표현이 필요한 경우 never를 사용할 것

(1) Lucy _____.

(2) Joe _____.

(3) Lucy and Joe _____.

23 두 문장을 괄호 안의 지시대로 한 문장으로 바꿔 쓰시오.

(1) My best friend went to another city. He isn't here now. (현재완료 문장으로)

→ My best friend _____.

(2) We bought this lamp three years ago. We still use this lamp. (현재완료 문장으로)

→ We _____

for three years.

(3) It started raining yesterday. It is still raining.
(현재완료진행형 문장으로)

→ It _____ since yesterday.

24 그림을 보고, 할머니가 도착했을 때 가족들이 무엇을 끝마친 상태였는지 보기 의 말을 이용하여 조건 에 맞게 문장을 완성하시오.

보기   feed the dog   water the plants
finish her homework

조건   1. 과거완료를 사용할 것
2. already를 포함할 것

(1) When grandma arrived, Dad _____

_____.

(2) When grandma arrived, Amy _____

_____.

(3) When grandma arrived, Aron _____

_____.

고난도
25 우리말과 일치하도록 괄호 안의 말을 이용하여 문장을 완성하시오.

(1) 그는 이번 주말에 정원을 청소할 예정이다.
(going, clean, the garden)

→ _____

this weekend.

(2) 여동생이 문을 두드렸을 때 나는 전화로 이야기하고 있던 중이었다. (talk, on the phone)

→ _____

when my sister knocked the door.

(3) 우리가 극장에 도착했을 때, 뮤지컬은 이미 시작해 있었다. (the musical, already, start)

→ When we arrived at the theater, _____

_____.

조동사

The thief may be a bird.

조동사는 동사의 앞에 위치하여 동사를 도와 능력, 추측, 의무 등의 의미를 더해준다.

POINT 1 can

can은 능력, 허가, 요청, 추측의 의미를 나타낸다.

~할 수 있다 <능력 = be able to>	Mia **can**(= **is able to**) play the violin.	Mia는 바이올린을 연주할 수 있다.
~해도 좋다 <허가, 허락>	You **can** use this printer.	너는 이 프린터기를 사용해도 좋다.
~해 줄래요? <요청>	**Can** you turn off the TV?	TV를 꺼 줄래요?
~일 수도 있다 <추측>	He **can** come late. That **can't** be Ann. She has red hair. ↳ ~일 리가 없다 <강한 부정적 추측>	그는 늦게 올 수도 있다. 저 사람은 Ann일 리가 없다. 그녀의 머리는 빨간색이다.

주의 두 개의 조동사를 연이어 쓸 수 없으므로, can이 다른 조동사와 함께 올 경우 be able to를 쓴다.

Bob **will be able to** join the team next year. Bob은 내년에 그 팀에 합류할 수 있을 것이다.
↳ will can (X)

Tips can(능력)의 과거형은 could이며, can보다 정중한 요청이나 can보다 더 약한 추측을 나타낼 때도 쓴다.

He **could**(= **was able to**) finish the report. 그는 그 리포트를 끝낼 수 있었다. <can의 과거형>
Could you press the button for the 7th floor? 7층 버튼을 눌러주시겠어요? <정중한 요청>
An accident **could** happen anytime. 사고는 언제든 일어날 수도 있다. <약한 추측>

> 조동사 뒤에는 항상 동사원형이 와요.

개념확인 옳은 의미 고르기

1 The rumor <u>can</u> be true.
☐ 허가 ☐ 추측

2 <u>Can</u> you touch the ceiling?
☐ 능력 ☐ 허가

3 <u>Can</u> you close the door?
☐ 요청 ☐ 추측

기본연습 우리말과 일치하도록 괄호 안의 말을 이용하여 문장을 완성하시오.

1 그녀는 수학 문제들을 쉽게 풀 수 있다. (can, solve)

→ _____ math problems easily.

2 그는 세 언어를 말할 수 있다. (be able to, speak)

→ _____ three languages.

3 내가 잠깐 너의 컴퓨터를 사용해도 될까? (can, use)

→ _____ your computer for a while?

4 그는 집에 있을 리 없다. 나는 방금 그를 체육관에서 봤다. (can, be)

→ He _____ at home. I just saw him at the gym.

5 집에 오는 길에 우유 좀 사다 줄래요? (could, buy)

→ _____ some milk on the way home?

POINT 2 may

may는 허가, 약한 추측의 의미를 나타낸다.

～해도 좋다 <허가, 허락>	You **may** wear my T-shirt. **May** I go out after dinner? We **may not** use cell phones in class.	너는 내 티셔츠를 입어도 **된다**. 제가 저녁 식사 후에 외출**해도 되나요**? 우리는 수업 중에 휴대 전화를 사용**하면 안 된다**.
～일지도 모른다 <약한 추측>	It **may** rain this afternoon. She **may** have a cold. He **may not** visit us next week.	오늘 오후에 비가 올**지도 모른다**. 그녀는 감기에 걸렸을**지도 모른다**. 그는 다음 주에 우리를 방문**하지 않을지도 모른다**.

주의 '허가, 허락'을 나타내는 may의 부정형 may not은 '～하면 안 된다'라는 의미를 나타낸다.

Tips might는 may의 과거형이며, may보다 불확실한 추측을 나타낼 때도 쓴다.
Brian **might** not arrive on time. Brian은 제시간에 도착하지 않을**지도 모른다**.

개념확인 옳은 의미 고르기

1 You <u>may</u> go home now.
☐ 허가   ☐ 추측

2 She <u>may</u> be sick.
☐ 허가   ☐ 추측

3 You <u>may</u> use my laptop.
☐ 허가   ☐ 추측

기본연습 밑줄 친 부분에 유의하여 우리말 해석을 완성하시오.

1 You <u>may</u> bring your friend to our meeting.
→ 너는 우리 모임에 네 친구를 _____.

2 <u>May</u> I use the bathroom?
→ 제가 화장실을 _____?

3 It <u>might</u> snow tomorrow morning.
→ 내일 아침에 _____.

4 Jason <u>may not</u> come to the party today.
→ Jason은 오늘 파티에 _____.

5 She is packing for her move. She <u>may</u> need some boxes.
→ 그녀는 그녀의 이삿짐을 싸는 중이다. 그녀는 상자가 몇 개 _____.

**틀 리 기 쉬 운
내/신/포/인/트**

조동사 may의 의미를 구분
할 수 있어야 해요.

밑줄 친 부분의 의미가 나머지 셋과 **다른** 것은?
① She <u>may</u> be a singer.   ② You <u>may</u> use my smartphone.
③ You <u>may</u> have a cold.   ④ He <u>may</u> not know my address.

POINT 3 must, should

must는 의무, 강한 추측의 의미를 나타낸다.

~해야 한다 <의무>	You **must**(= **have to**) stop at the red light.	너는 빨간색 신호등에 멈춰**야 한다**.
~임에 틀림없다 <강한 추측>	The movie **must** be scary.	그 영화는 무서운 것이 **틀림없다**.

주의 must의 부정형 must not과 have to의 부정형 don't have to는 의미가 서로 다르다.

You **must not** park here. <금지: ~하면 안 된다>　여기에 주차하면 안 된다.

We **don't have to** hurry. <불필요: ~할 필요가 없다>　우리는 서두를 필요가 없다.

> 궁금해요!
> 의무를 나타낼 때
> 과거형과 미래형은
> 어떻게 쓰나요?
>
> 의무를 나타낼 때 과거형은
> had to(~해야 했다),
> 미래형은 will have to
> (~해야 할 것이다)로 써요.

should는 의무·충고를 나타낸다. 부정형은 should not으로 '~하지 말아야 한다'라는 뜻이다.

~해야 한다 <의무·충고>	We **should** respect other people. You **shouldn't** eat too much fast food.	우리는 다른 사람들을 존중**해야 한다**. 너는 너무 많은 패스트푸드를 먹지 말**아야 한다**.

개념확인 **옳은 해석 고르기**

1 He <u>must</u> be really tired now.

☐ ~해야 한다　　☐ ~임에 틀림없다

2 You <u>should</u> wash your hands first.

☐ ~해야 한다　　☐ ~임에 틀림없다

기본연습 **괄호 안에서 알맞은 것을 고르시오.**

1 The boy is crying. He (must / should) be sad.

2 This is not a parking zone. You (must / must not) park here.

3 We (should / shouldn't) recycle plastics and cans.

4 Tomorrow is Sunday. You (have to / don't have to) go to school.

5 We (should / shouldn't) make a noise in a theater.

6 I can't play soccer now. I (have to / don't have to) go to my piano lesson.

7 She has a toothache. She (should / shouldn't) see a dentist.

8 The concert is free. We (have to / don't have to) buy tickets.

9 He is taking a nap. He (must / should) be tired.

10 It's late. You (should / shouldn't) go out alone.

11 Cathy didn't come to the party because she (has to / had to) study for a test.

POINT 4 used to

used to는 과거의 습관이나 과거의 상태를 나타낸다. '(과거에는) ~했으나, 현재는 그렇지 않다'라는 뜻을 포함해요.

~하곤 했다 <과거의 습관>	He **used to**(= **would**) cook for his family. I **used to**(= **would**) go fishing with my dad.	그는 가족들을 위해 요리를 **하곤 했다**. 나는 아빠와 함께 낚시를 가곤 **했다**.
~이었다 <과거의 상태>	There **used to** be a house on the hill. Judy **used to** have long hair.	언덕 위에 집이 한 채 **있었다**. Judy는 긴 머리카락을 가졌**었다**.

주의 would는 과거의 습관을 나타낼 수 있지만, 과거의 상태를 나타낼 수 없으므로 주의한다.

We ~~would~~ be good friends. (✕) <과거의 상태> 우리는 좋은 친구였다.
→ used to (○)

Tips 「be used to+동명사/명사」는 '~하는 데 익숙하다'라는 의미이다.

He **is used to** *raising* a pet. 그는 애완동물을 키우는 데 익숙하다.

개념확인 옳은 해석 고르기

1 He used to live in Madrid.

☐ 살곤 했다　　☐ 살았었다

2 She used to have salad for breakfast.

☐ 먹곤 했다　　☐ 먹었다

기본연습 우리말과 일치하도록 괄호 안의 말을 바르게 배열하여 문장을 완성하시오.

1 내 남동생은 키가 작았었지만, 지금은 키가 크다. (used to, my brother, short, be)

→ _____, but he is tall now.

2 나는 이 강에서 수영을 하곤 했다. (used to, I, in, this river, swim)

→ _____

3 여기에 영화관이 있었다. (a movie theater, there, here, used to, be)

→ _____

4 그는 아침 식사 전에 그의 개를 산책시키곤 했다. (his dog, breakfast, would, he, walk, before)

→ _____

5 Kate는 금요일에는 학교에 걸어가곤 했다. (used to, on Fridays, Kate, to school, walk)

→ _____

6 나는 어렸을 때 이곳에서 놀곤 했다. (would, as a child, I, play, here)

→ _____

7 우리 가족은 여름에 캠핑하러 가곤 했다. (go camping, used to, in summer, my family)

→ _____

「**조동사＋have＋과거분사**」는 과거의 일에 대한 후회·유감이나 추측을 나타낸다.

should have＋과거분사	～했어야 했다 (그러나 하지 않았다) 〈후회·유감〉	You **should have asked** for help. 너는 도움을 요청했어야 했다.
cannot have＋과거분사	～했을 리가 없다 〈의심·부정적 추측〉	She **cannot have been** late. 그녀가 늦었을 리가 없다.
may(might) have＋과거분사	～했을지도 모른다 〈추측〉	People **may(might) have seen** Amy. 사람들이 Amy를 봤을지도 모른다.
must have＋과거분사	～했음에 틀림없다 〈강한 추측〉	I **must have left** my book on the bus. 나는 버스에 내 책을 두고 내렸음에 틀림없다.

Tips 「shouldn't have＋과거분사」는 '～하지 말았어야 했다(그러나 했다)'의 의미를 나타낸다.
You **shouldn't have missed** the final match. 너는 결승전을 놓치지 말았어야 했다.

개념확인 옳은 해석 고르기

1 I should have helped her.

☐ 도왔어야 했다　　☐ 도왔음에 틀림없다

2 The man must have been hungry.

☐ 배가 고팠을지도 모른다　　☐ 배가 고팠음에 틀림없다

기본연습 A 우리말과 일치하도록 알맞은 조동사와 괄호 안의 말을 이용하여 문장을 완성하시오.

1 그가 직접 이 음식을 요리했을 리가 없다. (cook)

→ He _____ _____ _____ this food himself.

2 어젯밤에 눈이 왔었음에 틀림없다. (snow)

→ It _____ _____ _____ last night.

3 그는 오늘 아침에 우산을 가져갔어야 했다. (take)

→ He _____ _____ _____ an umbrella this morning.

4 그 우유는 상했었을지도 모른다. (go)

→ The milk _____ _____ _____ bad.

5 나는 그 공포 영화를 보지 말았어야 했다. (watch)

→ I _____ _____ _____ the horror movie.

6 그녀는 그녀의 안경을 잃어버렸음에 틀림없다. (lose)

→ She _____ _____ _____ her glasses.

7 Henry가 그런 어리석은 실수를 했을 리가 없다. (make)

→ Henry _____ _____ _____ such a stupid mistake.

8 Tina는 약속을 지켰어야 했지만, 그녀는 약속을 깼다. (keep)

→ Tina _____ _____ _____ her promise, but she broke it.

9 그는 그 비싼 노트북을 사지 말았어야 했다. (buy)

→ He _____ _____ _____ the expensive laptop computer.

10 Dave는 전에 교사였음에 틀림없다. (be)

→ Dave _____ _____ _____ a teacher before.

11 Sue가 나에게 도움을 청하기 위해 전화했을지도 모른다. (call)

→ Sue _____ _____ _____ me for help.

12 그가 그 빵을 훔쳤을 리가 없다. (steal)

→ He _____ _____ _____ the bread.

B 의미가 자연스럽도록 괄호 안에서 알맞은 것을 고르시오.

1 Brian is honest. He (cannot / must) have told a lie.

2 The door was open. Someone (cannot / must) have entered my room.

3 Judy rested at home. She (cannot / may) have been sick.

4 I (should / might) have told my dad the truth, but I didn't.

5 Susan left home early in the morning. She (cannot / may) have missed the train.

6 He looks very sleepy. He (must / should) have stayed up late last night.

7 The party was great. You (should / shouldn't) have come to the party.

8 She ate a big breakfast. The food (cannot / must) have been delicious.

9 Kate knows Seoul well. She (cannot / might) have lived there for some time.

10 I (should / must) have finished the science project, but I didn't.

11 Aron looks upset. You (should / shouldn't) have broken his smartphone.

**틀 리 기 쉬 운
내/신/포/인/트**

「조동사 + have + 과거분사」
의 의미를 구분해서 알아두
어야 해요.

두 문장의 의미가 같도록 빈칸에 알맞은 말을 쓰시오.

I'm sorry that you didn't see the movie.
= You _____ the movie.

① shouldn't see　　② may have seen
③ must have seen　　④ should have seen

POINT 6 조동사 관용 표현

had better+동사원형	~하는 게 좋겠다 <충고>	You **had better go** now. 너는 지금 가는 게 좋겠다. You **had better not wait** for him. 너는 그를 기다리지 않는 게 좋겠다.
would rather+동사원형	차라리 ~하겠다	I **would rather stay** at home. 나는 차라리 집에 있겠다. I **would rather not eat** meat. 나는 차라리 고기를 먹지 않겠다.
would like+명사	~을 원하다	I **would like** some water. 나는 물을 원한다.
would like to+동사원형	~하고 싶다	I **would like to go** jogging. 나는 조깅하러 가고 싶다.

Tips had better과 would rather의 부정은 뒤에 **not**을 써서 나타낸다.
You **had better not** go out at night. 너는 밤에 외출하지 **않는** 게 좋겠다.
I **would rather not** call him. 나는 차라리 그에게 전화하지 **않겠다**.

Tips 「would rather *A* than *B*」는 'B하느니 A하는 게 낫겠다'라는 의미이다. ➜ A와 B에는 주로 문법적으로 동일한 형태가 와요.
I **would rather** walk **than** take a bus. 나는 버스를 타느니 걷는 게 낫겠다.

개념확인 옳은 해석 고르기

1 You had better leave now. ☐ 떠나고 싶다 ☐ 떠나는 게 좋겠다

2 I would rather sit on the floor. ☐ 차라리 앉겠다 ☐ 차라리 앉지 않겠다

3 She would like to take a walk. ☐ 산책하고 싶다 ☐ 산책하는 게 좋겠다

기본연습 A 틀린 부분을 찾아 바르게 고쳐 쓰시오.

1 You have better exercise regularly. ＿＿＿＿ → ＿＿＿＿

2 I would rather asked Tom. ＿＿＿＿ → ＿＿＿＿

3 Andrew would like take a rest. ＿＿＿＿ → ＿＿＿＿

4 You had not better eat junk food. ＿＿＿＿ → ＿＿＿＿

5 I would not rather join the photo club. ＿＿＿＿ → ＿＿＿＿

6 I would like to learning French. ＿＿＿＿ → ＿＿＿＿

7 You had better checking your email right now. ＿＿＿＿ → ＿＿＿＿

8 Mr. White would like to a house with a pool. ＿＿＿＿ → ＿＿＿＿

9 I'd like to taken part in the singing contest. ＿＿＿＿ → ＿＿＿＿

10 I would rather stay home than going there. ＿＿＿＿ → ＿＿＿＿

B 우리말과 일치하도록 보기 의 말과 괄호 안의 말을 이용하여 문장을 완성하시오.

> 보기   had better   would rather   would like   would like to

1 나는 그녀와 대화하고 싶다. (have)

→ I _____ a conversation with her.

2 나는 차라리 집에서 책을 읽겠다. (read)

→ I _____ a book at home.

3 너는 식사 전에 네 손을 씻는 게 좋겠다. (wash)

→ You _____ your hands before meals.

4 그녀는 그 닭고기 수프의 조리법을 원한다. (the recipe)

→ She _____ for the chicken soup.

5 너는 빗길에서 운전하지 않는 게 좋겠다. (drive)

→ You _____ in the rain.

6 그는 그의 차에 우유를 좀 넣고 싶어 한다. (put)

→ He _____ some milk in his tea.

7 나는 버스를 타느니 기차를 타겠다. (take)

→ I _____ the train than take the bus.

8 너는 어두운 곳에서 휴대 전화를 사용하지 않는 게 좋겠다. (use)

→ You _____ your cell phone in the dark.

9 지금 비가 세차게 내리고 있다. 나는 차라리 외출하지 않겠다. (go)

→ It's raining heavily now. I _____ out.

10 너는 열이 있다. 너는 지금 바로 의사의 진찰을 받는 게 좋겠다. (see)

→ You have a fever. You _____ a doctor right now.

11 나는 이번 주말에 여동생과 함께 영화를 보러 가고 싶다. (go)

→ I _____ to the movies with my sister this weekend.

틀리기 쉬운 내/신/포/인/트

조동사를 사용한 관용 표현의 형태와 의미를 잘 알아두어야 해요.

빈칸에 들어갈 말로 알맞은 것은?

It's late. You _____ go to bed now.

① would   ② had better
③ would like   ④ had better not

개 ' 념 ' 완 ' 성 TEST

정답 및 해설 p.9

STEP 1 Map으로 개념 정리하기

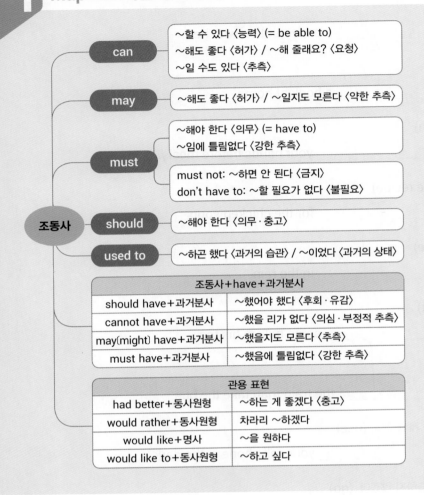

조동사		
can	~할 수 있다 〈능력〉 (= be able to)	
	~해도 좋다 〈허가〉 / ~해 줄래요? 〈요청〉	
	~일 수도 있다 〈추측〉	
may	~해도 좋다 〈허가〉 / ~일지도 모른다 〈약한 추측〉	
must	~해야 한다 〈의무〉 (= have to)	
	~임에 틀림없다 〈강한 추측〉	
	must not: ~하면 안 된다 〈금지〉	
	don't have to: ~할 필요가 없다 〈불필요〉	
should	~해야 한다 〈의무 · 충고〉	
used to	~하곤 했다 〈과거의 습관〉 / ~이었다 〈과거의 상태〉	

조동사+have+과거분사	
should have+과거분사	~했어야 했다 〈후회 · 유감〉
cannot have+과거분사	~했을 리가 없다 〈의심 · 부정적 추측〉
may(might) have+과거분사	~했을지도 모른다 〈추측〉
must have+과거분사	~했음에 틀림없다 〈강한 추측〉

관용 표현	
had better+동사원형	~하는 게 좋겠다 〈충고〉
would rather+동사원형	차라리 ~하겠다
would like+명사	~을 원하다
would like to+동사원형	~하고 싶다

Quick Check

❶ She can play tennis very well.

= She _____ _____

_____ play tennis very well.

❷ You must arrive on time.

= You _____ _____

arrive on time.

❸ You must not swim here.

해석: _____

❹ You don't have to go there.

해석: _____

❺ 나는 그를 도와줬어야 했다. (help)

→ I _____

_____ him.

❻ 그는 어제 나를 봤을 리가 없다. (see)

→ He _____

_____ me yesterday.

❼ There used to (be / being) a school here.

❽ I would like (have / to have) some Italian food.

STEP 2 기본 다지기

빈칸완성

A 우리말과 일치하도록 알맞은 조동사와 괄호 안의 말을 이용하여 문장을 완성하시오.

1 그는 한 발로 10분 동안 설 수 있다. (stand)

→ He _____ _____ on one foot for ten minutes.

2 너는 그 문제에 관해 더 이상 걱정할 필요가 없다. (worry)

→ You _____ _____ _____ about the matter anymore.

3 너는 네 용돈을 저축하는 게 좋겠다. (save)

→ You _____ _____ _____ your allowance.

4 나는 액션 영화를 보고 싶다. (watch)

→ I _____ _____ _____ an action movie.

5 그는 매일 달리기를 연습했음에 틀림없다. (practice)

→ He _____ _____ _____ running every day.

6 그녀가 그런 말을 했을 리가 없다. (say)

→ She _____ _____ _____ such a thing.

7 우리는 주말에 등산을 하러 가곤 했다. (go)

→ We _____ _____ _____ climbing on weekends.

8 나는 차가운 우유보다는 뜨거운 차를 마시는 게 낫겠다. (drink)

→ I _____ _____ _____ hot tea than cold milk.

오류수정

B 밑줄 친 부분이 **틀린** 경우 바르게 고쳐 쓰시오. (옳은 경우 ○표 할 것)

1 My cat used to <u>sleeping</u> on my bed. → _____

2 She <u>will can</u> go to Germany next year. → _____

3 You <u>don't should</u> eat or drink in the subway. → _____

4 We should have <u>be</u> more careful. → _____

5 She must have <u>take</u> the swimming lesson. → _____

6 You <u>will have to</u> get up early tomorrow morning. → _____

7 Jane may have <u>knew</u> his address. → _____

8 I <u>should haven't</u> touched the insect. → _____

9 I would rather <u>taking</u> a nap than play outside. → _____

문장전환

C 두 문장의 뜻이 같도록 빈칸에 알맞은 말을 쓰시오.

1 He can imitate a bird's cry.

→ He _____ _____ _____ _____ a bird's cry.

2 I'm sure that she is Eddy's sister.

→ She _____ _____ Eddy's sister.

3 I want to take a picture with you.

→ I _____ _____ _____ _____ a picture with you.

4 There was a big tree here, but now there isn't.

→ There _____ _____ _____ a big tree here.

STEP 3 서술형 따라잡기

A 그림이해
그림을 보고, 괄호 안의 말을 이용하여 과거의 일에 대한 문장을 완성하시오.

1 　　　**2**

1 My sister _____. (must, eat, the cookies)

2 He _____. (should, bring, his umbrella)

B 영작완성
우리말과 일치하도록 괄호 안의 말을 바르게 배열하여 문장을 쓰시오.

1 우리는 휴일마다 할머니를 방문하곤 했다. (we, visit, used to, on holidays, grandma)

→ _____

2 나는 치즈를 좀 사고 싶다. (buy, would, I, some cheese, like to)

→ _____

3 나는 차라리 집에 머무르겠다. (would, home, I, stay, rather)

→ _____

4 그는 어젯밤에 피자를 먹지 말았어야 했다. (pizza, last night, he, eaten, shouldn't, have)

→ _____

C 문장영작
우리말과 일치하도록 괄호 안의 말을 이용하여 영작하시오.

1 그녀는 그 창문들을 닦아야 했다. (have to, clean)

→ _____

2 그는 어제 일찍 일어났을지도 모른다. (may, get up, early)

→ _____

3 Amy는 많은 음식을 주문했다. 그녀는 배가 매우 고픈 것임에 틀림없다. (must, be)

→ Amy ordered lots of food. _____

4 나는 그의 생일을 잊었다. 나는 그의 생일을 기억했어야 했다. (should, remember)

→ I forgot his birthday. _____

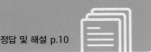
1 두 문장의 의미가 같을 때 빈칸에 알맞은 것은?

> You should not make a noise here.
> = You _____ not make a noise here.

① are   ② have   ③ must
④ would   ⑤ could

[2-3] 빈칸에 들어갈 말로 알맞은 것을 고르시오.

2

> There _____ be a park here, but now there is a library.

① was   ② would   ③ must
④ used to   ⑤ should

3

> I feel sleepy. I _____ have gone to bed early last night.

① must   ② may   ③ would
④ cannot   ⑤ should

[4-5] 빈칸에 공통으로 들어갈 말로 알맞은 것을 고르시오.

4

> • You _____ cross at the crosswalk.
> • Joy looks pale. She _____ be sick.

① can   ② must
③ should   ④ have to
⑤ used to

5

> • You _____ use my computer any time.
> • Jenny _____ speak four languages.
> • _____ you help me with my homework?

① may(May)   ② can(Can)
③ must(Must)   ④ have to(Have to)
⑤ should(Should)

6 다음 문장을 부정문으로 만들 때 not이 들어갈 위치로 알맞은 곳은?

> You (①) had (②) better (③) play (④) computer games (⑤) at night.

7 대화의 빈칸에 들어갈 말로 알맞은 것은?

> A: The movie begins in one hour. Let's leave now.
> B: It takes only 10 minutes to the theater.
> _____

① We cannot hurry.
② We must not hurry.
③ We have to hurry.
④ We would rather hurry.
⑤ We don't have to hurry.

8 밑줄 친 ①~⑤ 중 어법상 어색한 것은?

> When I ①was ②a little child, I ③used to ④playing ⑤in this park.

9 밑줄 친 부분의 의미가 나머지 넷과 <u>다른</u> 것은?

① It <u>may</u> rain this afternoon.
② The bag <u>may</u> be Ann's.
③ Tom <u>may</u> not like the food.
④ Jenny is absent. She <u>may</u> be sick.
⑤ You <u>may</u> wear my shoes if you want.

10 우리말을 영어로 옮긴 것 중 <u>틀린</u> 것은?

① 나는 쇼핑하러 가고 싶다.
　→ I would like to go shopping.
② 그녀의 이야기는 사실일 리가 없다.
　→ Her story should not be true.
③ 너는 택시를 타는 게 좋겠다.
　→ You had better take a taxi.
④ 나는 차라리 더 큰 것을 사겠다.
　→ I would rather buy the bigger one.
⑤ 그는 어제 일찍 일어나야 했다.
　→ He had to get up early yesterday.

11 다음 중 어법상 올바른 문장은?

① Amy may can answer the question.
② He will must finish the science project.
③ She must hands in the report by tomorrow.
④ Austin have to practice for the talent show.
⑤ I would rather feed my cat before dinner.

12 주어진 우리말을 영어로 바르게 옮긴 것은?

> 그는 그 차에 돈을 쓰지 말았어야 했다.

① He must not spend money on the car.
② He shouldn't spend money on the car.
③ He cannot have spent money on the car.
④ He must have spent money on the car.
⑤ He shouldn't have spent money on the car.

13 우리말과 일치하도록 괄호 안의 말을 배열할 때, 네 번째로 오는 단어는?

> 너는 너무 많은 초콜릿을 먹지 않는게 좋겠다.
> (have, not, you, better, too, chocolates, had, many)

① have　　　② not　　　③ too
④ better　　⑤ had

14 밑줄 친 부분의 쓰임이 나머지 넷과 <u>다른</u> 것은?

① There <u>used to</u> be a tall tree here.
② I <u>used</u> to walk to school last year.
③ He is <u>used</u> to setting up the tent.
④ There <u>used</u> to be a river over there.
⑤ She <u>used</u> to be a manager in the museum.

15 다음 중 우리말 해석이 잘못된 것은?

① She may not come to my birthday party.

→ 그녀는 내 생일 파티에 오지 않을지도 모른다.

② She cannot have spread the rumor.

→ 그녀가 그 소문을 퍼뜨렸을 리가 없다.

③ He used to go fishing every Sunday.

→ 그는 일요일마다 낚시를 가곤 했다.

④ You don't have to prepare dinner alone.

→ 너는 혼자 저녁을 준비해서는 안 된다.

⑤ They may have seen me on the street.

→ 그들은 길에서 나를 봤을지도 모른다.

16 밑줄 친 can(Can)의 의미가 보기와 같은 것은?

> 보기 Can you turn down the music?

① You can wear my jacket.

② The boy can play the flute.

③ You can use my computer.

④ Miso can speak Spanish well.

⑤ Can you buy some bread on the way home?

고난도
17 두 문장의 의미가 같도록 할 때 빈칸에 알맞은 것은?

> I'm sure that you sent the letter to the wrong place.
>
> → You _____ the letter to the wrong place.

① should have sent ② might have sent

③ may have sent ④ must have sent

⑤ cannot have sent

18 밑줄 친 부분 중 어법상 틀린 것은?

① You shouldn't talk loudly in the library.

② The baby will be able to walk in a year.

③ Amy is honest. She cannot have told a lie.

④ There would be a bookstore on Main street.

⑤ I lost Harry's bike. He must be angry at me.

19 대화의 밑줄 친 문장과 바꿔 쓸 수 있는 것은?

> **A:** I'd like to see an ice show.
>
> **B:** Me, too. Let's go together someday.

① I should see an ice show.

② I would see an ice show.

③ I want to see an ice show.

④ I used to see an ice show.

⑤ I had better see an ice show.

고난도
20 어법상 올바른 문장의 개수는?

> ⓐ Tony has better call the police.
>
> ⓑ I would rather have tea than coffee.
>
> ⓒ Brian should have keep his promise.
>
> ⓓ There used to be a farm on the hill.
>
> ⓔ She will can join the school band next year.

① 0개 ② 1개 ③ 2개

④ 3개 ⑤ 4개

21 그림을 보고, 괄호 안의 말과 알맞은 조동사를 이용하여 문장을 완성하시오.

〈past〉 → 〈now〉

Julia _____ eating meat, but now she doesn't. (like)

22 우리말과 일치하도록 조건 에 맞게 문장을 완성하시오.

> 조건 1. 과거의 일에 대한 후회나 유감을 나타낼 것
> 2. 조동사와 괄호 안의 단어를 사용할 것

(1) 우리는 축구 경기를 졌다. 우리는 더 열심히 연습했어야 했다.

→ We lost the soccer match. We _____ _____ harder. (practice)

(2) 나는 통학 버스를 놓쳤다. 나는 더 일찍 일어났어야 했다.

→ I missed the school bus. I _____ _____ earlier. (get up)

23 주어진 문장을 읽고 추측할 수 있는 내용을 괄호 안의 말을 이용하여 쓰시오.

(1) John hasn't eaten anything all day.

→ He _____ hungry. (must)

(2) Kate was looking forward to the party.

→ She _____ the party. (cannot, forget)

(3) Tom hasn't arrived at the airport yet.

→ He _____ the bus. (might, miss)

24 보기 의 표현과 had better를 이용하여 충고의 말을 쓰시오.

> 보기 eat sweet things
> go to bed early
> clean your room every day

(1) **Kelly:** My room is always messy.

→ You _____ .

(2) **Hojin:** I have a toothache.

→ You _____ .

(3) **Yuna:** I can't get up early in the morning.

→ You _____ .

고난도

25 우리말과 일치하도록 괄호 안의 말을 이용하여 문장을 완성하시오. (보기 의 표현을 한 번씩 사용할 것)

> 보기 rather   have   better

(1) 한국에서 65세 이상의 사람들은 지하철표를 구입할 필요가 없다. (pay)

→ People over 65 _____ for a subway ticket in Korea.

(2) 우리는 그 경기를 취소하지 않는 게 좋겠다. (cancel)

→ We _____ the game.

(3) 나는 그 책을 사느니 빌리는 게 낫겠다. (borrow)

→ I _____ the book than buy it.

4 to부정사

My dream is to be a singer.

to부정사는 문장 안에서 명사, 형용사, 부사처럼 쓰인다.

명사적 용법: 주어, 보어, 목적어 역할 정답 및 해설 p.11

to부정사는 문장에서 명사처럼 주어, 보어, 목적어 역할을 하며, '~하는 것, ~하기'로 해석한다.

└→ 「to + 동사원형」

주어	**To fly** kites in the park is very exciting. → It is very exciting **to fly** kites in the park. _{가주어} _{진주어}	공원에서 연을 **날리는 것**은 매우 재미있다. 주어로 쓰인 to부정사구가 길면, 문장 맨 앞에 가주어 It을 쓰고 진주어인 to부정사구를 문장 뒤로 보내요.
보어	His goal is **to be** an astronaut.	그의 목표는 우주 비행사가 **되는 것**이다.
목적어	Harry didn't want **to go** to the party.	Harry는 그 파티에 **가는 것**을 원하지 않았다.

주의 to부정사의 부정은 「not + to부정사」의 형태로 쓴다.
I promised **not to tell** anyone the secret. 나는 누구에게도 그 비밀을 말하기 않기로 약속했다.

Tips to부정사를 목적어로 쓰는 동사: want, hope, expect, need, decide, plan, agree, promise 등
I'm *planning* **to go** to the zoo with my friends. 나는 나의 친구들과 동물원에 가는 것을 계획하고 있다.

개념확인 to부정사 찾기

1 It is important to keep a promise.   **2** I want to ride a horse.

기본연습 **A** 괄호 안에서 알맞은 것을 고르고, 밑줄 친 부분의 알맞은 역할에 ✔ 표시하시오.

1 She likes (take / to take) pictures of flowers.   ☐주어   ☐보어   ☐목적어

2 It is important (come / to come) to class on time.   ☐주어   ☐보어   ☐목적어

3 I expect (seeing / to see) you again.   ☐주어   ☐보어   ☐목적어

4 Amy's job at the hospital is (help / to help) sick people.   ☐주어   ☐보어   ☐목적어

5 Jim promised (to not be / not to be) late for the club meeting.   ☐주어   ☐보어   ☐목적어

B 빈칸에 들어갈 말을 **보기** 에서 골라 알맞은 형태로 쓰시오.

보기	visit	help	dance	become	understand

1 My hope is _____ _____ a famous model.

2 It is very difficult _____ _____ a foreign language.

3 Her plan is _____ _____ people in need.

4 Jack didn't want _____ _____ on the stage yesterday.

5 I'm planning _____ _____ my grandmother this weekend.

C 우리말과 일치하도록 괄호 안의 말을 이용하여 문장을 완성하시오.

1 물 없이 사는 것은 불가능하다. (impossible, live)

→ _____ _____ _____ _____ _____ without water.

2 나는 내일 과학 시험을 통과하기를 기대한다. (expect, pass)

→ _____ _____ _____ _____ the science test tomorrow.

3 Kate의 꿈은 유명한 화가가 되는 것이다. (Kate's dream, become)

→ _____ _____ _____ _____ _____ a famous painter.

4 Tom은 이번 여름 방학에 L.A.에 가기로 동의했다. (agree, go)

→ _____ _____ _____ _____ to L.A. this summer vacation.

5 Jane은 그녀의 인생에 대한 책을 쓰기를 희망한다. (hope, write)

→ _____ _____ _____ _____ a book about her life.

6 그들은 그 집을 사지 않기로 결정했다. (decide, buy)

→ _____ _____ _____ _____ _____ the house.

7 매일 아침 물 한 잔을 마시는 것이 좋다. (good, drink)

→ _____ _____ _____ _____ _____ a glass of water every morning.

D 밑줄 친 부분을 바르게 고쳐 쓰시오.

1 <u>This</u> is important to walk the dog every day.   → _____

2 You need <u>return</u> this book in two weeks.   → _____

3 My task <u>are</u> to wash the dishes every day.   → _____

4 Amy plans to <u>goes</u> to the movies this weekend.   → _____

5 It was amazing to <u>saw</u> my favorite singer in person.   → _____

틀리기 쉬운
내/신/포/인/트

to부정사가 명사처럼 쓰일
때 문장에서의 역할을 구분
할 수 있어야 해요.

밑줄 친 부분의 역할이 보기와 같은 것은?

보기 I need <u>to finish</u> my homework today.

① It's important <u>to have</u> breakfast.
② He promised not <u>to tell</u> a lie.
③ It is difficult <u>to write</u> in English.
④ My plan is <u>to watch</u> the game on TV tonight.

「의문사+to부정사」는 문장에서 명사처럼 쓰이며, 「의문사+주어+should+동사원형」으로 바꿔 쓸 수 있다.

what+to부정사	무엇을 ~할지	where+to부정사	어디서(어디로) ~할지	how+to부정사	어떻게 ~할지
when+to부정사	언제 ~할지	who(m)+to부정사	누구를(누구에게) ~할지	which+to부정사	어느 것을 ~할지

↳ 「which+명사+to부정사」 형태로도 쓰여요.

Please tell us **what to do** now. 지금 무엇을 해야 할지 우리에게 말해 주세요.
= Please tell us **what we should do** now.

I didn't know **how to make** a cake. 나는 케이크를 어떻게 만들어야 하는지 몰랐다.
= I didn't know **how I should make** a cake.

「why+to부정사」로는 쓰이지 않아요.

개념확인 옳은 해석 고르기

1 I don't know <u>which to choose</u>.
  ☐ 어느 것을 선택할지   ☐ 어떻게 선택할지

2 He didn't tell me <u>when to come</u>.
  ☐ 어디로 올지   ☐ 언제 올지

기본연습 A 밑줄 친 부분을 바르게 고쳐 쓰시오.

1 Cindy didn't know <u>what say</u> to him.   → _____

2 I'm not sure <u>where put</u> this flower pot.   → _____

3 The question is <u>when to leaves</u> for the party.   → _____

4 Brian knows <u>how make to</u> spaghetti well.   → _____

5 My little brother has no idea <u>to follow whom</u>.   → _____

B 자연스러운 문장이 되도록 괄호 안의 말을 바르게 배열하시오.

1 Do you know _____?
  (to, use, how, this oven)

2 She asked me _____.
  (shopping, to, go, when)

3 Tina told me _____.
  (to, for the picnic, what, bring)

4 Please tell me _____.
  (this box, to, put, where)

5 We have to decide _____.
  (whom, tomorrow, meet, to)

C 보기의 의문사와 괄호 안의 단어를 이용하여 문장을 완성하시오.

보기	what	whom	when	where	how

1 I'm going to Jeju-do. I don't know _____ _____ _____ first. (visit)

2 They decided to go to Paris. But they didn't decide _____ _____ _____. (leave)

3 This problem is difficult. Can you show me _____ _____ _____ it? (solve)

4 I need an adviser. Can you tell me _____ _____ _____? (ask)

5 We have a school uniform. We don't have to think about _____ _____ _____. (wear)

D 두 문장의 뜻이 같도록 빈칸에 알맞은 말을 쓰시오.

1 Mark doesn't know what he should draw.

= Mark doesn't know _____ _____ _____.

2 John hasn't decided where he should go for lunch.

= John hasn't decided _____ _____ _____ _____ _____.

3 She learned how to write a poem.

= She learned _____ _____ _____ _____ _____.

4 I don't know whom I should trust in the group.

= I don't know _____ _____ _____ _____ _____.

5 Please tell me when to press the button.

= Please tell me _____ _____ _____ _____ _____.

6 Tina advised me which shoes I should buy.

= Tina advised me _____ _____ _____ _____.

틀리기 쉬운
내/신/포/인/트

「의문사+to부정사」의
의미와 형태를 기억해요.

주어진 문장의 빈칸에 들어갈 수 <u>없는</u> 것은?

He wants to know _____.

① why to follow her
② where to move the vase
③ when to start the meeting
④ what to wear for the party

POINT 3 형용사적 용법

to부정사는 형용사처럼 명사나 대명사를 수식하는 역할을 하고, '~할, ~하는'으로 해석한다.

I need	a new jacket	**to wear**	this spring.

명사(구) + to부정사

나는 올봄에 **입을** 새 재킷이 필요하다.

I want	a small chair	**to sit on**	in the yard.

명사(구) + to부정사 + 전치사: to부정사의 수식을 받는 명사(구)가 전치사의 목적어일 경우,
to부정사 뒤에 전치사를 써야 해요.

나는 마당에서 **앉을** 작은 의자를 원한다.

주의 같은 동사라도 to부정사가 수식하는 명사에 따라 전치사가 달라진다.
I have *a pen* **to write with**. 나는 **쓸** 펜을 가지고 있다.
I have *some paper* **to write on**. 나는 **쓸** 종이를 가지고 있다.

주의 -thing, -one 등으로 끝나는 대명사를 형용사와 to부정사가 동시에 수식할 때, to부정사는 형용사 뒤에 온다.
He bought something *cold* **to drink**. 그는 **마실 차가운** 것을 샀다.

개념확인 to부정사가 수식하는 말 찾기

1 I have something to tell you.

2 Nick wants somebody to play with.

기본연습 A 빈칸에 들어갈 말을 보기에서 골라 알맞은 형태로 쓰시오.

보기	do	live	read	wear

1 I have many things _____ _____ today.

2 Jenny didn't have a chance _____ _____ the book.

3 They are going to rent a house _____ _____ in.

4 Eric wants something warm _____ _____ in the winter.

B 자연스러운 문장이 되도록 괄호 안의 말을 바르게 배열하시오.

1 We don't have _____. (do, time, the project, to)

2 Frank lent me _____. (to, a pen, with, write)

3 My grandfather wants _____. (hot, drink, to, something)

틀리기 쉬운 내/신/포/인/트

to부정사의 수식을 받는 명사가 전치사의 목적어일 경우, to부정사 뒤에 전치사를 쓰는 것을 기억해요.

빈칸에 들어갈 말로 알맞은 것은?

I need a chair to sit _____.

① on ② to ③ for ④ with

POINT 4 부사적 용법

to부정사는 부사처럼 동사, 형용사, 부사, 문장 전체를 수식하는 역할을 한다.

목적	~하기 위해	I studied hard **to pass** the math exam. 나는 수학 시험을 **통과하기 위해** 열심히 공부했다.
감정의 원인	~해서	We are so glad **to see** you again. 우리는 너를 다시 **봐서** 매우 기쁘다.
결과	~해서 (결국) …하다	She grew up **to be** a great musician. 그녀는 자라서 훌륭한 음악가가 **되었다**.
판단의 근거	~하다니	You must be smart **to win** the contest. 대회에서 **우승하다니** 너는 똑똑한 것이 틀림없다.
형용사 수식	~하기에	The question is *easy* **to answer**. 그 질문은 답하기 쉽다. This book is *difficult* **to understand**. 이 책은 이해하기 어렵다.

> 목적을 나타낼 때 to 대신 in order to를 쓰기도 해요.

Tips to부정사가 감정의 원인을 나타낼 경우, 주로 glad, happy, pleased, sorry, upset, shocked, surprised 등의 감정을 나타내는 형용사가 앞에 온다.
He was *surprised* **to find** a snake. 그는 뱀을 **발견해서** 놀랐다.

개념확인 옳은 해석 고르기

1 We were happy to see you.

☐ 봐서   ☐ 보기 위해

2 He ran to help his brother.

☐ 도와주다니   ☐ 도와주기 위해

기본연습 A 밑줄 친 to부정사의 의미로 알맞은 것을 고르시오.

	목적	감정의 원인	결과	판단의 근거	형용사 수식
1 He grew up to be a famous writer.	☐	☐	☐	☐	☐
2 We are pleased to meet you again.	☐	☐	☐	☐	☐
3 Ms. Baker must be angry to say such a thing.	☐	☐	☐	☐	☐
4 Peter got up early to help his grandfather.	☐	☐	☐	☐	☐
5 The old bridge looked dangerous to cross.	☐	☐	☐	☐	☐
6 People were surprised to hear the news.	☐	☐	☐	☐	☐
7 Why don't you come to see me this weekend?	☐	☐	☐	☐	☐
8 My brother woke up to find himself alone.	☐	☐	☐	☐	☐
9 The girl must be happy to keep smiling.	☐	☐	☐	☐	☐
10 Eggs are rich in vitamins and easy to cook.	☐	☐	☐	☐	☐

B 우리말과 일치하도록 괄호 안의 말을 이용하여 문장을 완성하시오.

1 그녀는 자신의 오랜 친구들을 만나서 행복했다. (happy, meet)

→ She was _____ her old friends.

2 네 전화번호는 기억하기 매우 쉽다. (easy, remember)

→ Your phone number is very _____.

3 그 어려운 질문에 답하다니 그는 똑똑한 것이 틀림없다. (smart, answer)

→ He must be _____ that difficult question.

4 네 사고에 대해 들어서 유감이야. (sorry, hear)

→ I'm _____ about your accident.

5 그 새는 물고기를 잡기 위해 강으로 뛰어들었다. (catch, a fish)

→ The bird dived into the river _____.

6 그 어린 소녀는 자라서 훌륭한 바이올린 연주자가 되었다. (grow up, become)

→ The little girl _____ a great violinist.

7 그런 결정을 하다니 그녀는 어리석음에 틀림없다. (stupid, make)

→ She must be _____ that decision.

8 이 식물들은 돌보기 정말 어렵다. (difficult, take care of)

→ These plants are very _____.

C 밑줄 친 to부정사의 쓰임으로 알맞은 것을 고르시오.

1 Her speech was not easy <u>to understand</u>. ☐ 명사 ☐ 형용사 ☐ 부사

2 I went to the bakery <u>to buy</u> some bread. ☐ 명사 ☐ 형용사 ☐ 부사

3 My task is <u>to plan</u> for the camping trip. ☐ 명사 ☐ 형용사 ☐ 부사

4 He has no time <u>to eat</u> breakfast. ☐ 명사 ☐ 형용사 ☐ 부사

5 I don't know <u>where to go</u> for my summer vacation. ☐ 명사 ☐ 형용사 ☐ 부사

틀 리 기 쉬 운
내/신/포/인/트

to부정사가 부사처럼 쓰일 때 각각의 의미를 구분하여 기억하세요.

밑줄 친 부분의 쓰임이 보기 와 같은 것은?

보기 Everyone was happy <u>to see</u> the parade.

① This movie is easy <u>to understand</u>.
② We were sad <u>to hear</u> about the accident.
③ It is very difficult <u>to learn</u> a new language.
④ Mary bought a ticket <u>to see</u> the ice show.

POINT 5 to부정사의 시제

단순부정사는 to부정사와 주절의 시제가 같을 때 쓰고, 완료부정사는 to부정사가 주절의 시제보다 이전에 발생한 일을 나타낼 때 쓴다.

단순부정사 (to+동사원형)	Jenny seems **to be** hungry. (= It <u>seems</u> that Jenny **is** hungry.) _{같은 시제}	Jenny는 배가 **고픈** 것 같다.
	Tim seemed **to know** the answer. (= It <u>seemed</u> that Tim **knew** the answer.) _{같은 시제}	Tim은 그 답을 **알고 있는** 것 같았다.
완료부정사 (to have+과거분사)	Jenny seems **to have been** hungry. (= It **seems** that Jenny **was** hungry.) _{was가 먼저 일어난 일}	Jenny는 배가 **고팠던** 것 같다. to부정사(to have been)가 주절의 시제(seems)보다 더 이전에 발생한 일
	Tim seemed **to have known** the answer. (= It **seemed** that Tim **had known** the answer.) _{had known이 먼저 일어난 일}	Tim은 그 답을 **알고 있었던** 것 같았다. to부정사(to have known)가 주절의 시제(seemed) 보다 더 이전에 발생한 일

개념확인 옳은 해석 고르기

1 Tony seems to be sick.

☐ 아픈 것 같다　　☐ 아팠던 것 같다

2 My aunt seems to have been sick.

☐ 아픈 것 같다　　☐ 아팠던 것 같다

기본연습 A 우리말과 일치하도록 괄호 안의 말을 이용하여 문장을 완성하시오.

1 Kate는 항상 열심히 일하는 것 같다. (work)

→ Kate always seems ＿＿＿＿＿＿＿＿＿＿＿＿＿＿＿＿ hard.

2 Andy는 그 영화를 봤었던 것 같다. (watch)

→ Andy seems ＿＿＿＿＿＿＿＿＿＿＿＿＿＿＿＿ the movie.

3 보미와 지나는 이전에 서로 만났었던 것 같다. (meet)

→ Bomi and Jina seem ＿＿＿＿＿＿＿＿＿＿＿＿＿＿＿＿ each other before.

B 두 문장의 뜻이 같도록 빈칸에 알맞은 말을 쓰시오.

1 It seems that Mike was busy.

= Mike seems ＿＿＿＿＿ ＿＿＿＿＿ ＿＿＿＿＿ busy.

2 Jane seems to have cried last night.

= It seems that Jane ＿＿＿＿＿ last night.

3 It seemed Mr. Brown was a police officer.

= Mr. Brown seemed ＿＿＿＿＿ ＿＿＿＿＿ a police officer.

POINT 6 to부정사의 의미상 주어

to부정사의 의미상 주어는 to부정사의 행위의 주체를 나타낼 때 쓰며, to부정사 앞에 「for(of)+목적격」의 형태로 쓴다.

for+목적격	It's difficult	for me	to solve the math problem.	내가 그 수학 문제를 푸는 것은 어렵다.
	It's important	for you	to keep your promise.	네가 약속을 지키는 것은 중요하다.
of+목적격	It is *kind*	of him	to help my little sister.	내 여동생을 도와주다니 그는 친절하다.
	It is *foolish*	of her	to believe them again.	그들을 또 믿다니 그녀는 어리석구나.

↘ 의미상 주어가 사람의 성격이나 태도를 나타내는 형용사 뒤에 쓰일 경우 「of+목적격」의 형태로 써요.

Tips 사람의 성격이나 태도를 나타내는 형용사: kind, nice, good, rude, wise, honest, careless, foolish, brave, stupid 등

Tips 의미상 주어로 「of+목적격」을 쓸 때는 의미상 주어를 문장의 주어로 바꿔 쓸 수 있다.
It was stupid **of you to do** it. 그것을 하다니 너는 어리석었다.
= **You** were stupid **to do** it.

 개념확인 to부정사의 의미상 주어 찾기

1 It's hard for me to get up early.   **2** It's nice of you to help me.

기본연습 **A** 괄호 안에서 알맞은 것을 고르시오.

1 It was stupid (for / of) you to tell a lie again.

2 It is important (for / of) you to have breakfast every day.

3 It is impossible (for / of) us to finish the work today.

4 It was foolish (for / of) her to make the same mistake.

5 It is hard (for / of) me to read books every day.

6 It is very nice of (he / him) to lend me some money.

B 밑줄 친 부분을 바르게 고쳐 쓰시오.

1 It is not easy of him to use chopsticks.   → _____

2 This book may be difficult of you to read.   → _____

3 It was careless for you to spill the water.   → _____

4 It's important for my to spend time with my family.   → _____

5 It was wise for her not to say anything.   → _____

6 It isn't hard of she to solve the puzzle.   → _____

C 우리말과 일치하도록 괄호 안의 말을 이용하여 문장을 완성하시오.

1 유리를 깨다니 그는 부주의했다. (break)

→ It was careless _____ the glass.

2 그녀는 자신의 의견을 말하는 것이 쉽지 않다. (give)

→ It's not easy _____ her opinion.

3 그가 그녀를 칭찬한 것은 매우 현명했다. (praise)

→ It was very wise _____ her.

4 나는 롤러코스터를 타는 것이 신이 난다. (ride)

→ It is exciting _____ a roller coaster.

5 그런 질문을 하다니 너는 어리석구나. (ask)

→ It is stupid _____ such a question.

6 우리에게 사실을 말하다니 그녀는 정말 정직하다. (tell)

→ It's very honest _____ us the truth.

7 그가 그 공을 잡는 것은 매우 어려웠다. (catch)

→ It was very difficult _____ the ball.

8 그녀를 그렇게 대하다니 그는 무례했다. (treat)

→ It was rude _____ her like that.

9 오늘 밤 저녁 식사에 나를 초대하다니 그들은 친절하다. (invite)

→ It's kind _____ me for dinner tonight.

10 그들은 가장 좋은 의견을 선택하는 것이 중요했다. (choose)

→ It was important _____ the best idea.

틀리기 쉬운 내/신/포/인트

to부정사의 의미상 주어의 형태로 for를 쓸 때와 of 를 쓸 때를 구별할 수 있어야 해요.

빈칸에 들어갈 말이 보기 와 같은 것은?

보기 It's difficult _____ me to keep a diary every day.

① It is nice _____ you to lend me the book.
② It was wise _____ him to listen to my advice.
③ It was rude _____ them to keep her waiting.
④ It is important _____ her to exercise regularly.

too ~ to, enough to

정답 및 해설 p.12

to부정사 구문 「too+형용사/부사+to부정사」와 「형용사/부사+enough+to부정사」가 자주 쓰인다.

too+형용사/부사+to부정사 (너무 ~해서 …할 수 없다)	I'm	**too** *busy*	**to play** outside.
	= I'm **so** *busy* **that I can't play** outside.		

나는 너무 바빠서 밖에서 놀 수 없다.

↱「so+형용사/부사+that+주어+can't」로 바꿔 쓸 수 있어요.

형용사/부사+enough+to부정사 (…할 만큼(하기에) 충분히 ~하다)	He's	*smart* **enough**	**to solve** the quiz.
	= He's **so** *smart* **that he can** solve the quiz.		

그는 그 퀴즈를 풀 만큼 충분히 똑똑하다.

↱「so+형용사/부사+that+주어+can」으로 바꿔 쓸 수 있어요.

주의 의미상 주어가 있는 「too ~ to부정사」 구문을 so ~ that …으로 바꿀 때, ❶의미상 주어를 that절의 주어로 쓰고, ❷that절의 동사가 목적어가 필요한 경우 목적어를 써 준다.

This tea is	**too** *hot*	**for me**	**to drink.**

이 차는 너무 뜨거워서 내가 마실 수 없다.

=	This tea is	**so** *hot*	that **I can't drink it**.

❷ that절의 목적어를 써요.

❶ 의미상 주어를 that절의 주어로 써요.

개념확인 옳은 의미 고르기

1 The bookcase is <u>too heavy to lift</u>.
- ☐ 너무 무거워서 들 수 없다
- ☐ 너무 무겁지만 들 수 있다

2 She was <u>kind enough to help him</u>.
- ☐ 너무 친절하지만 그를 도와줄 수는 없었다
- ☐ 그를 도와줄 만큼 충분히 친절했다

기본연습 A 괄호 안에서 알맞은 것을 고르시오.

1 It is (too / enough) cold to go out and play.

2 Wendy is old (too / enough) to drive a car.

3 The movie was (too scary / scary too) for me to watch.

4 The room was (large enough / enough large) to hold them all.

5 Ms. White is too weak (to work / to working) in her garden.

6 The bag is (cheap for him enough / cheap enough for him) to buy.

B 우리말과 일치하도록 괄호 안의 말을 이용하여 문장을 완성하시오.

1 Kevin은 천장에 닿을 만큼 충분히 키가 크다. (tall, reach)

→ Kevin is _____ the ceiling.

2 Jake는 너무 어려서 운전면허를 딸 수 없다. (young, get)

→ Jake is _____ a driver's license.

3 그 노부인은 그 집을 살 만큼 충분히 부자다. (rich, buy)

→ The old lady is _____ the house.

4 이 공은 너무 커서 한 손으로 잡을 수 없다. (big, catch)

→ This ball is _____ with one hand.

5 그 냉장고는 내가 혼자 옮기기엔 너무 무거웠다. (heavy, move)

→ The refrigerator was _____ by myself.

6 그 물은 그들이 더위를 식히기에 충분히 시원했다. (cold, cool off)

→ The water was _____.

7 그 꽃은 벌들을 끌만큼 충분히 달콤한 향기가 났다. (sweet, attract)

→ The flower smelled _____ bees.

C 두 문장의 뜻이 같도록 괄호 안의 지시대로 바꿔 쓰시오.

1 We were too tired to walk any longer. (that절을 포함하여)

= We were _____ any longer.

2 The stadium is so large that it can hold 10,000 people. (to부정사 구문으로)

= The stadium is _____.

3 The computer is so expensive that I can't buy it. (to부정사 구문으로)

= The computer is _____.

4 He is strong enough to carry the box by himself. (that절을 포함하여)

= He is _____ by himself.

5 The poem is so easy that I can remember it. (to부정사 구문으로)

= The poem is _____.

다음 중 주어진 문장과 의미가 같은 것은?

> Tom is strong enough to lift the rock.

① Tom is too strong to lift the rock.
② Tom is too enough strong to lift the rock.
③ Tom is so strong that he can lift the rock.
④ Tom is so strong that he can't lift the rock.

개 | 념 | 완 | 성 | T E S T

정답 및 해설 p.13

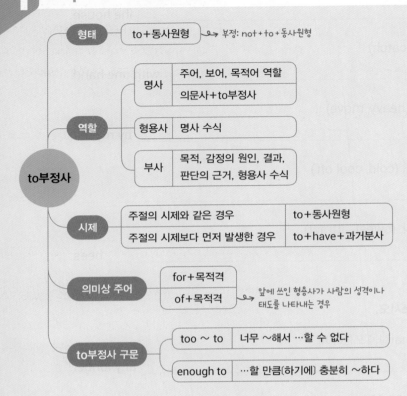

Quick Check

1. I decided when (to meet / met) him.

2. It's good (have / to have) your own dreams.

3. I need a friend (to talks / to talk to).

4. I was happy to meet my old friend.
   해석: _____

5. They seem to be friends.
   해석: _____

6. They seem to have met before.
   해석: _____

7. It's difficult (for / of) me to solve the problem.

8. It was nice (for / of) her to help me.

9. I was (too / enough) shy to talk to her.

10. She is rich enough (help / to help) them.

STEP 2 기본 다지기

빈칸완성

A 우리말과 일치하도록 괄호 안의 말을 이용하여 문장을 완성하시오.

1 학교에 너를 도와줄 친구들이 많다. (help)

→ There are many friends _____ _____ you in school.

2 내가 이 탁자를 옮기는 것은 쉽지 않다. (move)

→ It is not easy _____ _____ _____ _____ this table.

3 나는 올해 기타를 어떻게 연주하는지 배우고 싶다. (play)

→ I'd like to learn _____ _____ _____ the guitar this year.

4 Anna는 오늘 무엇을 입을지 아직 결정하지 못했다. (wear)

→ Anna hasn't decided _____ _____ _____ today yet.

5 그 소년은 너무 피곤해서 달릴 수 없었다. (tired, run)

→ The boy was _____ _____ _____ _____ .

6 네가 약속을 지킨 것은 현명했다. (keep)

→ It was wise _____ _____ _____ _____ your promise.

7 그 소녀는 선반의 맨 위에 닿을 만큼 충분히 키가 크지 않다. (tall, reach)

→ The girl is not _____ _____ _____ _____ the top shelf.

B 밑줄 친 부분을 바르게 고쳐 쓰시오.

1 Can you tell me <u>where put</u> this vase? → _____

2 Jennifer needs a chair <u>to sit</u>. → _____

3 I asked her <u>when to leaves</u> for New York. → _____

4 He was <u>to tired</u> to watch the movie. → _____

5 It was kind <u>for him</u> to help me find the way. → _____

6 She is <u>enough brave</u> to go into the Ghost House. → _____

7 I'm going to turn on the computer <u>check</u> my email. → _____

8 It is important <u>of him</u> to manage his time well. → _____

9 I hope <u>complete</u> the project within two weeks. → _____

C 다음 문장을 to부정사를 이용하여 바꿔 쓰시오.

1 I can't decide what I should write about.

→ _____

2 She grew up and became a great astronaut.

→ _____

3 It seems that you know a lot about the accident.

→ _____

4 It seems that he studied hard for the exam.

→ _____

5 My aunt is so weak that she can't walk for a long time.

→ _____

6 The box is so big that it can hold all the balls.

→ _____

그림이해

A 그림을 보고, 괄호 안의 단어와 「의문사+to부정사」를 이용하여 문장을 완성하시오.

1 Jason has no idea ＿＿＿＿＿ ＿＿＿＿＿ ＿＿＿＿＿ the new tablet PC. (use)

2 Amy hasn't decided ＿＿＿＿＿ ＿＿＿＿＿ ＿＿＿＿＿ for lunch. (eat)

영작완성

B 우리말과 일치하도록 괄호 안의 말을 바르게 배열하여 문장을 쓰시오.

1 그 쇼를 볼 기회를 놓치지 마라. (your chance, to, don't, the show, watch, miss)

→ ＿＿＿＿＿＿＿＿＿＿＿＿＿＿＿＿＿＿＿＿＿＿＿＿＿＿

2 나는 너에게 말할 중요한 것이 있다. (I, you, tell, have, important, to, something)

→ ＿＿＿＿＿＿＿＿＿＿＿＿＿＿＿＿＿＿＿＿＿＿＿＿＿＿

3 그녀는 무거운 상자를 옮길 만큼 충분히 힘이 세다. (is, the heavy box, strong, she, to, enough, carry)

→ ＿＿＿＿＿＿＿＿＿＿＿＿＿＿＿＿＿＿＿＿＿＿＿＿＿＿

4 Ben은 교통 혼잡을 피하기 위해 일찍 출발했다. (to, Ben, early, avoid, left, the heavy traffic)

→ ＿＿＿＿＿＿＿＿＿＿＿＿＿＿＿＿＿＿＿＿＿＿＿＿＿＿

문장영작

C 우리말과 일치하도록 괄호 안의 말을 이용하여 영작하시오.

1 그녀는 무대에서 춤추는 것이 신이 난다. (it, exciting, dance, on the stage)

→ ＿＿＿＿＿＿＿＿＿＿＿＿＿＿＿＿＿＿＿＿＿＿＿＿＿＿

2 그는 너무 졸려서 그 영화를 볼 수 없었다. (too, sleepy, watch, the movie)

→ ＿＿＿＿＿＿＿＿＿＿＿＿＿＿＿＿＿＿＿＿＿＿＿＿＿＿

3 Monica는 그 답을 알고 있었던 것 같다. (seem, to, know, the answer)

→ ＿＿＿＿＿＿＿＿＿＿＿＿＿＿＿＿＿＿＿＿＿＿＿＿＿＿

4 그가 우유를 엎지른 것은 부주의했다. (it, careless, spill, the milk)

→ ＿＿＿＿＿＿＿＿＿＿＿＿＿＿＿＿＿＿＿＿＿＿＿＿＿＿

[1-4] 빈칸에 들어갈 말로 알맞은 것을 고르시오.

1

It is good _____ a glass of water every morning.

① drink   ② drinks   ③ drank
④ to drink   ⑤ to have drunk

2

I haven't decided _____ to go for my winter vacation.

① what   ② how   ③ why
④ which   ⑤ where

3

Emma promised _____ a lie.

① not tell
② not to tell
③ not tell to
④ to tell not
⑤ to not tell

4

His new movie was difficult _____ to understand.

① of I   ② of my   ③ of me
④ for my   ⑤ for me

5 빈칸에 들어갈 말로 알맞지 않은 것은?

It is _____ of you to make a decision so soon.

① smart   ② wise   ③ careless
④ foolish   ⑤ hard

[6-7] 밑줄 친 부분의 쓰임이 보기 와 같은 것을 고르시오.

6

보기   Some students couldn't find any chairs <u>to sit</u> on.

① I expect <u>to have</u> a trip to Europe.
② It is not easy <u>to fly</u> a plane.
③ Her dream is <u>to be</u> a famous designer.
④ There is nothing <u>to eat</u> in the refrigerator.
⑤ It is exciting <u>to go</u> camping in summer.

7

보기   They were very sad <u>to hear</u> about the accident.

① Arabic is a difficult language <u>to learn</u>.
② It was not easy <u>to find</u> a store there.
③ He was surprised <u>to see</u> her in the concert hall.
④ I need a friend <u>to talk</u> to about this problem.
⑤ They're planning <u>to attend</u> the meeting tomorrow.

8

> The desk is so heavy that I can't move it.
> = The desk is _____ for me to move.

① very heavy   ② too heavy

③ heavy too   ④ heavy enough

⑤ enough heavy

9

> It seems that he bought the ticket for the festival.
> = He seems _____ the ticket for the festival.

① buy   ② to buy

③ bought   ④ to bought

⑤ to have bought

10 우리말과 일치하도록 괄호 안의 말을 배열할 때, 네 번째로 오는 단어는?

> 그녀는 천장을 건드릴 만큼 충분히 높이 뛰었다.
> (she, the, ceiling, high, to, jumped, enough, touch)

① touch   ② enough   ③ to

④ jumped   ⑤ high

11 빈칸에 들어갈 말이 순서대로 짝 지어진 것은?

> • Does the baby need a toy to play _____?
> • Could you give me a piece of paper to write _____?

① in – at   ② in – with

③ to – on   ④ with – for

⑤ with – on

12 우리말을 영어로 잘못 옮긴 것은?

① 이 요리는 요리하기 쉽지 않다.

  → This dish is not easy to cook.

② 그녀는 오디션을 통과해서 기뻤다.

  → She was pleased to passing the audition.

③ 그는 에펠탑을 보기 위해 파리에 가 본 적이 있다.

  → He has been to Paris to see the Eiffel Tower.

④ 그 어린 소녀는 자라서 위대한 화가가 되었다.

  → The little girl grew up to be a great painter.

⑤ 그 모든 문제를 풀다니 너는 똑똑한 것이 분명하다.

  → You must be smart to solve all the problems.

13 빈칸에 들어갈 수 없는 것은?

> She doesn't know _____.

① what to say

② where to go

③ why to finish

④ when to leave

⑤ how to use chopsticks

14 다음 중 어법상 틀린 문장은?

① The soup is too hot for him to eat.

② The doll is small enough to fit in my hand.

③ I have something to give special you.

④ She likes to take pictures in the park.

⑤ They plan to visit Sydney next month.

15 다음 중 빈칸에 들어갈 말이 나머지 넷과 **다른** 하나는?

① It's important _____ you to take the class.

② It was very hard _____ her to ride a horse.

③ It was kind _____ him to bake cookies for me.

④ It's not impossible _____ me to stay up all night.

⑤ It was easy _____ him to use the new machine.

16 밑줄 친 부분이 어법상 **틀린** 것의 개수는?

> ⓐ We should decide <u>when to visit</u> him.
> ⓑ The pizza is too small <u>to share</u> with everyone.
> ⓒ Can you tell me <u>what buy</u> for Andy?
> ⓓ The doctor advised her <u>not to eat</u> salty food.

① 0개　　② 1개　　③ 2개
④ 3개　　⑤ 4개

17 다음 글의 밑줄 친 ①~⑤ 중 어법상 **어색한** 것을 두 개 고르면?

> I have a dog ①<u>to takes</u> care of. His name is Roy. I go to the park ②<u>to walk</u> him every day. I think he is very smart. He seems ③<u>to understand</u> my words. Also, he knows ④<u>how open</u> the door of my room. I'm really happy ⑤<u>to be</u> with him.

18 다음 중 주어진 문장과 의미하는 바가 같은 것은?

> They're rich enough to buy the beautiful house.

① They're too poor to buy the beautiful house.

② They're so rich that they can buy the beautiful house.

③ They're not rich, but they can buy the beautiful house.

④ The beautiful house is too expensive for them to buy.

⑤ Because they are poor, they can't buy the beautiful house.

19 주어진 우리말을 영어로 옮길 때, 쓰이지 **않는** 단어는?

> Mary는 나에게 화가 나 있는 것 같다.

① me　　② angry　　③ be
④ have　　⑤ seems

20 어법상 올바른 문장의 개수는?

> ⓐ Do you need a fork to eat with?
> ⓑ It was wise for you not to go out in the heavy rain.
> ⓒ The girl is not old enough to ride the roller coaster.
> ⓓ Mt. Jiri is not easy to climb.

① 0개　　② 1개　　③ 2개
④ 3개　　⑤ 4개

21 우리말과 일치하도록 괄호 안의 말을 사용하여 조건 에 맞게 영작하시오.

> 조건   1. 가주어 It을 사용할 것
> 2. to부정사를 사용할 것

(1) 공기 없이 사는 것은 불가능하다.

(impossible, live, without air)

→ _____

(2) 나를 도와주다니 그는 친절했다. (kind, help me)

→ _____

(3) 나는 꽃들을 키우는 것이 어렵다.

(difficult, grow flowers)

→ _____

22 우리말과 일치하도록 to부정사를 이용하여 문장을 완성하시오.

(1) 나는 무엇을 마실지 모르겠다.

→ I don't know _____ .

(2) 그녀는 나에게 그 책을 어디에서 살지 물었다.

→ She asked me _____
the book.

(3) Kevin은 그 상자를 어떻게 여는지 알고 싶다.

→ Kevin wants to know _____
the box.

23 주어진 문장을 우리말로 해석하시오.

(1) He grew up to become a famous pianist.

→ _____

(2) I went to the park to meet my friend.

→ _____

24 그림을 보고, 괄호 안의 말과 to부정사를 이용하여 문장을 완성하시오.

(1)    (2)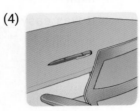

(3)   (4)

(1) There are _____
in the room. (a lot of, read)

(2) There is _____
at the bus stop. (sit on)

(3) There are _____
on the table. (some, eat)

(4) There is _____
on the desk. (write with)

🔺고난도
25 (A)와 (B)에서 한 문장씩 골라 주어진 표현을 이용하여 한 문장으로 다시 쓰시오.

(A)	She is so sleepy.
	She is so strong.
(B)	She can't drive her car.
	She can move the bookshelf.

(1) too ~ to

→ _____

_____

(2) enough to

→ _____

_____

5

동명사

Fishing is her hobby.

She enjoys watching TV.

He loves sleeping.

'보다'라는 의미의 동사 watch에 -ing를 붙이면 '보는 것'이라는 의미를 나타낼 수 있다.
이와 같이 동사원형에 -ing가 붙어 명사 역할을 하는 것을 동명사라고 한다.

정답 및 해설 p.15

POINT 1 동명사의 형태와 쓰임

동명사는 「동사원형+-ing」의 형태로 '~하는 것, ~하기'의 뜻을 나타내며, 문장 안에서 명사처럼 주어, 목적어, 보어로 쓰인다.

주어로 쓰인 동명사(구)는 단수 취급해서 단수 동사를 써요.

주어	**Exercising** regularly *is* good for your health.	규칙적으로 **운동하는 것**은 건강에 좋다.
	Meeting new people *makes* me nervous.	새로운 사람들을 **만나는 것**은 나를 긴장하게 한다.
목적어	She *enjoys* **talking** with her friends. 동사의 목적어	그녀는 친구들과 **이야기하는 것**을 즐긴다.
	Nick is interested *in* **learning** Korean. 전치사의 목적어	Nick은 한국어를 **배우는 것**에 흥미가 있다.
보어	One of my hobbies is **watching** movies.	내 취미 중 하나는 영화를 **보는 것**이다.

동명사의 부정은 동명사 앞에 **not**이나 **never**를 써서 나타낸다.

Not(Never) eating late at night is a wise choice. 밤늦게 **먹지 않는 것**은 현명한 선택이다.

I'm sorry for **not(never) calling** you first. 네게 먼저 **전화를 하지 않은 것**에 대해 미안하다.

개념확인 동명사의 쓰임 고르기

1 I finished cleaning the house.

☐ 주어 ☐ 목적어 ☐ 보어

2 Shopping online is easy.

☐ 주어 ☐ 목적어 ☐ 보어

3 His plan is arriving on time.

☐ 주어 ☐ 목적어 ☐ 보어

기본연습 괄호 안에서 알맞은 것을 고르고, 밑줄 친 부분의 쓰임을 쓰시오.

1 (Finish / Finishing) a marathon isn't easy. _____

2 Suji's dream is (travel / traveling) to Italy some day. _____

3 My sister practices (sang / singing) every day. _____

4 Tina is good at (grow / growing) plants. _____

5 His favorite activity is (rides / riding) a bike. _____

6 (Speak / Speaking) in front of people makes me nervous. _____

7 I'm sorry for (arriving not / not arriving) on time. _____

8 (Not getting / Getting not) enough sleep makes you tired. _____

틀리기 쉬운 내/신/포/인/트

주어로 쓰인 동명사(구)는 단수 취급해요.

어법상 틀린 부분을 찾아 바르게 고쳐 쓰시오.

Making good friends are very important in your life.

_____ → _____

POINT 2 동명사의 의미상 주어

정답 및 해설 p.15

동명사의 행위의 주체가 문장의 주어와 다를 때, 동명사 앞에 목적격이나 소유격으로 의미상 주어를 나타낸다.

Do you mind **me(my)** sitting here?

Tim's parents don't like **him(his)** staying up late.

Ann worried about **her friend(her friend's)** being late.

내가 여기에 앉아도 될까?

Tim의 부모님은 **그가** 늦게까지 깨어 있는 것을 좋아하지 않는다.

Ann은 **그녀의 친구가** 늦는 것을 걱정했다.

Tips 동명사의 의미상 주어가 문장의 주어 또는 목적어와 같거나 일반인일 때, 의미상 주어를 쓸 필요가 없다.

Mom finished ~~her~~ **cooking** dinner. → 문장의 주어와 일치
엄마는 저녁을 요리하는 것을 끝냈다.

Thank you for ~~your(you)~~ **inviting** me. → 문장의 목적어와 일치
나를 초대해 줘서 고마워.

~~People's~~ **Parking** here is not allowed. → 의미상 주어가 일반인
여기에 주차하는 것은 허용되지 않습니다.

> 궁금해요!
> ① Do you mind sitting here?와
> ② Do you mind me sitting here?가
> 다른 의미인가요?
>
> ①은 여기 앉지 않는 사람이 '너(you)'이고,
> ②는 여기 앉지 않는 사람이 '나(me)'로
> 두 문장은 다른 의미예요.

개념확인 동명사의 의미상 주어 찾기

1 I don't mind him talking loudly.

2 I like my friend's living near to me.

기본연습 **보기**와 같이 괄호 안의 말을 이용하여 밑줄 친 부분의 의미상 주어를 나타내시오. (필요 없으면 X 표시)

> **보기** I don't mind using my cell phone. (she)
>   her

1 John worried about arriving home late. (they)

2 He was proud of being a teacher. (Tina)

3 I don't like talking about me. (my friend)

4 Do you mind turning on the air conditioner? (I)

5 Smoking is not allowed in the restaurant. (people)

6 Were you disappointed at not coming to the party? (she)

7 My parents like playing the piano on the stage. (my sister)

8 I don't understand being late for school every day. (he)

POINT 3 동명사의 시제와 수동태

동명사의 시제가 문장의 시제와 같거나 미래를 나타낼 때 단순형인 「동사원형＋-ing」를 쓴다.
동명사의 시제가 문장의 시제보다 앞설 때 완료형인 「having＋과거분사」를 쓴다.

단순형	동사원형＋-ing	She enjoys **buying** things online. I'm proud of **singing** on the stage.	그녀는 온라인으로 물건을 **사는 것**을 즐긴다. 나는 무대에서 **노래하는 것**이 자랑스럽다.
완료형	having＋과거분사	She is angry about **having lost** her key.	그녀는 열쇠를 **잃어버렸던 것**에 화가 난다.

↳ 열쇠를 잃어버린 시점이 화가 난 시점보다 이전

동명사의 의미가 수동인 경우 「being＋과거분사」를 쓴다.

수동태	being＋과거분사	She hates **being asked** personal questions. He is proud of **being chosen** as class leader.	그녀는 개인적인 **질문을 받는 것**을 싫어한다. 그는 학급 대표로 **선택된 것**을 자랑스러워한다.

개념확인 옳은 해석 고르기

1 She dislikes being photographed.
- ☐ 사진을 찍는 것
- ☐ 사진을 찍히는 것

2 He regrets having lied.
- ☐ 거짓말을 하는 것
- ☐ 거짓말을 했던 것

3 I enjoy being asked help.
- ☐ 도움을 요청하는 것
- ☐ 도움을 요청 받는 것

기본연습 우리말과 일치하도록 괄호 안의 말과 동명사를 사용하여 문장을 완성하시오.

1 그에게 이메일을 보내는 것은 좋은 생각이다. (send)
→ _____ him an email is a good idea.

2 그녀는 댄스 오디션에 통과했던 것이 기쁘다. (pass)
→ She is happy for _____ the dance audition.

3 스트레스를 받는 것은 네 건강에 좋지 않다. (stress)
→ _____ is not good for your health.

4 Daniel은 어린아이처럼 취급 받는 것을 좋아하지 않는다. (treat)
→ Daniel doesn't like _____ like a child.

5 Monica는 내일 경주에서 우승할 것을 확신한다. (win)
→ Monica is sure of _____ the race tomorrow.

6 그는 파티에 초대받지 못해 실망스럽다. (invite)
→ He is disappointed at _____ to the party.

동명사만을 목적어로 쓰는 동사

avoid 피하다 finish 끝내다 postpone 연기하다 stop 멈추다, 그만두다	consider 고려하다 imagine 상상하다 practice 연습하다 give up 포기하다	deny 부인하다 keep 계속하다 quit 그만두다 put off 미루다	enjoy 즐기다 mind 꺼리다 recommend 추천하다	+ 동명사

Ms. White **enjoys growing** plants. White 씨는 식물을 키우는 것을 즐긴다.

Peter is **considering moving** to a bigger house. Peter는 더 큰 집으로 이사하는 것을 고려하고 있다.

She will **quit drinking** coffee in the morning. 그녀는 아침에 커피 마시는 것을 그만둘 것이다.

Why do you **avoid talking** with Kate? 너는 왜 Kate와 이야기하는 것을 피하니?

to부정사만을 목적어로 쓰는 동사

agree 동의하다 need 필요가 있다 tend 경향이 있다	decide 결정하다 plan 계획하다 want 원하다	expect 예상하다 promise 약속하다 wish 바라다	hope 희망하다 refuse 거절하다	+ to부정사

We **agreed to finish** the project by tomorrow. 우리는 내일까지 그 프로젝트를 끝내기로 동의했다.

I **expect to arrive** on time. 나는 제시간에 도착할 것을 예상한다.

They **want to go** to the amusement park. 그들은 놀이공원에 가길 원한다.

개념확인 동사의 목적어 찾기

1 He decided to buy a car.　　**2** We practiced singing every day.　　**3** I gave up learning Spanish.

기본연습 **A** 괄호 안에서 알맞은 것을 고르시오.

1 Can you imagine (flying / to fly) in the air?

2 Do you mind (traveling / to travel) alone in other countries?

3 He avoids (talking / to talk) on the phone in the subway.

4 My sister tends (waking / to wake) up late on weekends.

5 Don't give up (exercising / to exercise) three times a week.

6 The man denied (entering / to enter) the house through the window.

7 She is hoping (winning / to win) a gold medal in the swimming contest.

8 Nancy needs (preparing / to prepare) dinner for her grandparents.

B 우리말과 일치하도록 괄호 안의 말을 이용하여 문장을 완성하시오.

1 그는 눈길에 운전하는 것을 피한다. (avoid, drive)

→ He _____ in the snow.

2 나는 엄마의 생일 선물로 스카프를 사는 것을 생각하고 있다. (consider, buy)

→ I'm _____ a scarf for my mom's birthday.

3 Helen은 모든 사람 앞에서 계속 웃어야 했다. (keep, smile)

→ Helen had to _____ in front of everyone.

4 그 어린 소녀는 일찍 잠자리에 들 것을 약속했다. (promise, go)

→ The little girl _____ to bed early.

5 그들은 폭우 때문에 낚시 가는 것을 미룰 것이다. (put off, go)

→ They will _____ fishing because of the heavy rain.

6 그 학생들은 그 사안에 대해 투표하는 것을 동의했다. (agree, vote)

→ The students _____ about the issue.

7 우리는 마침내 그 교실을 청소하는 것을 끝냈다. (finish, clean)

→ We finally _____ the classroom.

C 밑줄 친 부분이 틀린 경우 바르게 고쳐 쓰시오. (옳은 경우 ○표 할 것)

1 You should quit <u>to eat</u> unhealthy food. → _____

2 We decided <u>throwing</u> a surprise party for Sue. → _____

3 He hopes <u>to live</u> in a small village by the sea. → _____

4 Tony enjoys <u>to climb</u> the mountain on weekends. → _____

5 She can't keep <u>singing</u> because of a sore throat. → _____

6 Jessy refused <u>answering</u> my questions. → _____

7 The old man wants <u>using</u> his money for the nursing home. → _____

8 The doctor postponed <u>to meet</u> his patients until 2 o'clock. → _____

빈칸에 들어갈 말로 알맞지 <u>않은</u> 것은?

We _____ going for a walk in the park.

① considered   ② enjoyed   ③ promised   ④ kept

목적어로 동명사와 to부정사 중 무엇을 써도 의미 차이가 없는 동사

like 좋아하다	begin 시작하다	hate 싫어하다	prefer 더 좋아하다	+ 동명사 / to부정사
love 사랑하다	start 시작하다	continue 계속하다	intend 의도하다	

Sam **loves talking(to talk)** with his friends. Sam은 그의 친구들과 이야기하는 것을 아주 좋아한다.

The dog **continued barking(to bark)** until the stranger left. 그 개는 그 낯선 사람이 떠날 때까지 짖는 것을 계속했다.

목적어로 동명사와 to부정사 중 무엇을 쓰는지에 따라 의미 차이가 있는 동사

remember	동명사	(과거에) ~한 것을 기억하다	I **remember visiting** the museum. 나는 그 박물관을 방문했던 것을 기억한다. (이미 방문함)
	to부정사	(미래에) ~할 것을 기억하다	Please **remember to visit** the museum tomorrow. 내일 그 박물관을 방문할 것을 기억하세요. (아직 방문하지 않음)
forget	동명사	(과거에) ~한 것을 잊다	He **forgot locking** the door. 그는 문을 잠갔던 것을 잊었다.
	to부정사	(미래에) ~할 것을 잊다	He **forgot to lock** the door. 그는 문을 잠그는 것을 잊었다.
try	동명사	(시험 삼아) ~해 보다	She **tried eating** the food. 그녀는 그 음식을 먹어 봤다.
	to부정사	~하려고 노력하다(애쓰다)	She **tried to eat** the food. 그녀는 그 음식을 먹으려고 노력했다.
regret	동명사	~한 것을 후회하다	I **regret telling** you the news. 나는 네게 그 소식을 말한 것을 후회한다.
	to부정사	~하게 되어 유감이다	I **regret to tell** you the news. 나는 네게 그 소식을 말하게 되어 유감이다.

Tips 「stop+동명사」는 '~하는 것을 멈추다(그만두다)'라는 의미이다. → 동명사가 stop의 목적어로 쓰임 (~하는 것)
「stop+to부정사」는 '~하기 위해 (하던 일을) 멈추다'라는 의미이다. → to부정사가 부사적 용법(목적)으로 쓰임 (~하기 위해)

She **stopped taking** pictures of the cat. 그녀는 그 고양이의 사진을 찍는 것을 멈췄다.
She **stopped to take** pictures of the cat. 그녀는 그 고양이의 사진을 찍기 위해 멈췄다.

개념확인 옳은 해석 고르기

1 Don't forget to call her.
- ☐ 전화했던 것을 잊다
- ☐ 전화할 것을 잊다

2 He remembers reading it.
- ☐ 읽은 것을 기억한다
- ☐ 읽을 것을 기억한다

3 She regrets being late.
- ☐ 늦은 것을 후회한다
- ☐ 늦게 되어 유감이다

기본연습 **A** 괄호 안에서 알맞은 것을 모두 고르시오.

1 Amy doesn't like (wearing / to wear) glasses.

2 The man decided (telling / to tell) the truth.

3 Jason began (writing / to write) a mystery novel in March.

4 I often play outside, but I prefer (relaxing / to relax) at home on Sundays.

5 I will remember (meeting / to meet) Sally next weekend.

6 The doctor continued (explaining / to explain) until the patient understood.

7 They didn't expect (finding / to find) their dream home.

8 Brian's family didn't intend (staying / to stay) long in the town.

9 She couldn't put off (going / to go) to the dentist anymore.

10 Emily started (working / to work) for the company 10 years ago.

B 우리말과 일치하도록 보기 의 단어와 괄호 안의 말을 이용하여 문장을 완성하시오. (보기 의 단어는 중복 사용 가능)

| 보기 | remember | forget | try | regret | stop |

1 네가 방을 나갈 때 불을 끄는 것을 잊지 마. (turn off)

→ Don't _____ the light when you leave the room.

2 Johns 씨는 그녀의 잃어버린 지갑을 찾으려고 노력했다. (find)

→ Ms. Johns _____ her lost purse.

3 나는 어젯밤에 늦게까지 깨어 있던 것을 후회한다. (stay up)

→ I _____ late last night.

4 그는 지난 금요일 극장에서 Emma를 만난 것을 기억한다. (meet)

→ He _____ Emma at the theater last Friday.

5 비가 오기 시작했기 때문에 그들은 축구하는 것을 멈추었다. (play)

→ They _____ soccer because it started to rain.

6 나는 오늘 아침 그에게 전화해 보았지만 답이 없었다. (call)

→ I _____ him this morning, but there was no answer.

7 그녀는 처음으로 무지개를 본 것을 잊지 못할 것이다. (see)

→ She won't _____ a rainbow for the first time.

8 우리는 당신이 그 시험에 통과하지 못했다는 사실을 알리게 되어 유감이다. (inform)

→ We _____ you that you didn't pass the test.

틀 리 기 쉬 운
내/신/포/인/트

remember, forget, try, regret의 목적어로 동명사를 쓸 때와 to부정사를 쓸 때의 의미 차이를 구별해야 해요.

두 문장의 의미가 같도록 할 때, 빈칸에 들어갈 말로 알맞은 것은?

He remembers that he took the medicine.

= He remembers _____ the medicine.

① take   ② taking   ③ taken   ④ to take

POINT 동명사의 관용 표현

정답 및 해설 p.15

be tired of -ing	~하는 것에 싫증이 나다
be worth -ing	~할 가치가 있다
feel like -ing	~하고 싶다
spend+시간/돈+-ing	~하는 데 시간/돈을 쓰다
cannot help -ing	~하지 않을 수 없다

관용 표현에 쓰인 to는 to부정사가 아닌
전치사 to이므로 뒤에 동사원형을 쓰지 않아요.

be used to -ing	~하는 데 익숙하다
be busy -ing	~하느라 바쁘다
look forward to -ing	~하는 것을 기대하다
have trouble(difficulty) -ing	~하는 데 어려움을 겪다
keep A from -ing (= stop/prevent)	A가 ~하는 것을 막다

She **spends a lot of time growing** plants. 그녀는 식물을 키우는 데 많은 시간을 쓴다.
He **has trouble falling** asleep every night. 그는 매일 밤 잠드는 데 어려움을 겪는다.
We **couldn't help laughing** at his joke. 우리는 그의 농담에 웃지 않을 수 없었다.
I **look forward to meeting** the famous actor. 나는 그 유명한 배우를 만나는 것을 기대한다.

개념확인 올바른 의미 고르기

1 I cannot help saying sorry.
- ☐ 말하기를 돕지 않을 수 없다
- ☐ 말하지 않을 수 없다

2 He feels like taking a rest.
- ☐ 쉬고 싶다
- ☐ 쉬는 것을 좋아한다

3 This book is worth reading.
- ☐ 읽을 가치가 있다
- ☐ 읽는 데 비용을 내다

기본연습 우리말과 일치하도록 괄호 안의 말을 이용하여 문장을 완성하시오.

1 우리는 너를 다시 보기를 기대하고 있다. (forward, see)
→ We are _____ you again.

2 나는 매운 음식을 먹고 싶다. (feel, eat)
→ I _____ spicy food.

3 Bill은 그 낡은 건물을 청소하는 데 온종일을 보냈다. (spend, all day, clean)
→ Bill _____ the old building.

4 우리는 그 산의 정상에서 경치에 감탄하지 않을 수 없었다. (cannot, admire)
→ We _____ the view at the top of the mountain.

5 그녀는 그녀의 새 학교에서 친구들을 사귀는 데 어려움을 겪고 있다. (trouble, make)
→ She _____ friends in her new school.

6 Megan은 학교 콘서트를 위해 연습하느라 바쁘다. (busy, practice)
→ Megan _____ for the school concert.

7 그 교사들은 그들의 학생들이 건물 내에서 뛰는 것을 막는다. (keep, run)
→ The teachers _____ their students _____ inside the building.

개 | 념 | 완 | 성 T E S T

정답 및 해설 p.16

STEP 1 Map으로 개념 정리하기

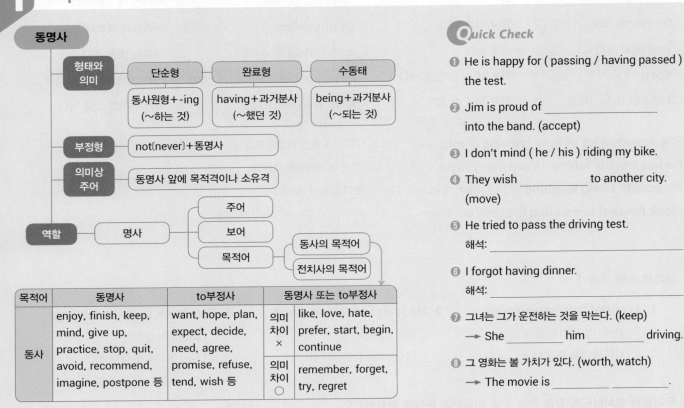

동명사

형태와 의미

단순형	완료형	수동태
동사원형+-ing (~하는 것)	having+과거분사 (~했던 것)	being+과거분사 (~되는 것)

부정형 — not(never)+동명사

의미상 주어 — 동명사 앞에 목적격이나 소유격

역할 — 명사 — 주어 / 보어 / 목적어 — 동사의 목적어 / 전치사의 목적어

목적어	동명사	to부정사	동명사 또는 to부정사	
동사	enjoy, finish, keep, mind, give up, practice, stop, quit, avoid, recommend, imagine, postpone 등	want, hope, plan, expect, decide, need, agree, promise, refuse, tend, wish 등	의미 차이 ×	like, love, hate, prefer, start, begin, continue
			의미 차이 ○	remember, forget, try, regret

Quick Check

❶ He is happy for (passing / having passed) the test.

❷ Jim is proud of _____ into the band. (accept)

❸ I don't mind (he / his) riding my bike.

❹ They wish _____ to another city. (move)

❺ He tried to pass the driving test.
해석: _____

❻ I forgot having dinner.
해석: _____

❼ 그녀는 그가 운전하는 것을 막는다. (keep)
→ She _____ him _____ driving.

❽ 그 영화는 볼 가치가 있다. (worth, watch)
→ The movie is _____ _____.

STEP 2 기본 다지기

빈칸완성

A 우리말과 일치하도록 괄호 안의 말과 동명사를 이용하여 문장을 완성하시오.

1 Lucy는 요가를 배우는 것을 포기하지 않을 것이다. (give up, learn)
→ Lucy won't _____ yoga.

2 우유를 마시는 것은 우리의 뼈를 튼튼하게 한다. (drink, milk)
→ _____ makes our bones strong.

3 나는 그녀를 한 시간 동안 기다렸던 것에 화가 난다. (wait)
→ I am angry about _____ for her for an hour.

4 그녀는 진실을 말하지 않은 것을 후회한다. (tell, not)
→ She regrets _____ the truth.

5 부모님은 내가 학교에 지각하는 것을 싫어하신다. (be)
→ My parents hate _____ late for school.

B 밑줄 친 부분이 틀린 경우 바르게 고쳐 쓰시오. (옳은 경우 ○표 할 것)

1 We wish <u>going</u> camping this weekend. → _____

2 We talked about <u>he</u> moving to another country. → _____

3 Julia and I promised <u>staying</u> friends forever. → _____

4 He denies <u>stolen</u> the diamond ring last week. → _____

5 They cannot help <u>to leave</u> the town. → _____

6 She was sorry about <u>her son making</u> a noise. → _____

7 You should not forget <u>to buy</u> some milk on the way home. → _____

8 I'm happy about <u>being giving</u> my own room. → _____

9 We are planning <u>to build</u> our house near the ocean. → _____

10 Jenny stopped <u>to walk</u> to pick up a leaf. → _____

11 Mike was angry about <u>being not invited</u> to the party. → _____

C 주어진 문장과 의미가 일치하도록 동명사 또는 to부정사를 사용하여 문장을 완성하시오.

1 You should turn off the light. Please remember.

→ Please remember _____.

2 I am sorry that I made the same mistake.

→ I am sorry for _____ the same mistake.

3 He will never forget that he danced on the stage.

→ He will never forget _____.

4 It is dangerous to drive in the rain at night. You should avoid it.

→ Avoid _____ because it's dangerous.

5 She met John at the party, but she doesn't remember it.

→ She doesn't _____ at the party.

6 Luke regrets that he threw away his old books.

→ Luke regrets _____.

STEP 3 서술형 따라잡기

A 그림을 보고, 괄호 안의 말을 이용하여 빈칸에 알맞은 말을 쓰시오.

1

It's raining. Don't _____

your umbrella. (forget, take)

2

Would you mind _____

next to you? (sit)

B 우리말과 일치하도록 괄호 안의 말을 바르게 배열하여 문장을 쓰시오.

1 식사를 하지 않는 것은 살을 빼는 데 도움이 되지 않는다. (meal, for, isn't, losing weight, not, helpful, having)

→ _____

2 너는 그녀가 늦는 것이 걱정이니? (being, worried about, you, her, late, are)

→ _____

3 그는 영화관에서 잠들었다는 것을 부인한다. (fallen asleep, he, having, in the theater, denies)

→ _____

4 교통체증이 내가 제시간에 도착하지 못하게 했다. (traffic jams, me, arriving, kept, on time, from)

→ _____

C 우리말과 일치하도록 괄호 안의 말을 이용하여 영작하시오.

1 나는 지난 겨울에 나의 이모를 방문했던 것을 기억한다. (remember, visit)

→ _____ last winter.

2 그들은 그들의 성으로 불리는 것에 익숙하다. (used, call)

→ _____ by their last names.

3 나는 그 기계를 사용하려고 노력했지만, 그것은 작동하지 않았다. (try, use, the machine)

→ _____, but it didn't work.

4 그의 질문은 대답할 가치가 없었다. (worth, answer)

→ His question was _____.

학교 시험 / 실전 문제

정답 및 해설 p.16

[1-2] 빈칸에 들어갈 말로 알맞은 것을 고르시오.

1

The documentary is worth _____.

① watch
② watching
③ watched
④ to watch
⑤ to watching

2

I regret _____ how to swim.

① not learn
② not to learn
③ not learning
④ to learn not
⑤ learning not

[3-4] 빈칸에 들어갈 말로 알맞지 않은 것을 고르시오.

3

We _____ to go on a picnic next week.

① agreed
② wanted
③ wished
④ promised
⑤ considered

4

I'm afraid of _____ failing the test.

① her
② him
③ she
④ them
⑤ my friend

5 빈칸에 들어갈 말이 순서대로 짝 지어진 것은?

Alice is planning _____ a trip to Egypt.
She's looking forward _____ the pyramids.

① take – see
② taking – seeing
③ taking – to seeing
④ to take – seeing
⑤ to take – to seeing

6 밑줄 친 부분이 어법상 틀린 문장은?

① Are you good at draw cartoons?
② We agreed to invite them to the party.
③ I don't like his using my computer.
④ Skipping meals is not a good idea.
⑤ She denies having seen the thief.

7 밑줄 친 부분의 쓰임이 보기 와 같은 것은?

보기 My goal is writing a good novel.

① Helping others makes us happy.
② I sometimes imagine traveling abroad.
③ The boy is swimming in the sea.
④ One of my hobbies is listening to music.
⑤ She is interested in learning new languages.

8 다음 대화에서 'me'가 들어갈 위치로 알맞은 곳은?

> **A:** Bill, I didn't (①) bring my smartphone (②). Would you (③) mind (④) using (⑤) yours?
> **B:** Of course not.

[9-10] 빈칸에 공통으로 들어갈 알맞은 말을 고르시오.

9

> • I'm sorry for _____ late again.
> • He is proud of _____ chosen as class president.

① be ② been ③ to being
④ being ⑤ to be

10

> • I spend my free time _____ detective stories.
> • He usually puts off _____ his emails.

① read ② to read ③ reading
④ have read ⑤ having read

11 주어진 문장이 의미하는 것은?

> He forgot to close the window.

① 그는 창문을 닫으려고 노력했다.
② 그는 창문을 닫았다는 것을 잊었다.
③ 그는 창문을 닫는 것을 잊었다.
④ 그는 창문을 닫아야 하는 것을 기억했지만, 일부러 닫지 않았다.
⑤ 그는 창문을 닫힌 채로 두었다.

12 다음 우리말을 영작한 것 중 어색한 것은?

① 그는 젓가락을 사용하는 데 익숙하다.
  → He is used to using chopsticks.
② 나는 숙제를 끝내느라 바쁘다.
  → I am busy finishing my homework.
③ 우리는 아침 일찍 출발하지 않을 수 없다.
  → We cannot start early in the morning.
④ Sam은 어제 외출하고 싶지 않았다.
  → Sam didn't feel like going out yesterday.
⑤ 그 강한 바람은 그 배들이 항구를 떠나는 것을 막았다.
  → The strong wind kept the ships from leaving the port.

13 밑줄 친 부분이 어법상 틀린 문장의 개수는?

> ⓐ I'm proud of he playing in the school musical.
> ⓑ They tried to find the way to the town.
> ⓒ The actor doesn't mind being asked about his age.
> ⓓ Forgive me for telling not you the truth.

① 0개 ② 1개 ③ 2개
④ 3개 ⑤ 4개

고난도
14 어법상 틀린 문장을 모두 고르면?

① Mr. Green refused to accept our offer.
② I regret to tell you the news.
③ I stopped to use plastics to save the Earth.
④ Semi was tired of to read the thick book.
⑤ He regrets lending some money to her.

15 밑줄 친 부분의 쓰임이 나머지 넷과 <u>다른</u> 하나는?

① <u>Using</u> a cell phone is not allowed during class.

② What is Ann <u>doing</u> in her room?

③ The fans are looking forward to <u>meeting</u> their star.

④ Mike's job is <u>helping</u> people in need.

⑤ Dentists recommend <u>brushing</u> your teeth three times a day.

16 짝지어진 두 문장의 의미가 서로 <u>다른</u> 하나는?

① They continued running in the rain.

= They continued to run in the rain.

② My sister stopped eating fast food.

= My sister quit eating fast food.

③ He prefers to drive to work.

= He prefers driving to work.

④ I regret to tell you about the accident.

= I regret telling you about the accident.

⑤ Amy intends to stay in Seoul for a year.

= Amy intends staying in Seoul for a year.

17 밑줄 친 부분을 <u>잘못</u> 고친 것은?

① I don't mind <u>she</u> opening the window.

→ her

② He postponed <u>meet</u> his customer.

→ to meet

③ How about <u>have</u> pizza for lunch?

→ having

④ <u>Making</u> good friends <u>are</u> very important.

→ is

⑤ He spent too much money <u>travel</u>.

→ traveling

18 빈칸에 들어갈 말로 알맞은 것은?

> Joe feels sorry that he didn't answer Dan's message last night.
>
> = Joe feels sorry for not _____ Dan's message last night.

① answer

② to answer

③ being answered

④ having answered

⑤ have answered

19 (A)~(C)에서 어법상 옳은 말이 순서대로 짝 지어진 것은?

> A: You look busy. What's up?
>
> B: I'm busy (A) preparing / to preparing for the speaking contest. But I'm considering (B) giving up / to give up because I'm so nervous.
>
> A: Cheer up. I'm sure you'll (C) do / doing great.

	(A)	(B)	(C)
①	preparing	– giving up	– do
②	preparing	– to give up	– do
③	preparing	– giving up	– doing
④	to preparing	– to give up	– do
⑤	to preparing	– giving up	– doing

고난도
20 어법상 올바른 문장의 개수는?

> ⓐ I will never forget seeing a dolphin.
>
> ⓑ The dog continued barking until he left.
>
> ⓒ Cathy hates being treat like a little girl.
>
> ⓓ I'm proud of Mike's singing on the stage.
>
> ⓔ His parents promised buying a new computer for him.

① 0개

② 1개

③ 2개

④ 3개

⑤ 4개

21 그림을 보고, 조건 에 맞게 대화를 완성하시오.

조건   1. keep, me, go out을 이용할 것
      2. 과거시제로 쓸 것

A: How was your weekend?
B: I just stayed at home all day. The heavy snow

_____.

22 주어진 두 문장과 의미가 같도록 밑줄 친 동사를 사용하여 한 문장으로 바꿔 쓰시오.

(1)
> She got flowers from Brian.
> She remembers it.

→ She _____
    from Brian.

(2)
> You have to return the books by tomorrow.
> Don't forget it.

→ Don't _____
    by tomorrow.

고난도
23 우리말과 일치하도록 괄호 안의 말을 이용하여 문장을 완성하시오.

(1) 그는 자신의 아들이 기차 안에서 시끄럽게 해서 미안했다. (sorry for, his son, make a noise)
   → He _____
      _____ in the train.

(2) 나는 사람들의 이름을 기억하는 데 어려움을 겪는다. (difficulty, remember, people's names)
   → I _____.

24 밑줄 친 우리말과 일치하도록 괄호 안의 말을 이용하여 문장을 완성하시오.

> Rena began to play the piano when she was 7 years old. (1) 그녀는 피아니스트가 되고 싶었다. (2) 그러나 그녀는 오른손을 다쳤기 때문에 피아노 치는 것을 그만두었다. Now her dream is becoming a songwriter.

(1) (want, be, a pianist)

   → _____

(2) (stop, play the piano)

   → But _____
     because she hurt her right hand.

25 표를 보고, 표의 내용과 일치하도록 문장을 완성하시오.

Plans for This Year	
(1) Rachel	finish the marathon
(2) Danny	climb Mt. Everest
(3) Sohee	learn French

(1) Rachel is considering _____
    _____ this year.

(2) Danny's parents worry about _____
    _____ Mt. Everest this year.

(3) Sohee plans _____
    this year.

분사와 분사구문

Walking in the park, they sang together.

현재분사나 과거분사를 이용하여 부사절을 분사로 시작하는 부사구로 바꾼 것을 분사구문이라고 한다.

분사는 동사에서 파생된 형태이며, 형용사 역할을 할 수 있다.

	현재분사	과거분사
형태	동사원형 + -ing	동사원형 + -ed, 불규칙 과거분사

분사가 형용사의 기능을 할 때는 명사를 수식하거나 문장 안에서 보어로 쓰인다.

명사 수식	Look at those **falling** leaves. ➭ 분사가 단독으로 쓰이면 명사 앞에서 수식	저 떨어지고 있는 잎을 봐.
	I live in a house **built** by my dad. ➭ 구를 이루어 쓰이면 명사 뒤에서 수식	나는 아빠에 의해 **지어진** 집에 산다.
보어 역할	He sat **looking** at the birds. <주격보어>	그는 새들을 **보며** 앉아 있었다.
	I heard someone **calling** my name. <목적격보어>	나는 누군가 내 이름을 **부르는** 것을 들었다.

Tips 분사가 동사의 기능을 할 때는 시제를 나타내거나 수동태를 만들 때 쓰인다.
She was **walking** on the street. <시제> 그녀는 길을 걷고 있었다.
This book is **written** in English. <수동태> 이 책은 영어로 쓰였다.

개념확인 분사 찾기

1 Look at the rising moon.

2 I picked up the broken glass.

기본연습 밑줄 친 부분의 쓰임이 서로 같은 것을 **보기** 에서 골라 그 문장의 기호를 쓰시오.

> **보기** ⓐ The sleeping baby is my sister. ⓑ The children looked bored.

1 I looked after the injured bird. _____

2 I can't believe the shocking news. _____

3 We heard someone singing a song. _____

4 You should not eat burnt bread. _____

5 I found my stolen bike. _____

6 The woman living next door is a writer. _____

7 They became interested in playing the drums. _____

8 Look at the crying baby in the cradle. _____

POINT 2 현재분사와 과거분사

현재분사는 능동·진행의 의미를 나타내고, 과거분사는 수동·완료의 의미를 나타낸다.

현재분사	능동(~하는) 진행(~하고 있는)	We watched an **exciting** game. The game was very **exciting**.	우리는 흥미진진한 경기를 보았다. 그 경기는 매우 흥미진진했다.
		The girl **dancing** on the stage is Ava. The girl was **dancing** on the stage.	무대 위에서 춤추고 있는 소녀는 Ava이다. 그 소녀가 무대 위에서 춤추고 있었다.
과거분사	수동(~해진) 완료(~된)	Watch out for the newly **painted** wall! The wall was **painted** green.	새로 페인트칠 된 벽을 조심해라! 그 벽은 초록색으로 페인트칠 되었다.
		He fixed the **broken** watch. His watch has **broken**.	그는 고장 난 시계를 고쳤다. 그의 시계가 고장 났다.

개념확인 옳은 표현 고르기

1 창가에 서 있는 그 소년

☐ the boy standing by the window
☐ the boy stood by the window

2 은으로 만들어진 반지

☐ a ring making of silver
☐ a ring made of silver

기본연습 **A** 우리말과 일치하도록 괄호 안의 말을 이용하여 문장을 완성하시오.

1 너는 주어진 질문들에 답할 수 있니? (give)

→ Can you answer the _____ questions?

2 야구를 하고 있는 소년들은 나의 친구들이다. (play)

→ The boys _____ baseball are my friends.

3 나는 나의 삼촌에 의해 찍힌 사진들을 좋아한다. (take)

→ I like the pictures _____ by my uncle.

4 밤하늘에 빛나고 있는 별들을 봐. (shine)

→ Look at the stars _____ in the night sky.

5 너는 고장 난 내 자전거를 고칠 수 있니? (break)

→ Can you fix my _____ bike?

6 우리는 의자에 앉아 있는 노인을 안다. (sit)

→ We know the old man _____ on the chair.

7 한국에서 만들어진 상품들은 매우 인기가 있다. (make)

→ Products _____ in Korea are very popular.

8 대부분의 노래 부르는 새들은 수컷이다. (sing)

→ Most _____ birds are male.

9 내 스마트폰이 어제 공원에서 도난당했다. (steal)

→ My smartphone was _____ at the park yesterday.

10 안경을 쓰고 있는 아이는 나의 조카이다. (wear)

→ The child _____ glasses is my niece.

11 이것은 Sophia에 의해 쓰여진 노래이다. (write)

→ This is the song _____ by Sophia.

12 Bill은 한 남자가 길을 걸어가고 있는 것을 보았다. (walk)

→ Bill saw a man _____ down the street.

B 괄호 안의 말을 이용하여 문장을 완성하시오.

1 I had a salad and _____ potatoes for lunch. (fry)

2 I'm not scared of the _____ dog. (bark)

3 The boy _____ water is Mr. Brown's son. (drink)

4 Look at the picture _____ by Katherine. (paint)

5 There is a _____ message in the picture. (hide)

6 The girls _____ dancing are my classmates. (practice)

7 Have you tried the dish _____ bibimbap? (call)

8 There are many tourists _____ in front of the museum. (wait)

9 My dad rakes up the _____ leaves every morning. (fall)

틀리기 쉬운 내/신/포/인트

능동·진행의 의미를 나타낼 때 현재분사를 쓰고, 수동·완료의 의미를 나타낼 때 과거분사를 써요.

다음 빈칸에 들어갈 말로 알맞은 것은?

> How can I open the _____ door?

① lock　　　　② to lock
③ locking　　　④ locked

감정을 나타내는 분사

정답 및 해설 p.17

주어가 감정을 느끼게 하는 원인일 때는 현재분사를 쓰고, 주어가 감정을 느끼는 주체이면 과거분사를 쓴다.

현재분사 (~한 감정을 느끼게 하는)		과거분사 (~한 감정을 느끼는)	
interesting 흥미로운	tiring 피곤하게 하는	interested 흥미를 느낀	tired 피곤한
exciting 흥미진진한	pleasing 기쁘게 하는	excited 신이 난	pleased 기쁜
surprising 놀라운	disappointing 실망시키는	surprised 놀란	disappointed 실망한
shocking 충격적인	confusing 혼란스럽게 하는	shocked 충격을 받은	confused 혼란스러운
boring 지루한	amazing 놀라운	bored 지루해하는	amazed 놀란
satisfying 만족을 주는	annoying 짜증스러운	satisfied 만족하는	annoyed 짜증 나는
amusing 재미있는	moving 감동시키는	amused 재미있어 하는	moved 감동한

The ending of the movie was **surprising**. 그 영화의 결말은 **놀라웠다.**
She was **surprised** at the ending of the movie. 그녀는 그 영화의 결말에 **놀랐다.**
The traffic jam this morning was **annoying**. 오늘 아침 교통 체증은 **짜증스러웠다.**
There was a traffic jam this morning, so I was **annoyed**. 오늘 아침 교통 체증이 있어서, 나는 **짜증이 났다.**

개념확인 옳은 표현 고르기

1 그 경기는 매우 흥미진진했다.
  ☐ The game was very exciting.
  ☐ The game was very excited.

2 나는 그 뉴스에 혼란스러웠다.
  ☐ I was confusing at the news.
  ☐ I was confused at the news.

기본연습 괄호 안의 동사를 알맞은 형태로 바꿔 빈칸에 쓰시오.

1 (1) Driving for a long time was very _____. (tire)

  (2) She was _____ because of the long drive. (tire)

2 (1) The food in the restaurant was _____. (satisfy)

  (2) The customers were _____ with the food. (satisfy)

3 (1) I was _____ by the test result. (disappoint)

  (2) The test result was _____. (disappoint)

4 (1) I don't want to talk about the _____ baseball game. (bore)

  (2) The players made a lot of mistakes, so I was _____. (bore)

5 (1) The writer's new novel was _____. (move)

  (2) I was _____ by the writer's new novel. (move)

POINT 4 분사구문 만드는 법

분사구문은 「접속사＋주어＋동사」 형태의 부사절을 분사를 이용하여 부사구로 나타낸 것이다.

```
            ┌────── 부사절 ──────┐ ┌──── 주절 ────┐
            When she heard the news, she was shocked.
             ①   ②    ③                 ②

분사구문    Hearing the news, she was shocked.
            그 소식을 들었을 때, 그녀는 충격을 받았다.
```

〈분사구문 만드는 법〉
① 부사절의 접속사를 생략한다.
② 주절과 부사절의 주어가 같으면, 부사절의 주어를 생략한다.
③ 부사절의 동사를 현재분사(동사원형-ing) 형태로 바꾼다.

분사구문의 부정은 분사 앞에 not이나 never를 써서 나타낸다.

Because I don't know the truth, I can't say anything. 나는 진실을 모르기 때문에, 아무것도 말할 수 없다.
→ **Not knowing** the truth, I can't say anything.

Tips 부사절이 진행형일 때는 분사구문에서 being을 생략하고 현재분사만 남는다.
While he was playing badminton, he hurt his leg. 그는 배드민턴을 치는 동안 다리를 다쳤다.
→ **Playing** badminton, he hurt his leg.

개념확인 분사구문 찾기

1 Arriving late, I missed the train.　　　　2 Watching TV, we ate dinner.

기본연습 **A** 두 문장의 의미가 같도록 분사구문을 이용하여 문장을 완성하시오.

1 As he called my name, he waved his hand.

→ _____, he waved his hand.

2 While I was studying English, I looked up a word in the dictionary.

→ _____, I looked up a word in the dictionary.

3 When we left the house, we locked the door.

→ _____, we locked the door.

4 Because she lives near my house, she often sees me.

→ _____, she often sees me.

5 As he was very tired, he went to bed early.

→ _____, he went to bed early.

6 When he stayed in Chicago, he visited many interesting places.

→ _____, he visited many interesting places.

7 Because she didn't know what to do, she asked for my help.

→ _____, she asked for my help.

B 우리말과 일치하도록 괄호 안의 말을 이용하여 분사구문을 완성하시오. (접속사는 생략할 것)

1 공원을 걷다가, 그는 Lucy를 만났다. (walk)

→ _____ in the park, he met Lucy.

2 집에 도착한 후에, 그녀는 자신의 손을 씻었다. (arrive)

→ _____ home, she washed her hands.

3 테니스 경기를 보면서, 그는 피자를 먹었다. (watch)

→ _____ the tennis match, he ate a pizza.

4 졸렸기 때문에, 그는 수업 시간에 집중할 수 없었다. (be, sleepy)

→ _____, he couldn't pay attention in class.

5 불을 끈 후에, 그녀는 자신의 방을 나왔다. (turn off)

→ _____ the light, she left her room.

6 집을 청소하다가, 그녀는 미끄러져서 넘어졌다. (clean)

→ _____ the house, she slipped and fell.

7 배가 고프지 않았기 때문에, 우리는 가볍게 먹었다. (be, hungry)

→ _____, we ate lightly.

8 그의 연설을 듣는 동안, 그 학생들은 흥미 있어 보였다. (listen to)

→ _____ his speech, the students looked interested.

9 답을 받지 못했기 때문에, 나는 그녀에게 메시지를 다시 보냈다. (receive)

→ _____ an answer, I sent her the message again.

틀리기 쉬운 내/신/포/인/트

부사절을 분사구문으로 만들 때, 접속사와 주어를 생략하고 동사를 현재분사(동사원형-ing) 형태로 써요.

다음 문장을 분사구문으로 만들 때 빈칸에 들어갈 말로 알맞은 것은?

While we listened to the radio, we baked cookies.

→ _____ to the radio, we baked cookies.

① Listened
② Listening
③ While listened
④ While we listening

분사구문은 문맥에 따라 시간, 이유, 동시 동작, 조건 등의 의미를 나타낸다.

시간	~할 때(when) ~하는 동안(while) ~한 후에(after)	**Opening** the door, I found a wallet on the floor. (← When I opened the door, I found a wallet on the floor.) 문을 열었을 때, 나는 바닥에서 지갑을 발견했다.
이유	~ 때문에, ~여서 (because, since, as)	**Arriving** late, they missed the train. (← Since they arrived late, they missed the train.) 늦게 도착했기 때문에, 그들은 기차를 놓쳤다.
동시 동작	~하면서 (as, while)	**Having** dinner, we planned our trip. (← While we had dinner, we planned our trip.) 저녁을 먹으면서, 우리는 여행 계획을 세웠다.
조건	만약 ~하면 (if)	**Turning** to the right, you will find the bakery. (← If you turn to the right, you will find the bakery.) 오른쪽으로 돌면, 빵집을 찾을 것이다.

Tips 의미를 명확히 나타내기 위해 접속사를 생략하지 않고 남겨 두기도 한다.
After washing his hands, he cooked the food. 손을 씻은 후에, 그는 음식을 요리했다.
(← After he washed his hands, he cooked the food.)

개념확인 옳은 의미 고르기

1 Being tired, she didn't go jogging.
　☐ 피곤했다면　　☐ 피곤했기 때문에

2 Walking on the street, he met his friend.
　☐ 길을 걷고 있었을 때　　☐ 길을 걷고 있었다면

기본연습 A 우리말과 일치하도록 괄호 안의 말을 이용하여 분사구문을 완성하시오. (접속사는 생략할 것)

1 산을 오르는 동안, 그는 사슴 한 마리를 보았다. (climb, the mountain)
→ _____, he saw a deer.

2 무서웠기 때문에, 나는 움직일 수 없었다. (be, scared)
→ _____, I couldn't move.

3 그녀의 이름을 부르면서, 그 아이들이 그녀를 향해 달려왔다. (call, her name)
→ _____, the children ran toward her.

4 피곤해서, 나는 초콜릿을 좀 먹었다. (feel, tired)
→ _____, I ate some chocolates.

5 라디오를 들으면서, 나는 설거지를 했다. (listen to, the radio)

→ _____, I washed the dishes.

6 문을 열었을 때, 그는 낯선 사람을 발견했다. (open, the door)

→ _____, he found a stranger.

7 왼쪽으로 돌면, 너는 우체국을 보게 될 것이다. (turn, to the left)

→ _____, you will see the post office.

8 충분한 돈이 없었기 때문에, 남자는 그 차를 살 수 없었다. (have, enough money)

→ _____, the man couldn't buy the car.

9 버스 정거장으로 달려가는 동안, 그녀는 동전을 잃어버렸다. (run to, the bus stop)

→ _____, she lost her coins.

10 버스에서 나를 보았을 때, 그는 미소 지었다. (see, me, on the bus)

→ _____, he smiled.

11 대도시에 살기 때문에, 우리는 매일 교통 체증에 갇힌다. (live, in a big city)

→ _____, we get caught in a traffic jam every day.

B 괄호 안의 접속사를 사용하여 밑줄 친 부분을 부사절로 바꿔 쓰시오.

1 <u>Playing the guitar</u>, they sang loudly. (while)

→ _____, they sang loudly.

2 <u>Being kind</u>, she was welcomed by everyone. (because)

→ _____, she was welcomed by everyone.

3 <u>Going out for a walk</u>, I saw a beautiful bird. (when)

→ _____, I saw a beautiful bird.

4 <u>Being an honest person</u>, she never lies to us. (since)

→ _____, she never lies to us.

틀리기 쉬운 내/신/포/인/트

분사구문에 생략된 접속사는 해당 접속사를 문장에 넣었을 때 문맥상 의미가 자연스러운 것을 골라요.

다음 두 문장의 의미가 같도록 할 때 빈칸에 들어갈 접속사로 알맞은 것은?

Knowing the answer, he raised his hand.

→ _____ he knew the answer, he raised his hand.

① While ② If ③ Unless ④ Because

POINT 6 완료형 분사구문

분사구문의 시제가 주절의 시제보다 이전인 경우 「having+과거분사」 형태로 쓴다.

Having studied in England, he can speak English.
(← Because he <u>studied</u> in England, he can <u>speak</u> English.)
      과거   현재

영국에서 공부했기 때문에,
그는 영어를 말할 수 있다.

Having eaten lunch already, we weren't hungry.
(← As we <u>had eaten</u> lunch already, we <u>weren't</u> hungry.)
     과거완료   과거

이미 점심을 먹었기 때문에,
우리는 배고프지 않았다.

Tips 완료형 분사구문의 부정은 having 앞에 not이나 never를 써서 나타낸다.
Not having met her before, I don't know her. 그녀를 전에 만난 적이 없어서, 나는 그녀를 모른다.

개념확인 먼저 일어난 일 고르기

1 <u>Having worked all day long</u>, <u>I was tired.</u>
           ①   ②

2 <u>Having had lunch</u>, <u>he took a rest.</u>
         ①   ②

기본연습 우리말과 일치하도록 괄호 안의 말을 이용하여 분사구문을 완성하시오. (접속사는 생략할 것)

1 나의 지갑을 잃어버려서, 나는 그 치마를 살 수 없다. (lose)

→ _____ my purse, I can't buy the skirt.

2 뉴욕에 여러 번 가 보았기 때문에, 그는 그 도시를 잘 알았다. (be)

→ _____ to New York several times, he knew the city well.

3 우산을 가져오는 것을 잊었기 때문에, 그녀는 새것을 하나 샀다. (forget)

→ _____ to bring an umbrella, she bought a new one.

4 시험에 대비해 열심히 공부했기 때문에, 그는 시험을 걱정하지 않는다. (study hard)

→ _____ for the test, he's not worried about it.

5 이미 저녁을 먹었기 때문에, 그녀는 디저트를 먹지 않았다. (eat)

→ _____ dinner already, she didn't eat dessert.

6 프랑스에서 자랐기 때문에, 그녀는 프랑스 역사를 잘 안다. (grow up)

→ _____ in France, she knows the French history well.

7 그 영화를 이미 보았기 때문에, 나는 다른 영화가 보고 싶다. (watch)

→ _____ the movie already, I want to watch a different one.

8 오랫동안 그에게서 소식을 듣지 못했기 때문에, 나는 그를 보고 놀랐다. (hear)

→ _____ from him for a long time, I was surprised to see him.

POINT 7 수동형 분사구문

수동적인 동작이나 상태를 나타내는 분사구문은 「being+과거분사」형태로 쓴다.

→ 분사구문과 주절의 시제가 같은 경우 써요.

Being Left alone in the dark, he began to cry.
(← When he was left alone in the dark, he began to cry.)

어둠 속에 혼자 남겨졌을 때,
그는 울기 시작했다.

분사구문의 시제가 주절의 시제보다 이전인 경우 「having been+과거분사」형태로 쓴다.

Having been painted by Picasso, the painting is very famous.
(← As it was painted by Picasso, the painting is very famous.)

피카소에 의해 그려졌기 때문에,
그 그림은 매우 유명하다.

Tips being이나 having been은 주로 생략되지만, 뒤에 형용사나 명사가 바로 나오면 보통 생략하지 않는다.
Being kind, Joan is loved by many friends. 친절하기 때문에, Joan은 많은 친구들에게 사랑받는다.

개념확인 알맞은 형태 고르기

1 (Losing / Being lost) in the maze, he was confused.

2 (Raising / Being raised) in a happy family, she is very cheerful.

기본연습 두 문장의 의미가 같도록 분사구문을 이용하여 문장을 완성하시오.

1 As it is located on a hill, the cottage has a fine view.

→ _____ on a hill, the cottage has a fine view.

2 As he was shocked by the accident, he couldn't talk.

→ _____ by the accident, he couldn't talk.

3 Since she was surrounded by her friends, she didn't feel lonely.

→ _____ by her friends, she didn't feel lonely.

4 As it was built a long time ago, this building needs repairing.

→ _____ a long time ago, this building needs repairing.

틀리기 쉬운 내/신/포/인/트

분사구문에서 능동과 수동의 쓰임 차이를 파악할 수 있어야 해요.

밑줄 친 부분이 어법상 어색한 것은?

① Walking to school, I met Jim.
② Inviting to the party, Ann felt happy.
③ Feeling sick, he stayed home all day.
④ Being interested in art, she often visits art museums.

POINT 8 with＋명사＋분사

「with＋명사＋분사」는 '～하면서, ～한 채로'라는 뜻을 나타낸다.

with＋명사＋현재분사	He kept talking **with his phone ringing**. 그는 전화기가 울리는 채로 계속 이야기했다.
with＋명사＋과거분사	He was sitting **with his legs crossed**. 그는 다리를 꼰 채 앉아 있었다.

궁금해요!
분사의 종류는 어떻게
구별해서 쓰나요?

명사와 분사의 관계가
능동이면 현재분사를 쓰고,
수동이면 과거분사를 써요.

The actor walked in the building **with his fans following**.
그 배우는 그의 팬들이 따라오게 한 채 건물 안으로 들어갔다.

I fell asleep **with the radio turned on**.
나는 라디오를 켜 놓은 채 잠이 들었다.

개념확인 올바른 표현 고르기

1 TV가 켜진 채로
→ with the TV (turning / turned) on

2 그녀의 손가락이 그것을 가리키면서
→ with her finger (pointing / pointed) at it

기본연습 우리말과 일치하도록 괄호 안의 말과 「with＋명사＋분사」의 형태를 이용하여 문장을 완성하시오.

1 그는 팔짱을 낀 채로 서 있었다. (his arms, fold)
→ He was standing _____.

2 그들은 창문을 연 채로 선풍기를 틀었다. (the windows, open)
→ They turned on the fan _____.

3 그 아이들은 그들의 눈을 반짝이면서 내 말을 들었다. (their eyes, shine)
→ The children listened to me _____.

4 우리는 불을 켜 둔 채 잠이 들었다. (the light, turn on)
→ We fell asleep _____.

5 그는 바람에 그의 머리카락을 날리면서 나에게 달려왔다. (his hair, blow)
→ He ran to me _____ in the wind.

6 그녀는 눈을 감은 채 음악을 듣고 있다. (her eyes, close)
→ She is listening to music _____.

7 그는 그의 개가 그를 따라오게 한 채 길을 걷는 중이었다. (his dog, follow)
→ He was walking on the street _____ him.

분사구문의 주어가 일반인(we, they, people 등)인 경우, 주어를 생략하고 관용 표현을 쓴다.

generally speaking	일반적으로 말해서	considering	~을 고려하면
frankly speaking	솔직히 말해서	judging from	~으로 판단하건대
strictly speaking	엄밀히 말해서	speaking of	~에 관해 말하면

Generally speaking, women live longer than men. 일반적으로 말해서, 여성이 남성보다 더 오래 산다.
Considering his age, he looks very healthy. 그의 나이를 고려하면, 그는 매우 건강해 보인다.
Frankly speaking, I'm not interested in yoga. 솔직히 말해서, 나는 요가에 관심이 없다.

개념확인 옳은 의미 고르기

1 Frankly speaking, I can't remember her name.

☐ 정확히 말해서 ☐ 솔직히 말해서

2 Strictly speaking, you are correct.

☐ 일반적으로 말해서 ☐ 엄밀히 말해서

기본연습 우리말과 일치하도록 문장을 완성하시오.

1 엄밀히 말해서, 그것은 나의 잘못이다.

→ _____; it's my fault.

2 일반적으로 말해서, 거짓말을 하는 것은 나쁘다.

→ _____, it is wrong to tell a lie.

3 그녀의 나이를 고려하면, 그녀는 매우 잘 보고 잘 듣는다.

→ _____ her age, she sees and hears very well.

4 Nora에 관해 말하면, 그녀는 세계 퀴즈 쇼에서 우승했다.

→ _____ Nora, she won the world quiz show.

5 그녀의 억양으로 판단하건대, 그녀는 영국인임에 틀림없다.

→ _____ her accent, she must be English.

6 솔직히 말해서, 이 드레스는 너를 더 나이 들어 보이게 한다.

→ _____, this dress makes you look older.

7 일반적으로 말해서, 장마는 7월에 시작된다.

→ _____, the rainy season starts in July.

8 내 경험으로 판단하건대, 우리는 곧 교통 체증에 갇힐 것이다.

→ _____ my experience, we'll be stuck in a traffic jam soon.

STEP 1 Map으로 개념 정리하기

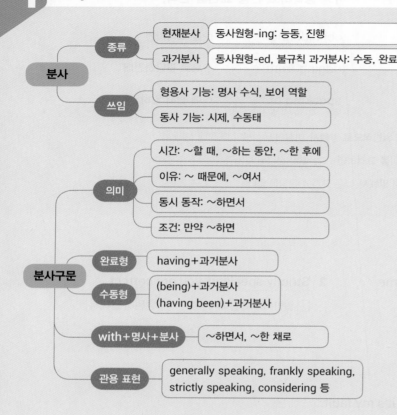

분사
- 종류
  - 현재분사 | 동사원형-ing: 능동, 진행
  - 과거분사 | 동사원형-ed, 불규칙 과거분사: 수동, 완료
- 쓰임
  - 형용사 기능: 명사 수식, 보어 역할
  - 동사 기능: 시제, 수동태

분사구문
- 의미
  - 시간: ~할 때, ~하는 동안, ~한 후에
  - 이유: ~ 때문에, ~여서
  - 동시 동작: ~하면서
  - 조건: 만약 ~하면
- 완료형 | having+과거분사
- 수동형 | (being)+과거분사 / (having been)+과거분사
- with+명사+분사 | ~하면서, ~한 채로
- 관용 표현 | generally speaking, frankly speaking, strictly speaking, considering 등

Quick Check

❶ Be careful with the (breaking / broken) window.

❷ The girl (standing / stood) there is Kate.

❸ (Saying / Said) goodbye, he got on the bus.

❹ _____ _____ his number, I couldn't call him. (not, know)

❺ _____ _____ to this city twice, he wants to visit another city. (be)

❻ _____ alone, she began to cry. (leave)

❼ Frankly speaking, I don't trust him.
해석: _____, 나는 그를 믿지 않는다.

STEP 2 기본 다지기

빈칸완성

A 우리말과 일치하도록 괄호 안의 말을 이용하여 문장을 완성하시오.

1 너는 오늘 아침에 떠오르는 해를 보았니? (rise)

→ Did you see the _____ sun this morning?

2 그는 내게 그의 형에 의해 그려진 그림을 보여 주었다. (paint)

→ He showed me a picture _____ by his brother.

3 그 경기가 흥미진진하지 않았기 때문에, 군중들은 실망했다. (disappoint)

→ Because the game was not exciting, the crowd were _____.

4 심한 감기에 걸려서, 그녀는 밖에 나갈 수 없었다. (have)

→ _____ a bad cold, she couldn't go outside.

5 엄밀히 말해서, 그는 그 문제에 대한 책임이 있다. (speak)

→ _____ _____, he is responsible for the problem.

B 밑줄 친 부분이 틀린 경우 바르게 고쳐 쓰시오. (옳은 경우 ○표 할 것)

1 I filled the cup with <u>boiling</u> water. → _____

2 The woman <u>talked</u> on the phone is my aunt. → _____

3 The treasure <u>discovered</u> in the cave looked precious. → _____

4 <u>Lived</u> in a big house, she has a lot of things to do. → _____

5 <u>Hearing not</u> the bell, he didn't open the door. → _____

6 The story was <u>moved</u>, so the children cried. → _____

7 He was sitting with his legs <u>crossing</u>. → _____

8 <u>Knowing</u> to many people, the actor avoids crowded places. → _____

C 주어진 문장을 보기와 같이 분사구문이 쓰인 문장으로 바꿔 쓰시오.

> 보기   While she was watching TV, she had dinner.
> → <u>Watching TV</u>, she had dinner.

1 As he felt hungry, he opened the refrigerator.

→ _____, he opened the refrigerator.

2 As she smiled at me, she held my hands.

→ _____, she held my hands.

3 Since he was nervous, he forgot his lines.

→ _____, he forgot his lines.

4 While I listened to music, I cleaned the living room.

→ _____, I cleaned the living room.

5 Since he didn't have enough time, he couldn't finish the report.

→ _____, he couldn't finish the report.

6 Because he ate too much, he has a stomachache.

→ _____, he has a stomachache.

7 As they had missed the bus, they couldn't get there on time.

→ _____, they couldn't get there on time.

8 As she was invited to the party, she was really happy.

→ _____, she was really happy.

STEP 3 서술형 따라잡기

A 그림을 보고, with와 분사를 사용하여 문장을 완성하시오.

She was listening to music _____

_____.

(close)

B 우리말과 일치하도록 괄호 안의 말을 바르게 배열하여 문장을 쓰시오.

1 문을 열었을 때, 우리는 새 소파를 발견했다. (we, opening, a new sofa, found, the door)

→ _____

2 그 소음에 짜증이 나서, 그는 창문을 닫았다. (annoyed, closed, by the noise, he, the window)

→ _____

3 뭐라고 말해야 할지 몰라서, 그들은 조용히 앉아 있었다. (they, knowing, quietly, what to say, not, sat)

→ _____

4 시드니를 가 보았기 때문에, 그녀는 그곳을 잘 안다. (having, she, been, it, well, to Sydney, knows)

→ _____

C 우리말과 일치하도록 괄호 안의 말을 이용하여 분사구문을 포함한 문장을 영작하시오.

1 솔직히 말해서, 나는 요리하는 것에 관심이 없다. (frankly, be interested in, cook)

→ _____

2 아팠기 때문에, 나는 하루 종일 집에 머물렀다. (sick, stay home, all day)

→ _____

3 계단을 내려가다가, 나는 넘어졌다. (come down, the stairs, fall down)

→ _____

4 어떤 음식도 먹지 않아서, 그녀는 매우 배가 고팠다. (have, any food, very hungry)

→ _____

1 빈칸에 들어갈 말로 알맞은 것은?

> My favorite food is _____ chicken.

① fry
② frys
③ fried
④ frying
⑤ to fried

2 빈칸에 들어갈 말로 알맞지 <u>않은</u> 것은?

> When Sarah heard the news, she was
> _____.

① pleased
② excited
③ annoying
④ confused
⑤ disappointed

3 두 문장을 한 문장으로 바꿀 때 빈칸에 들어갈 말로 알맞은 것은?

> The man is my uncle. He is playing the cello.
> → The man _____ the cello is my uncle.

① play
② plays
③ played
④ playing
⑤ to play

4 밑줄 친 부분이 어법상 틀린 것은?

① James sat <u>reading</u> a newspaper.
② He kept her <u>waiting</u> for a long time.
③ They saw an <u>injured</u> bird in the garden.
④ She was <u>pleased</u> with the result.
⑤ I heard them <u>called</u> my name.

5 밑줄 친 부분의 역할이 나머지와 <u>다른</u> 하나는?

① It was very <u>exciting</u> trip!
② Jenny caught a <u>falling</u> leaf.
③ I met him at the <u>parking</u> lot.
④ Fill the bowl with <u>boiling</u> water.
⑤ Don't wake up the <u>sleeping</u> baby.

6 빈칸에 들어갈 말이 순서대로 짝 지어진 것은?

> • The boy _____ on the bench is Noah.
> • Look at the picture _____ by a monkey.

① sitting – painting
② sat – painted
③ sitting – painted
④ sat – painting
⑤ sitting – paint

7 우리말과 일치하도록 빈칸에 들어갈 말로 알맞은 것은?

> 정답을 알았기 때문에, 나는 손을 들었다.
> → _____ the answer, I raised my hand.

① Know
② Knows
③ Knew
④ Knowing
⑤ To know

8 밑줄 친 부분의 쓰임이 어색한 것은?

① The tennis match was exciting.
② She seemed interesting in drawing.
③ I was so surprised to hear the news.
④ The movie was so boring that I felt sleepy.
⑤ He was shocked when he heard about the accident.

9 다음 문장의 밑줄 친 부분과 바꿔 쓸 수 있는 것은?

Having a stomachache, she skipped dinner.

① Before she had a stomachache
② Before she has a stomachache
③ Because she had a stomachache
④ Because she has a stomachache
⑤ When she has a stomachache

10 밑줄 친 부분이 어법상 올바른 것을 모두 고르면?

① Look at the sun rising over the sea.
② She studied with the TV turning on.
③ Julia was standing with her arms crossed.
④ Open the present with your eyes closed.
⑤ The book writing by Dr. Jones was interesting.

11 두 문장의 의미가 같도록 빈칸에 들어갈 말로 알맞은 것은?

When he walked his dog, he met his friend.
= _____ his dog, he met his friend.

① Walk
② Walked
③ Walking
④ To walk
⑤ Having walked

12 다음 중 밑줄 친 부분이 틀린 문장의 개수는?

ⓐ Mr. Baker had his car washed.
ⓑ They were surprised to see a bear.
ⓒ Benny found a hidden message in the box.
ⓓ A broken mirror means bad luck.

① 0개
② 1개
③ 2개
④ 3개
⑤ 4개

고난도
13 우리말을 영어로 바르게 옮긴 것은?

고대 언어로 쓰였기 때문에, 우리는 그 오래된 책들을 읽을 수 없다.

① Writing in an ancient language, we can't read the old books.
② Having writing in an ancient language, we can't read the old books.
③ Having written in an ancient language, we can't read the old books.
④ Having being written in an ancient language, we can't read the old books.
⑤ Having been written in an ancient language, we can't read the old books.

14 우리말과 일치하도록 빈칸에 들어갈 말로 알맞은 것은?

자신의 학생들에게 둘러싸여 있어서, 그 선생님은 행복해 보였다.
→ _____ by her students, the teacher looked happy.

① Surround
② Surrounding
③ Surrounded
④ Had surrounded
⑤ Having surrounded

15 주어진 우리말을 영어로 옮길 때, 빈칸에 들어갈 말로 알맞은 것을 모두 고르면?

> 그 돈을 모두 써 버렸기 때문에, 그는 그 표를 살 수 없다.
> → _____, he can't buy the ticket.

① Spent all the money
② Spending all the money
③ Having spent all the money
④ Having been spent all the money
⑤ Since he spent all the money

16 어법상 틀린 부분을 바르게 고친 것은?

> Knowing not her phone number, I can't call her.

① Knowing → Known
② Knowing not → Knowing never
③ Knowing not → Not knowing
④ can't → couldn't
⑤ her → myself

17 다음 중 밑줄 친 부분의 쓰임이 올바른 것의 개수는?

> ⓐ Strictly speaking, this book is not a novel.
> ⓑ Considered his age, his teeth are perfect.
> ⓒ Generally speaking, people love weekends.
> ⓓ Frankly speaking, I can't remember her birthday.

① 0개   ② 1개   ③ 2개
④ 3개   ⑤ 4개

18 빈칸 (A)~(C)에 들어갈 말이 바르게 짝 지어진 것은?

> • He sat on the bench with his legs ___(A)___ .
> • I saw them ___(B)___ the street.
> • ___(C)___ the bridge, she saw some birds.

	(A)	(B)	(C)
①	crossing	crossed	Crossed
②	crossing	crossing	Crossing
③	crossed	crossing	Crossing
④	crossed	crossed	Crossing
⑤	crossed	crossing	Crossed

19 다음 중 밑줄 친 부분에서 생략된 접속사의 의미가 주어진 문장과 같은 것은?

> Feeling sick, I went to the doctor.

① Watching TV, I ate a sandwich.
② Cleaning my room, I listened to music.
③ Walking along the street, I talked on the phone.
④ Turning right, you will see the bank.
⑤ Arriving late, I couldn't enter the theater.

고난도
20 주어진 문장을 분사구문으로 바꿀 때 빈칸에 들어갈 말로 알맞은 것은?

> As I had never been there, I didn't know where to go.
> → _____, I didn't know where to go.

① Having been there
② Had never been there
③ Having been never there
④ Never had been there
⑤ Never having been there

21 주어진 문장을 분사구문으로 바꿔 쓰시오.

(1) Because he felt hungry, he started making spaghetti.

→ _____,
he started making spaghetti.

(2) While he was talking on the phone, he kept walking.

→ _____,
he kept walking.

(3) As she was not tall enough, she couldn't ride the horse.

→ _____,
she couldn't ride the horse.

22 우리말과 일치하도록 with와 괄호 안의 말을 이용하여 문장을 완성하시오.

(1) 그녀는 그녀의 전화기가 울리는 채로 계속 걸었다.

→ She kept walking _____
_____. (her phone, ring)

(2) 그는 팔짱을 낀 채로 내 이름을 불렀다.

→ He called my name _____
_____. (his arms, fold)

23 대화의 흐름이 자연스럽도록 어법상 어색한 부분을 두 개 찾아 바르게 고쳐 쓰시오.

> A: Have you seen that musical?
> B: Yes, I have. I was really amusing.
> A: I agree. The performance was amazed.

(1) _____ → _____

(2) _____ → _____

24 우리말과 일치하도록 빈칸에 알맞은 말을 쓰시오.

(1) 엄밀히 말해서, 네 리포트는 완벽과는 거리가 멀다.

→ _____, your report is far from perfect.

(2) 그의 키를 고려하면, 그는 체중이 매우 적게 나간다.

→ _____ his height, he is very light.

(3) 그들의 대화로 판단하건대, 그들은 Mike가 말한 것을 믿지 않는다.

→ _____ their conversation, they don't believe what Mike said.

25 조건 에 맞게 문장을 완성하시오.

> 조건 1. 밑줄 친 분사구문을 부사절로 바꿀 것
> 2. 괄호 안의 접속사를 사용할 것

(1) Playing basketball, she hurt her ankle.

→ _____,
she hurt her ankle. (when)

(2) Not feeling well, he didn't go out.

→ _____,
he didn't go out. (because)

(3) Having studied in Paris, she can speak French.

→ _____,
she can speak French. (since)

7 수동태

케이크를 받는 사람은 누구일까요?
케이크를 주는 사람은 누구일까요?

Minho was given a cake by Jane.

주어가 어떤 동작의 대상이 되어 그 영향을 받거나 당할 때 수동태를 쓴다.

POINT 1 수동태의 형태

수동태는 「**be동사+과거분사(+by+행위자)**」의 형태로 쓰고, '(주어가) 어떤 행동을 받다/당하다/되다'의 의미를 나타낸다.

The band **is loved by** a lot of teenagers. 그 밴드는 많은 십 대들에게 **사랑받는다**.

〈능동태를 수동태로 바꾸는 법〉

〈능동태〉	She	**wrote**	the novel.	그녀는 그 소설을 **썼다**.
〈수동태〉	① The novel	② **was written**	③ by her.	그 소설은 그녀에 의해 **쓰여졌다**.

① 능동태의 목적어를 수동태의 주어로 쓴다. (이때 주격으로 쓸 것!)
② 능동태의 동사를 「be동사+과거분사」의 형태로 바꾼다.
  be동사는 수동태 문장의 주어에 수를 일치시키고, 능동태 문장의 시제를 그대로 쓴다.
③ 능동태의 주어는 「by+행위자(목적격)」의 형태로 바꿔 뒤에 쓴다. 행위자가 일반인이거나 분명하지 않을 때 「by+행위자」 생략 가능

<수동태의 시제>
현재: am/is/are+과거분사
과거: was/were+과거분사
미래: will be+과거분사

수동태의 부정문: be동사+not+과거분사

We **were not invited** to the party. 우리는 그 파티에 초대받지 **않았다**.

수동태의 의문문: (의문사+)Be동사+주어+과거분사 ~?

Is the music festival **held** every year? 그 음악 축제는 매년 **열리니**?
When **was** the light bulb **invented** by Edison? 언제 전구가 에디슨에 의해 **발명되었니**?

개념확인 옳은 해석 고르기

1 Spanish is spoken in Mexico.
  ☐ 말한다   ☐ 말해진다

2 This school was built in 2002.
  ☐ 지었다   ☐ 지어졌다

기본연습 **A** 주어진 문장을 수동태로 바꿔 쓰시오.

1 Shakespeare wrote *Romeo and Juliet*.
  → _____ by Shakespeare.

2 My best friend took this picture.
  → _____ by my best friend.

3 Ms. White teaches English at my school.
  → _____ at my school.

4 My grandfather plants a tree every year.

→ _____ every year.

5 The postman delivered the package an hour ago.

→ _____ an hour ago.

6 They bake cookies every morning.

→ _____ every morning.

7 The students painted the walls of the school yesterday.

→ _____ yesterday.

B 괄호 안의 지시대로 문장을 바꿔 쓸 때, 빈칸에 알맞은 말을 쓰시오.

1 The food was cooked by a famous chef. (부정문으로)

→ _____ by a famous chef.

2 The picture was painted by Monet. (의문문으로)

→ _____ by Monet?

3 This magazine is read by many teenagers. (부정문으로)

→ _____ by many teenagers.

4 The song is sung by many people. (의문문으로)

→ _____ by many people?

5 The meeting was delayed yesterday. (why 의문문으로)

→ _____ yesterday?

6 Mark was raised by his grandparents. (부정문으로)

→ _____ by his grandparents.

7 The bridge was built by the construction company. (when 의문문으로)

→ _____ by the construction company?

틀 리 기   쉬 운
내/신/포/인/트

수동태는 「주어+be동사+
과거분사(+by+행위자)」
의 형태임을 기억해야 해요.

다음 우리말을 바르게 영작한 것은?

그 도둑은 경찰에 의해 잡혔다.

① The thief is arrested by the police.
② The thief was arrested with the police.
③ The thief was arrested by the police.
④ The thief were arrested by the police.

POINT 2 조동사가 있는 수동태

조동사가 있는 수동태: 조동사+be+과거분사

조동사 뒤에는 항상 동사원형을 써야 하므로 be동사의 원형인 be를 써요.

〈능동태〉	Many teenagers **will love** this book.	많은 십 대들이 이 책을 **사랑할 것이다.**
〈수동태〉	This book will **be loved** by many teenagers.	이 책은 많은 십 대들에 의해 **사랑받을 것이다.**

The soup **can be cooked** in 3 minutes. 그 수프는 3분 내에 **요리될 수 있다.**

This letter **must be delivered** by tomorrow. 이 편지는 내일까지 **배달되어야 한다.**

조동사가 있는 수동태의 부정문: 조동사+not+be+과거분사

Bananas **should not be kept** in the refrigerator. 바나나는 냉장고에 보관되면 안 된다.

조동사가 있는 수동태의 의문문: (의문사+)조동사+주어+be+과거분사 ~?

Should these clothes **be washed** in cold water? 이 옷들은 차가운 물로 **세탁되어야 하니?**

When will a new library **be built?** 새 도서관은 언제 지어질 거니?

궁금해요!
will은 미래시제에 쓰는 말 아닌가요?

맞아요! will은 '~할 것이다' 라는 뜻으로 미래의 일을 나타내는 조동사예요.

개념확인 옳은 문장 고르기

1 그것은 재활용되어야 한다.
- ☐ It must is recycled.
- ☐ It must be recycled.

2 그것은 수리될 수 없다.
- ☐ It cannot be fixed.
- ☐ It can be not fixed.

3 그는 초대될 것이니?
- ☐ Will be he invited?
- ☐ Will he be invited?

기본연습 A 주어진 문장을 수동태로 바꿔 쓰시오. (「by+행위자」는 생략할 것)

1 We must protect wild animals.

→ Wild animals _____.

2 You can add a little sugar to the tea.

→ _____ to the tea.

3 They may make the story into a movie.

→ _____ into a movie.

4 You should wash this sweater in cold water.

→ _____ in cold water.

5 They will paint the doors in bright colors.

→ _____ in bright colors.

6 We can use this camera in water.

→ _____ in water.

7 I should return this book by tomorrow.

→ _____ by tomorrow.

8 They will serve your dish in a few minutes.

→ _____ in a few minutes.

B 우리말과 일치하도록 괄호 안의 말을 이용하여 문장을 완성하시오.

1 그 책은 다음 달에 출판되어야 한다. (should, publish)

→ The book _____ next month.

2 그 문제는 쉽게 풀리지 않을지도 모른다. (may, solve)

→ The problem _____ easily.

3 좌석들이 이 앱에서 예약될 수 있니? (can, book)

→ _____ seats _____ on this app?

4 그 문은 항상 닫혀 있어야 한다. (must, keep)

→ The door _____ closed at all times.

5 그 콘서트는 다음 주에 열릴 거니? (will, hold)

→ _____ the concert _____ next week?

6 이 상자들은 어디로 보내져야 하니? (where, should, send)

→ _____ these boxes _____?

7 너의 질문들은 전화상으로 답변될 수 없다. (can, answer)

→ Your questions _____ on the phone.

8 언제 두 섬 사이에 다리가 지어질 거니? (when, will, build)

→ _____ a bridge _____ between the two islands?

틀리기 쉬운 내/신/포/인/트

조동사가 있는 수동태는 「조동사 + be + 과거분사」의 형태로, 조동사 뒤에는 be동사의 원형인 be를 써야 해요.

다음 문장을 수동태로 바꿔 쓸 때 쓰이지 <u>않는</u> 단어는?

She must follow the rules.

① by   ② are

③ must   ④ followed

POINT 3 진행형 수동태

진행형 수동태는 「be동사＋being＋과거분사」의 형태로 쓴다.

현재진행형	am/is/are＋being＋과거분사	The classroom **is being cleaned** by students now. 그 교실은 지금 학생들에 의해 **청소되는 중이다.**
과거진행형	was/were＋being＋과거분사	My smartphone **was being repaired**. 내 스마트폰은 **수리되는 중이었다.**

My bags **are being carried** by him.
내 가방은 그에 의해 **운반되는 중이다.**

Beautiful music **is being played** by the band now.
아름다운 음악이 그 밴드에 의해 지금 **연주되는 중이다.**

A cake **was being baked** when I came home.
내가 집에 왔을 때 케이크가 **구워지는 중이었다.**

진행형	be＋ -ing
수동태	be ＋과거분사

＋

be being＋과거분사

개념확인 옳은 해석 고르기

1 A house is being built.

☐ 집이 지어지는 중이다.
☐ 집이 지어졌다.

2 Pasta was being cooked.

☐ 파스타가 요리되는 중이다.
☐ 파스타가 요리되는 중이었다.

3 New movies are being made.

☐ 새 영화들이 만들어지는 중이다.
☐ 새 영화들이 만들어졌다.

기본연습 우리말과 일치하도록 괄호 안의 동사를 이용하여 문장을 완성하시오.

1 당신의 음식은 오토바이로 배달되는 중입니다. (deliver)

→ Your food _____ by motorcycle.

2 그 공원은 자원봉사자들에 의해 청소되는 중이었다. (clean)

→ The park _____ by the volunteers.

3 그 포스터들은 지금 벽에 걸리는 중이다. (hang)

→ The posters _____ on the walls now.

4 내가 그 도시에 갔을 때, 영화 축제가 열리는 중이었다. (hold)

→ When I went to the city, the film festival _____.

5 그 식물들은 그때 Amy에 의해 물이 주어지는 중이었다. (water)

→ The plants _____ by Amy at that time.

6 지금 엘리베이터가 수리되는 중이기 때문에 계단을 이용하세요. (repair)

→ Take the stairs because the elevator _____ now.

POINT 4 완료형 수동태

완료형 수동태는 「have/has been + 과거분사」의 형태로 쓴다.

완료형	have/has been + 과거분사	The city **has been visited** by many tourists. 그 도시는 많은 관광객들의 **방문을 받아** 왔다.

The cars **have** just **been washed** by them.
그 자동차들은 방금 그들에 의해 **청소되었다.**

This song **has been loved** by many people around the world.
이 노래는 전 세계 많은 사람들에게 **사랑받아** 왔다.

The band **has been invited** to the music festival since 2019.
그 밴드는 2019년 이후로 그 음악 축제에 **초대받아** 왔다.

완료형	have + 과거분사
수동태	be + 과거분사

have been + 과거분사

주의 완료형과 자주 쓰이는 부사로는 already, just, yet, recently, for, since, before 등이 있다.

개념확인 옳은 문장 고르기

1 나의 숙제가 지금 막 끝내졌다.
- ☐ My homework has just finished.
- ☐ My homework has just been finished.

2 그의 자전거가 도난당했다.
- ☐ His bike has stolen.
- ☐ His bike has been stolen.

기본연습 주어진 문장을 수동태로 바꿔 쓰시오.

1 Mina has read those books before.

→ Those books _____ by Mina before.

2 She has opened a flower shop recently.

→ A flower shop _____ by her recently.

3 David has grown apple trees since he was 15.

→ Apple trees _____ by David since he was 15.

4 The girls have kept the secret since last year.

→ The secret _____ by the girls since last year.

틀리기 쉬운 내/신/포/인/트

완료형 수동태는 「have/has been + 과거분사」의 형태임을 기억해야 해요.

다음 빈칸에 들어갈 말로 가장 알맞은 것은?

> The room _____ by my sister since last year.

① used
② was used
③ has used
④ has been used

4형식 문장의 수동태

4형식 문장은 간접목적어와 직접목적어를 주어로 하는 두 개의 수동태 문장을 만들 수 있다.

Tony	gave	her 간접목적어	some flowers. 직접목적어

Tony는 그녀에게 꽃을 **주었다.**

① 간접목적어를 주어로 하는 수동태

She	was given	some flowers	by Tony.

그녀는 Tony에게 꽃을 **받았다.**

② 직접목적어를 주어로 하는 수동태

Some flowers	were given	to her	by Tony.

꽃은 Tony에 의해 그녀에게 **주어졌다.**

↳ 직접목적어를 수동태 문장의 주어로 쓸 때 간접목적어 앞에 전치사를 써요.

직접목적어가 주어일 때 간접목적어 앞에 전치사 to나 for, of를 쓴다.

to를 쓰는 동사	give, send, show, tell, teach, bring, write 등
for를 쓰는 동사	buy, make, find, cook, get 등
of를 쓰는 동사	ask

A picture **was shown to** us by him. 사진 한 장이 그에 의해 우리에게 **보여졌다.**

A scarf **was bought for** Mom by me. 스카프가 나에 의해 엄마에게 **구입되었다.**

Tips buy, make, cook, send, write 등의 동사는 직접목적어를 주어로 하는 수동태만 쓴다.
〈능동태〉 Jacob **sent** me a letter. Jacob은 나에게 편지를 **보냈다.**
〈수동태〉 A letter **was sent** to me by Jacob. (○) 편지는 Jacob에 의해 나에게 **보내졌다.**
I **was sent** a letter by Jacob. (×)

개념확인 수동태 문장으로 바꿀 때 주어로 쓸 수 있는 것 모두 찾기

1 Judy gave me a present.
① ② ③ ④

2 He sent her a letter.
① ② ③ ④

3 She told us an interesting story.
① ② ③ ④

기본연습 **A** 빈칸에 알맞은 전치사를 넣어 문장을 완성하시오.

1 The toys were sent _____ the children by the toy company.

2 A wooden desk was made _____ Daniel by his grandfather.

3 A new bag was bought _____ Mark by his aunt.

4 Useful advice was given _____ them by the teacher.

5 Many books were read _____ Amy by her father.

6 A cute cat was brought _____ me by my parents.

7 Her new painting will be shown _____ the public next week.

B 능동태 문장을 주어진 주어로 시작하는 수동태 문장으로 바꿔 쓰시오.

1 Ms. Han teaches the students math.
   → The students _____ by Ms. Han.
   → Math _____ by Ms. Han.

2 Helen bought me a birthday present.
   → A birthday present _____ by Helen.

3 The reporter asked her a few questions.
   → She _____ by the reporter.
   → A few questions _____ by the reporter.

4 Newspapers give us a lot of information.
   → We _____ by newspapers.
   → A lot of information _____ by newspapers.

5 Ron cooked his brother some noodles.
   → Some noodles _____ by Ron.

6 She will show you the pictures.
   → You _____ by her.
   → The pictures _____ by her.

7 They told me an interesting story.
   → I _____ by them.
   → An interesting story _____ by them.

주어진 문장을 수동태 문장으로 바르게 바꾼 것은?

> He bought me a book.

① I bought him a book.
② I bought a book by him.
③ A book bought me for him.
④ A book was bought for me by him.

POINT 6 동사구의 수동태

「동사+부사/전치사」

동사구는 하나의 동사처럼 취급하여 수동태를 만든다. 동사는 「**be동사+과거분사**」의 형태로 바꿔 쓰고, 나머지(부사/전치사)는 그대로 쓴다.

put off	~을 연기하다	→	be put off	~이 연기되다
pick up	~를 태우다		be picked up	~가 태워지다
look up to	~를 존경하다		be looked up to	~가 존경받다
look down on	~를 얕보다(무시하다)		be looked down on	~가 무시되다
run over	~을 (차량이) 치다		be run over	~이 (차량에) 치이다
turn down	~을 거절하다		be turned down	~이 거절되다
turn on/off	~을 켜다/끄다		be turned on/off	~이 켜지다/꺼지다
take care of	~을 돌보다		be taken care of	~이 돌보아지다

He **takes care of** three dogs. 그는 개 세 마리를 돌본다.
→ Three dogs **are taken care of** by him. 개 세 마리가 그에 의해 돌보아진다.

They **put off** the game because of the heavy rain. 그들은 폭우 때문에 그 경기를 연기했다.
→ The game **was put off** because of the heavy rain. 그 경기는 폭우 때문에 연기되었다.

개념확인 동사구의 수동태 찾기

1 The TV was turned off by my sister.　　　**2** They were picked up by Jason.

기본연습 빈칸에 알맞은 말을 보기 에서 골라 어법에 맞게 쓰시오. (과거시제로 쓸 것)

보기	pick up	turn on	look up to	look down on
	put off	turn down	run over	take care of

1 The job offer _____ by Jack.

2 The meeting _____ until next Monday.

3 He _____ by a bicycle yesterday.

4 Emily _____ by her uncle from the airport.

5 Edward thinks that he _____ because of his voice.

6 The little children _____ by my family yesterday.

7 All the lights _____ when I went into the house.

8 The old man _____ by his neighbors because he was wise.

POINT 7 by 이외의 전치사를 쓰는 수동태

be made up of	~으로 구성되다
be known to	~에게 알려져 있다
be known for	~으로 유명하다
be known as	~으로서 알려져 있다
be scared of	~을 두려워하다
be tired of	~에 싫증나다

be crowded with	~으로 붐비다
be covered with	~으로 덮여 있다
be filled with	~으로 가득 차 있다
be satisfied with	~에 만족하다
be concerned about	~을 염려하다[걱정하다]
be surprised at	~에 놀라다

Our club **is made up of** ten members. 우리 동아리는 10명의 부원으로 **구성되어 있다**.
The airport **was crowded with** people. 공항은 사람들로 **붐볐다**.
He **was satisfied with** his new hairstyle. 그는 그의 새 머리 모양에 **만족했다**.

be pleased with: ~에 기뻐하다
be interested in: ~에 관심이 있다
be worried about: ~에 대해 걱정하다
be disappointed with[at]: ~에 실망하다

개념확인 알맞은 전치사 고르기

1 Her hands are covered _____ dust.
☐ from ☐ with

2 I am tired _____ watching TV.
☐ of ☐ as

기본연습 빈칸에 알맞은 전치사를 넣어 문장을 완성하시오.

1 I was surprised _____ her strange behavior.

2 Her bag is always filled _____ books.

3 Are you concerned _____ your health?

4 The little boy is scared _____ large dogs.

5 The city is crowded _____ tourists in summer.

6 Linda was satisfied _____ the result of the game.

7 The bakery is known _____ its chocolate cake.

8 The band is made up _____ two guitarists and one singer.

9 Jane's good behavior is known _____ her friends.

10 The table was covered _____ all kinds of delicious food.

11 Tommy is worried _____ his bad grades.

12 My sister and I are interested _____ drawing cartoons.

수동태 **133**

STEP 1 Map으로 개념 정리하기

수동태(be동사+과거분사)

- **조동사가 있는 수동태** ─ 조동사+be+과거분사
- **진행형 수동태** ─ be동사+being+과거분사
- **완료형 수동태** ─ have/has been+과거분사
- **4형식 문장의 수동태**
  - 주어(간·목)+be동사+과거분사+직·목 ~.
  - 주어(직·목)+be동사+과거분사+전치사+간·목 ~.
    - ↳ to, for, of
- **동사구의 수동태** ─ take care of → be taken care of / put off → be put off 등
- **by 이외의 전치사를 쓰는 수동태** ─ be covered with, be known for 등

Quick Check

① The novel _____ _____ _____ next week. (publish)

② 저녁 식사가 아빠에 의해 요리되는 중이다. (cook)
→ The dinner _____ _____ _____ by my dad.

③ He _____ _____ _____ to the conference since 2015. (invite)

④ History is taught _____ us by Ms. Kim.

⑤ A scarf was bought _____ her by Dan.

⑥ 그 그림은 피카소에 의해 그려졌니? (paint)
→ _____ the painting _____ _____ Picasso?

⑦ Miso took care of the sick animals.
= The sick animals _____ _____ _____ _____ by Miso.

STEP 2 기본 다지기

빈칸완성

A 우리말과 일치하도록 빈칸에 알맞은 말을 넣어 문장을 완성하시오.

1 그 케이크들은 매일 아침 Brown 씨에 의해 만들어진다.
→ The cakes _____ _____ _____ Mr. Brown every morning.

2 이 숙제는 내일까지 끝내져야 한다.
→ This homework _____ _____ _____ by tomorrow.

3 그 교실이 학생들에 의해 청소되는 중이다.
→ The classroom _____ _____ _____ _____ the students.

4 그 가수는 한국에서 오랫동안 사랑받아 왔다.
→ The singer _____ _____ _____ in Korea for a long time.

5 그녀는 자신의 집의 큰 창에 만족한다.
→ She _____ _____ _____ the large windows of her house.

B 다음 문장에서 <u>틀린</u> 부분을 찾아 바르게 고쳐 쓰시오.

1 Was when the wheel invented? _____ → _____

2 The bottle is filled in water. _____ → _____

3 The plants in the garden is watered by my sister. _____ → _____

4 The picture didn't take by a famous photographer. _____ → _____

5 The story will is made into a movie soon. _____ → _____

6 The museum has visited by many visitors since last year. _____ → _____

7 The used sofa was bought to Kate by her aunt. _____ → _____

8 The song is loved for people around the world. _____ → _____

C 괄호 안의 지시대로 문장을 바꿔 쓰시오.

1 Brian must send the letter to this address. (수동태로)

→ _____

2 King Sejong created Hangeul. (수동태 의문문으로)

→ _____

3 Her car was found near the park. (부정문으로)

→ _____

4 My uncle gave me a used computer. (I가 주어인 수동태로)

→ _____

5 Mina can solve this problem easily. (수동태로)

→ _____

6 She will look after my little brother. (수동태로)

→ _____

7 The band is playing beautiful music now. (수동태로)

→ _____

8 My friend will make me a dress. (a dress가 주어인 수동태로)

→ _____

STEP 3 서술형 따라잡기

그림이해

A 그림을 보고, 괄호 안의 말을 이용하여 대화를 완성하시오.

A: _____ this book _____ by many teenagers?
(read)

B: Yes, it is. You will love it.

A: When should I return it?

B: It _____ _____ _____ by May 20th.
(return)

A: Thanks.

영작완성

B 우리말과 일치하도록 괄호 안의 말을 바르게 배열하여 문장을 쓰시오.

1 당신의 식사가 곧 나올 것입니다. (will, soon, your meal, be, served)

→ _____

2 새 도서관이 그 도시에 지어지는 중이다. (is, built, a new library, being, in the city)

→ _____

3 그 이메일은 잘못된 사람에게 보내졌다. (been, the wrong person, has, the email, to, sent)

→ _____

4 그 과학자는 마을 사람들로부터 존경받았다. (the villagers, was, by, the scientist, looked up to)

→ _____

문장영작

C 우리말과 일치하도록 괄호 안의 말을 이용하여 영작하시오.

1 그 엽서는 그에 의해 나에게 보내졌다. (the postcard, send)

→ _____

2 그 좌석들이 인터넷에서 예약되지 않았다. (the seats, book, on the Internet)

→ _____

3 언제 그 영화 축제가 개최될 거니? (when, the film festival, will, hold)

→ _____

4 그 방 안의 모든 것이 먼지로 덮여 있었다. (everything in the room, cover, dust)

→ _____

[1-2] 빈칸에 들어갈 말로 알맞은 것을 고르시오.

1

> Cookies _____ by him every day.

① bake　　　　② baked
③ is baked　　　④ are baked
⑤ were baking

2

> Noodles can _____ in many ways.

① cook　　② cooks　　③ cooked
④ is cooked　　⑤ be cooked

3 다음 문장을 수동태로 바르게 바꾼 것은?

> Mark didn't invite us to the party.

① Mark was invited to the party by us.
② Mark wasn't invited to the party by us.
③ We weren't invited to the party by Mark.
④ We didn't invite Mark to the party.
⑤ We didn't be invited to the party by Mark.

4 우리말과 일치하도록 괄호 안의 말을 배열할 때, 다섯 번째로 오는 단어는?

> 그 회의는 Sam에 의해 연기되었다.
> (by, the, Sam, off, meeting, put, was)

① the　　② was　　③ put
④ off　　⑤ by

5 밑줄 친 부분이 어법상 어색한 것은?

① My wallet was stolen in the subway.
② The machine is repairing now.
③ This picture was taken by a famous photographer.
④ The album was shown to us by Jina.
⑤ This sweater should be washed in cold water.

6 다음 문장을 수동태로 바르게 바꾼 것을 모두 고르면?

> The fan gave the singer a gift.

① The singer gave a gift to the fan.
② The singer was given a gift by the fan.
③ A gift was given the singer by the fan.
④ A gift was given to the singer by the fan.
⑤ A gift was given the fan by the singer.

7 빈칸에 알맞은 말이 순서대로 짝 지어진 것은?

> • The team is made up _____ two girls and one boy.
> • She was concerned _____ the bad weather.

① by – of　　　　② to – by
③ about – in　　　④ with – at
⑤ of – about

8 다음 중 능동태를 수동태로 <u>잘못</u> 바꾼 것은?

① I will show you my pictures.

　→ My pictures will be shown to you by me.

② He is delivering your food.

　→ Your food is being delivered by him.

③ Our group has just finished the project.

　→ The project has just finished by our group.

④ Amy turned off all the lights.

　→ All the lights were turned off by Amy.

⑤ John will send the boxes next week.

　→ The boxes will be sent by John next week.

9 빈칸에 들어갈 말이 <u>다른</u> 하나는?

① Her boots were covered _____ mud.

② They are satisfied _____ the test results.

③ Jessy was pleased _____ her mom's visit.

④ The thieves were caught _____ the police.

⑤ The little girl's eyes were filled _____ tears.

고난도
10 어법상 올바른 문장을 <u>모두</u> 고르면?

① The people must are told about this.

② When will the Olympic Games be held?

③ Ms. Baker is looked up to with her students.

④ Red roses were bought for Sara by Dan.

⑤ Your questions cannot be answered now.

[11-13] 주어진 문장을 수동태로 바꿀 때 빈칸에 알맞은 말을 고르시오.

11

> He is carrying the books to his room.
>
> → The books _____ to his room by him.

① is carried　　　　② are carried

③ is being carried　④ are being carried

⑤ have been carried

12

> Many people have loved this drama for a long time.
>
> → This drama _____ for a long time by many people.

① loved　　　② was loved

③ has loved　④ has been loved

⑤ are being loved

13

> My grandmother made me this hat.
>
> → This hat was made _____ me by my grandmother.

① to　　　② by　　　③ of

④ for　　　⑤ from

14 다음 중 어법상 <u>어색한</u> 문장은?

① Was your invitation turned down?

② Our cats were took care of by Aron.

③ The game was put off until next week.

④ Her son was picked up from school by her friend.

⑤ A deer was run over by a truck in the dark.

15 주어진 우리말을 영어로 옮길 때, 쓰이지 <u>않는</u> 단어는?

> 그 섬은 여기에서 보여질 수 없다.

① cannot　　　　② island
③ has　　　　　④ be
⑤ seen

16 밑줄 친 부분을 잘못 고친 것은?

① Karen was <u>tired by</u> the long speech.
　　　　　→ was tired of
② The doctor <u>is looked up to</u> the patients.
　　　　　→ is looked up to by
③ The palace <u>has visited</u> by many tourists.
　　　　　→ has been visited
④ The famous novel <u>was wrote</u> by a high school student.　　　→ was written
⑤ These walls <u>were painted</u> by the volunteers tomorrow.　　→ are being painted

17 우리말을 영어로 바르게 옮긴 것을 <u>모두</u> 고르면?

① 그는 그의 할머니의 건강을 염려한다.
　→ He is concerned in his grandma's health.
② 나는 그 바지의 가격에 놀랐다.
　→ I was surprised at the price of the pants.
③ 파리는 빛의 도시로 알려져 있다.
　→ Paris is known as the City of Light.
④ 그 책은 10개의 챕터로 구성되어 있다.
　→ The book is made up with 10 chapters.
⑤ 그 도시는 아름다운 해변으로 유명하다.
　→ The city is known to its beautiful beaches.

18 다음 두 문장에 대한 설명으로 틀린 것은?

> (A) Bill will show the artist his painting.
> (B) Today's dessert was cooked for us by the chef.

① (A)는 능동태 문장이다.
② (A)는 the artist를 주어로 하는 수동태 문장으로 바꿀 수 있다.
③ (A)는 his painting을 주어로 하는 수동태 문장으로 바꿀 수 있다.
④ (B)는 수동태 문장이다.
⑤ (B)에서 for us는 to us로 바꿔 써야 한다.

19 빈칸에 들어갈 말이 같은 것끼리 짝 지어진 것은?

> ⓐ The door should _____ locked.
> ⓑ My smartphone is _____ repaired now.
> ⓒ When will a new bridge _____ built?
> ⓓ The traffic rules must _____ kept by everyone.
> ⓔ The book has _____ read by all the students.

① ⓐ, ⓑ　　　② ⓐ, ⓒ, ⓓ　　　③ ⓐ, ⓒ, ⓔ
④ ⓑ, ⓔ　　　⑤ ⓒ, ⓓ, ⓔ

고난도
20 어법상 올바른 문장의 개수는?

> ⓐ The package will be delivered by tomorrow.
> ⓑ The house is being cleaned by my family.
> ⓒ The environment should be not destroyed.
> ⓓ My aunt has been opened a flower shop recently.
> ⓔ Was *Sunflowers* painted by Van Gogh?

① 0개　　　　② 1개　　　　③ 2개
④ 3개　　　　⑤ 4개

21 다음 문장을 주어진 말로 시작하는 수동태 문장으로 바꿔 쓰시오.

(1)
> Julien teaches my friends French.

→ French _____

_____ .

(2)
> My uncle bought me a new watch.

→ A new watch _____

_____ .

22 주어진 문장을 지시에 맞게 바꿔 쓰시오.

> My brother turned off the TV.

(1) 수동태로 바꾸기

→ _____

_____

(2) (1)의 문장을 의문문으로 바꾸기

→ _____

_____

23 괄호 안의 말을 이용하여 대화를 완성하시오.

> A: Can I use this camera under water?
> B: No. It _____
> under water. (can, use)

24 그림을 보고, 조건 에 맞게 문장을 완성하시오.

(1)

(2)

> 조건 1. 각각 The street와 The girl을 주어로 쓸 것
> 2. 괄호 안의 말을 모두 이용할 것
> 3. 현재시제로 쓸 것

(1) (crowd, people)

_____

_____

(2) (scare, spiders)

_____

_____

고난도
25 우리말과 일치하도록 괄호 안의 말을 이용하여 문장을 완성하시오.

(1) 그 미술관은 2012년 이후로 많은 관광객들의 방문을 받아왔다. (visit, many tourists)

→ The art gallery _____

_____ since 2012.

(2) 내가 집에 왔을 때 부모님에 의해 저녁 식사가 요리되는 중이었다. (cook, my parents)

→ Dinner _____

_____ when I came home.

C H A P T E R

8 명사와 대명사

명사는 사람, 동물, 사물 등의 이름을 나타내는 말로, 셀 수 있는 명사와 셀 수 없는 명사로 나뉜다.
대명사는 '명사를 대신하는 말'이라는 의미로, 앞에 나온 명사를 반복해서 쓰지 않기 위해 쓴다.

셀 수 있는 명사와 셀 수 없는 명사 정답 및 해설 p.24

명사는 셀 수 있는 명사와 셀 수 없는 명사로 나뉜다.

셀 수 있는 명사	보통명사	boy, dog, book, apple, tree 등
	집합명사	family, team, audience 등
셀 수 없는 명사	물질명사	milk, salt, air, money, snow 등
	추상명사	love, happiness, friendship, luck 등
	고유명사	Minji, Paris, Korea, July 등

> 셀 수 있는 명사는 단수일 경우 앞에 a(n)을 쓰고, 복수일 경우 복수형으로 써요.
> (a book-books, wolf-wolves, tooth-teeth)

> 궁금해요!
> pants는 왜 복수형으로 써요?

> pants, socks, shoes, gloves와 같이 두 개가 한 쌍을 이루는 명사는 복수형으로 써요.
> a pair of(~ 한 쌍)를 앞에 붙여 a pair of pants와 같이 수량을 나타내요.

> 셀 수 없으므로 항상 단수형으로 쓰여요. 앞에 a(n)을 붙이거나 복수형을 만들 수 없어요.

주의 family, team 등의 집합명사는 구성원 개인을 강조하는 경우는 복수 취급하고, 집합체를 한 덩어리로 강조하는 경우는 단수 취급한다.

My **family** are all healthy. 〈복수〉 우리 가족은 모두 건강하다.
The **family** has its farm. 〈단수〉 그 가족은 가족의 농장을 가지고 있다.

셀 수 없는 명사는 용기나 단위명사를 사용하여 수량을 나타낸다.

a cup of	coffee, tea
a glass of	water, milk, juice
a bottle of	water, milk, wine
a can of	coke, soda

a slice of	cheese, pizza, cake
a piece of	paper, cake, advice
a sheet of	paper
a loaf of	bread

a bowl of	soup, rice
a jar of	honey, jam
a carton of	milk, juice
a spoonful of	sugar, salt

주의 셀 수 없는 명사의 수량은 단위명사를 복수형으로 만들어 표현한다.

I bought **two bottles of** milk. 나는 우유 두 병을 샀다.
She needs **three slices of** cheese. 그녀는 치즈 세 장이 필요하다.
My brother and I ate **two loaves of** bread. 남동생과 나는 빵 두 덩어리를 먹었다.
> loaf의 복수형

개념확인 셀 수 있는 명사와 셀 수 없는 명사 구분하기

ⓐ boat　ⓑ piano　ⓒ sugar　ⓓ hope　ⓔ friend　ⓕ milk　ⓖ April　ⓗ ticket

1 셀 수 있는 명사:　　　　　　　　　　**2** 셀 수 없는 명사:

기본연습 **A** 밑줄 친 명사와 종류가 <u>다른</u> 하나를 고르시오.

1 People cannot survive without <u>air</u>.　　☐ money　☐ bank　☐ gas

2 The capital of England is <u>London</u>.　　☐ March　☐ Spain　☐ aunt

3 The <u>children</u> are waiting for our gifts.　　☐ peace　☐ student　☐ library

4 Will you give me some <u>advice</u>?　　☐ luck　☐ picture　☐ love

5 <u>Snow</u> fell across the country all day. ☐ people ☐ water ☐ oil

6 We need more <u>time</u> to complete the project. ☐ beauty ☐ hope ☐ baby

B 괄호 안에서 알맞은 것을 고르시오.

1 There are nine (class / classes) in my school.

2 We had a lot of (fun / funs) at the amusement park.

3 Steve put several (painting / paintings) on the wall.

4 My sister and I ate two pieces of (cake / cakes).

5 Did you promise to lend him some (money / moneys)?

6 The old woman's face shines with (happiness / happinesses).

7 Cinderella fell in (love / a love) with the prince at the party.

8 Mr. Lee has (daughter / a daughter) and two (son / sons).

9 Alice wanted two (slice / slices) of (cheese / cheeses).

C 그림을 참고하여 알맞은 단위명사를 빈칸에 쓰시오.

1 He drinks a _____ of milk every morning.

2 I went to the bakery to buy three _____ of bread.

3 Daniel put two _____ of shoes in the bag.

4 There is a _____ of juice in the refrigerator.

5 I bought two _____ of water at the store.

6 Mom makes me a _____ of chicken soup when I'm sick.

7 Add two _____ of salt to the soup when it starts to boil.

틀리기 쉬운
내/신/포/인/트

셀 수 없는 명사의 수량은 단위명사를 이용해 표현해요.

빈칸에 들어갈 말로 알맞은 것은?

Alex ordered _____ juice at the café.

① a piece of ② two bottles of
③ two loaves of ④ three sheets of

POINT 2 it의 다양한 쓰임

정답 및 해설 p.24

비인칭 주어 it: 시간, 요일, 날짜, 날씨, 계절, 명암, 거리 등을 나타낼 때 사용하는 주어로, '그것'이라고 해석하지 않는다.

시간	It's eight twenty.	요일	It's Wednesday.
날짜	It's October 20th.	날씨	It's windy and rainy.
계절	It's summer.	명암	It's dark outside.
거리	It's 10 km from the park.		

대명사 it은 It's my book. 처럼 사물이나 동물을 가리킬 때 쓰고, '그것'이라고 해석하므로 비인칭 주어 it과 혼동하지 않도록 해요.

가주어 it: 주어가 긴 경우 주어를 문장의 뒤로 보내고, 주어 자리에 가주어 it을 쓴다. 주어가 to부정사나 that절인 경우에 주로 사용한다.

| it ~ to부정사 | **It** is not easy **to bake cookies**.
가주어 　　　 진주어 | 쿠키를 굽는 것은 쉽지 않다. |
| it ~ that절 | **It** is certain **that she will win the race**.
가주어 　　　 진주어 | 그녀가 경주를 이길 것은 분명하다. |

가목적어 it: 목적어가 긴 경우 목적어를 문장의 뒤로 보내고, 목적어 자리에 가목적어 it을 쓴다. find, think, consider 등의 동사 뒤에 가목적어 it을 주로 쓴다.

| it ~ to부정사 | He found **it** hard **to write in English**. | 그는 영어로 쓰는 것이 어렵다는 것을 알았다. |

주의 가주어 it과 가목적어 it은 '그것'이라고 해석하지 않는다.

개념확인 옳은 해석 고르기

1 It is six thirty.
- ☐ 6시 30분이다.
- ☐ 그것은 6시 30분이다.

2 It is difficult to shoot an arrow.
- ☐ 화살을 쏘는 것을
- ☐ 화살을 쏘는 것은

3 It is clear that he is honest.
- ☐ 그가 정직하다는 것은
- ☐ 그가 정직하다는 것을

기본연습 **A** 밑줄 친 it의 쓰임으로 알맞은 것을 고르시오.

	비인칭 주어	가주어	가목적어
1 I found it hard to keep the secret.	☐	☐	☐
2 It takes 50 minutes from my house.	☐	☐	☐
3 It is very interesting to go camping.	☐	☐	☐
4 Peter found it easy to stand on one foot.	☐	☐	☐
5 It is strange that Kate didn't pass the exam.	☐	☐	☐
6 It was impossible to get to the meeting in time.	☐	☐	☐
7 It is raining heavily, so you can't go out now.	☐	☐	☐

B 밑줄 친 부분이 어법상 틀린 경우 바르게 고쳐 쓰시오. (옳은 경우 ○표 할 것)

1 <u>That</u> was Thursday yesterday. → _____

2 <u>It</u> takes half an hour by subway. → _____

3 Is <u>that</u> going to be sunny tomorrow? → _____

4 <u>It</u> is true that Mary cooked all the food. → _____

5 <u>That</u> is difficult to carry this box alone. → _____

6 I found <u>that</u> interesting to learn about the universe. → _____

7 It is surprising <u>what</u> Eric hasn't arrived yet. → _____

8 <u>It</u> snows a lot in New York during the winter. → _____

9 Simon considers <u>them</u> possible to go skydiving. → _____

10 Look at the white dog! <u>It</u> is very cute. → _____

C 우리말과 일치하도록 괄호 안의 말을 이용하여 빈칸에 알맞은 말을 쓰시오.

1 롤러코스터를 타는 것은 신이 난다. (ride a roller coaster)

→ _____ is exciting _____ .

2 많은 책을 읽는 것은 도움이 될 것이다. (read many books)

→ _____ will be helpful _____ .

3 그녀가 오디션을 통과한 것은 놀랍지 않다. (she passed the audition)

→ _____ is not surprising _____ .

4 규칙적으로 운동하는 것은 건강에 좋다. (exercise regularly)

→ _____ is good for health _____ .

5 John이 다음 주에 돌아올 거라는 것은 사실이다. (John will come back next week)

→ _____ is true _____ .

6 내가 가장 좋아하는 가수를 직접 보는 것은 멋질 것이다. (see my favorite singer in person)

→ _____ will be wonderful _____ .

틀리기 쉬운 내/신/포/인/트

it의 다양한 쓰임을
구별할 수 있어야 해요.

밑줄 친 <u>it</u>의 쓰임이 나머지 셋과 <u>다른</u> 하나는?

① <u>It</u> is winter in Australia.
② <u>It</u> is true that he is a wise judge.
③ <u>It</u> is not easy to paint a landscape.
④ <u>It</u> is impossible to finish the work by tomorrow.

POINT 3 재귀대명사

재귀대명사는 인칭대명사의 소유격이나 목적격에 **-self/-selves**를 붙인 형태로, '~ 자신, ~ 자체'라는 뜻이다.

재귀 용법 <목적어 역할>	목적어가 주어와 같은 대상일 때 목적어로 사용	Tina introduced **herself** to us.	Tina는 그녀 자신을 우리에게 소개했다. <Tina = herself>
		Joe looked at **himself** in the mirror.	Joe는 거울 속 그 자신을 바라보았다. <Joe = himself>
강조 용법	주어나 목적어를 강조하기 위해 사용 (생략 가능)	I wrote the letter **myself**.	나 자신이 그 편지를 썼다. <주어 강조>
		I saw **the accident** itself.	나는 그 사건 자체를 목격했다. <목적어 강조>

〈재귀대명사의 관용 표현〉

by oneself	혼자서, 홀로 (= alone)	help oneself (to)	(~을) 마음껏 먹다
for oneself	혼자 힘으로, 스스로	enjoy oneself	즐겁게 시간을 보내다
cut oneself	베이다	make oneself at home	편하게 지내다(쉬다)
talk to oneself	혼잣말하다		

I painted this room **by myself**. 나는 이 방을 **혼자** 칠했다.

You must finish the project **for yourself**. 너는 **혼자 힘으로** 그 프로젝트를 끝내야 한다.

Help yourself to anything you want. 네가 원하는 것은 무엇이든 **마음껏 먹어**.

개념확인 옳은 해석 고르기

1 We enjoyed ourselves at the party.
   ☐ 편하게 지냈다   ☐ 즐겁게 시간을 보냈다

2 You can solve this quiz for yourself.
   ☐ 혼자 힘으로   ☐ 저절로

기본연습 A 괄호 안에서 알맞은 것을 고르시오.

1 My brother calls (herself / himself) a prince.

2 You had better take care of (you / yourself).

3 The movie (it / itself) was amazing.

4 He introduced (herself / himself) as the new English teacher.

5 The five-year-old girl wrote the letter (her / herself).

6 My grandmother lives by (her / herself) in a small house.

7 The kids are enjoying (them / themselves) on the beach.

8 My sister and I did all the housework by (us / ourselves).

9 Welcome to my house. Please make (you / yourselves) at home.

B 빈칸에 알맞은 재귀대명사를 쓰시오.

1 May I introduce _____ to you?

2 He hurt _____ on the stairs.

3 We want to learn how to keep _____ safe.

4 Van Gogh painted _____ a number of times.

5 I don't want to go there by _____. Let's go together.

6 Jennifer tried her best. She should be proud of _____.

7 She wants to decide for _____.

8 Please come in and make _____ at home.

9 Mr. Ray talked to _____ as he walked home.

C 대화의 빈칸에 들어갈 말을 보기 에서 골라 알맞은 형태로 고쳐 쓰시오.

보기	enjoy oneself	by oneself	help oneself	cut oneself

1 A: Can I have these cookies?

   B: Sure. Please _____.

2 A: If you need my help, let me know.

   B: Thanks, but I want to finish this work _____.

3 A: How was your trip to Florence?

   B: Oh, I really _____ very much.

4 A: What happened to your finger?

   B: I _____ when I was preparing breakfast.

틀리기 쉬운
내/신/포/인트

재귀대명사가 목적어 역
할을 할 때와 주어나 목적
어를 강조할 때의 쓰임을
구별해야 해요.

밑줄 친 부분의 쓰임이 보기 와 다른 것은?

보기	Tracy calls herself a supermodel.

① You should do it yourself.

② Let me introduce myself to you.

③ Matthew doesn't like to talk about himself.

④ She hurt herself when she fell off her bike.

부정대명사 one, another

정답 및 해설 p.24

부정대명사는 정해지지 않은 불특정한 것을 가리킬 때 사용하며, **one, another** 등이 있다.

one	하나, ~것 (복수형: ones)	I need a pencil. Do you have **one**? 나는 연필이 필요해. 너는 하나가 있니? He has three balls; a large **one** and two small **ones**. 그는 공을 세 개 가지고 있는데, 하나의 큰 공과 두 개의 작은 공이다.
another	또 다른 하나	I don't like this hat. Can you show me **another**? 저는 이 모자가 마음에 들지 않아요. 저에게 다른 것을 보여 줄래요?

> 부정대명사 one은 앞에서 언급한 것과 같은 종류의 불특정한 하나를 가리켜요.

↳ another가 형용사로 쓰이면 뒤에 단수 명사가 와요. (another hat)

주의 앞에서 언급된 명사와 동일한 것을 가리킬 때는 it, they, them 등을 쓴다.

I lost **my cap**. My sister found **it** in the kitchen.   <it = my cap> / 잃어버렸던 바로 그 모자
나는 내 모자를 잃어버렸다. 내 여동생이 부엌에서 그것을 찾았다.

I lost **my cap**. I need to buy a new **one**.   <one = a cap> / 같은 종류의 불특정한 모자
나는 내 모자를 잃어버렸다. 나는 새로운 모자를 살 필요가 있다.

개념확인 가리키는 대상 고르기

1 My bag is small. I want a bigger <u>one</u>.

☐ 나의 가방   ☐ 불특정한 가방

2 I missed the bus. <u>It</u> was the last bus.

☐ 놓친 버스   ☐ 또 다른 버스

기본연습 괄호 안에서 알맞은 것을 고르시오.

1 Robert wrote me a poem. I liked (it / one) very much.

2 Do you need a cup? There is (it / one) on the table.

3 Jisu is looking for her watch. She lost (it / one) yesterday.

4 This chair is too high for me. Can you show me (one / another)?

5 You don't have to close the windows now. I'll close (ones / them) later.

6 These socks are too colorful. Do you have any white (one / ones)?

7 Your hairpin is lovely. Where did you buy (it / one)?

8 My sunglasses are broken. I will buy new (one / ones).

9 A: Is there a bakery near here?

   B: Yes, there is (one / ones) over there.

틀 리 기 쉬 운
내/신/포/인/트

부정대명사 one은 불특정한 하나를 가리킨다는 것을 기억해요.

빈칸에 들어갈 말로 알맞은 것은?

> Sally lost her laptop. She needs to buy a new _____.

① it   ② one   ③ ones   ④ them

one, another, other(s), the other(s), some을 사용하여 여럿 중 일부를 가리킬 수 있다.

one ~, the other … (둘 중) 하나는 ~, 나머지 하나는 … ● ●	I can see two cats. **One** is gray, and **the other** is brown. 나는 고양이 두 마리가 보인다. 한 마리는 회색이고, 다른 한 마리는 갈색이다.
one ~, another …, the other — (셋 중) 하나는 ~, 또 다른 하나는 …, 나머지 하나는 — ● ● ●	I can see three cats. **One** is gray, **another** is brown, and **the other** is white. 나는 고양이 세 마리가 보인다. 한 마리는 회색, 다른 한 마리는 갈색, 그리고 나머지 한 마리는 흰색이다.
one ~, the others … (여럿 중) 하나는 ~, 나머지는 … ● ● ● ●	I can see four cats. **One** is gray, and **the others** are brown. 나는 고양이 네 마리가 보인다. 한 마리는 회색이고, 나머지는 갈색이다.
some ~, others … 몇몇은 ~, 다른 몇몇은 … ●●●● ■■■■ ▲▲	**Some** raise dogs, and **others** raise cats. 몇몇은 개를 키우고, 다른 몇몇은 고양이를 키운다.
some ~, the others … 몇몇은 ~, 나머지는 … ●●●● ■■■■■■	There are 10 students in my class. **Some** prefer dogs, and **the others** prefer cats. 우리 반에는 10명의 학생들이 있다. 몇몇은 개를 선호하고, 나머지는 고양이를 선호한다.

↳ others 앞에 the가 붙으면 '나머지 전부'를 가리켜요.

주의 '몇몇'을 가리킬 때는 some을 쓰고, 나머지 중 다시 '몇몇'을 가리킬 때는 others를, '나머지 전부'를 가리킬 때는 the others를 쓴다.

개념확인 **개념 완성하기**

1 셋 중 하나는 one, 또 다른 하나는 _____, 나머지 하나는 _____로 쓴다.

2 여럿 중 몇몇은 _____, 나머지 전부는 _____로 쓴다.

기본연습 **A** **괄호 안에서 알맞은 것을 고르시오.**

1 I have two sisters. One is shy, and (another / the other) is active.

2 Some like action movies, and (another / others) like comedy movies.

3 She has three hats. One is purple, (another / the other) is blue, and the other is red.

4 He can speak two languages. (One / Some) is English, and the other is French.

5 I can see lots of books on the shelf. (One / Some) are biographies, and the others are novels.

6 I sent text messages to five of my friends. One replied and (the other / the others) didn't.

7 He has three sons. One is a librarian, another is a soldier, and (the other / the others) is an artist.

B 빈칸에 들어갈 말을 **보기** 에서 골라 문장을 완성하시오.

보기   one   another   the other   the others

1 I saw two boys in the park. _____ was holding a book, and _____ was

holding a ball.

2 Nicole has four cousins. One is a dancer and _____ are cooks.

3 I have three foreign friends. One is British, _____ is German, and the other is Spanish.

C 그림을 보고, 문장을 완성하시오.

1    **2** 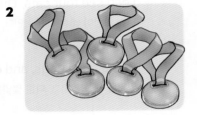   **3**

4    **5**

1 There are two chairs in the room. _____ is blue, and _____ is yellow.

2 Dylan won five medals. _____ was gold, and _____ were silver.

3 I have some fruits in the basket. _____ are bananas, and _____ are

apples.

4 They have three children. _____ is a girl, and _____ are boys.

5 Look at the three balls on the floor. _____ is a baseball, _____ is

a tennis ball, and _____ is a soccer ball.

**틀리기 쉬운
내/신/포/인/트**

one, another, the other(s), some을 사용하여 여럿 중 일부를 가리키는 방법을 기억해요.

우리말과 일치하도록 빈칸에 알맞은 말을 쓰시오.

나는 물고기가 많다. 몇 마리는 흰색이고, 나머지는 주황색이다.

→ I have a lot of fish. _____ are white, and

_____ are orange.

each와 every는 여러 대상을 각각 가리킬 때, all은 여러 대상을 모두 가리킬 때, both는 두 대상을 가리킬 때 쓴다.
each, all, both는 대명사와 형용사 둘 다로 쓰일 수 있고, every는 형용사로만 쓰인다.

each 각각(의)	단수 취급	**Each student** has a different dream. <small>each+단수 명사 단수 동사</small> **Each of the toys** has a different shape. <small>each of+복수 명사 단수 동사</small>	각 학생은 다른 꿈을 가지고 있다. 그 장난감들 **각각**은 다른 형태를 가지고 있다.
every 모든	단수 취급	**Every candy** tastes different. <small>every+단수 명사 단수 동사</small>	모든 사탕은 다른 맛이 난다.
all 모두, 모든 (것)	뒤에 오는 명사에 따라 단수/복수 취급	**All** (of) **the events** were very exciting. <small>복수 명사 복수 동사</small> **All** (of) **the money** was given to him. <small>셀 수 없는 명사 단수 동사</small>	모든 행사들이 정말 재미있었다. 모든 돈이 그에게 주어졌다.
both 둘 다(의)	복수 취급	**Both** (of) **my aunts** live in Seoul. <small>복수 명사 복수 동사</small> **Both of them** like dancing. <small>복수 동사</small> →복수 대명사 앞의 of는 생략하지 않아요.	나의 이모들 **둘 다** 서울에 산다. 그들 **둘 다** 춤추는 것을 좋아한다.

주의 every와 all은 둘 다 '모든'이라는 의미를 나타내지만, every는 「every+단수 명사」 형태로 쓰여 단수 취급하고, all은 뒤에 오는 명사에 따라 단수 또는 복수 취급한다.
Every book here **is** about animals. 여기 있는 **모든** 책은 동물에 관한 것이다.
All of his books **are** about animals. 그의 **모든** 책들은 동물에 관한 것이다.

개념확인 옳은 표현 고르기

1 각각의 문장
- ☐ each sentence
- ☐ every sentence

2 모든 책
- ☐ all the books
- ☐ each book

3 나의 삼촌들 둘 다
- ☐ each of my uncles
- ☐ both of my uncles

기본연습 **A** 괄호 안에서 알맞은 것을 고르시오.

1 All the guests (is / are) waiting outside.

2 Each question (is / are) worth 4 points.

3 Every (person / people) in the park is looking at the flowers.

4 Both of my younger sisters (like / likes) skating.

5 All of my friends (want / wants) to go on a picnic.

6 Every child over 8 (has / have) to go to school in my country.

7 Both chairs (is / are) too high for the little girl.

8 Every student (need / needs) to wear sneakers on sports day.

B 우리말과 일치하도록 빈칸에 알맞은 말을 넣어 문장을 완성하시오.

1 그 책의 모든 문장은 의미가 있다.

→ _____ sentence of the book is meaningful.

2 그 집들 각각은 다른 지붕을 가지고 있다.

→ _____ of the houses has a different roof.

3 나의 삼촌들 둘 다 훌륭한 비행사이다.

→ _____ of my uncles are excellent pilots.

4 그 정원의 모든 꽃들이 해바라기이다.

→ _____ the flowers in the garden are sunflowers.

5 모든 그 기계들이 한국에서 만들어졌다.

→ _____ of the machines were made in Korea.

6 오케스트라의 모든 단원이 그 연주를 즐겼다.

→ _____ member of the orchestra enjoyed the performance.

7 두 제품 다 그만의 이점들을 가지고 있다.

→ _____ products have their own advantages.

8 식탁에 있는 모든 음식이 맛있어 보인다.

→ _____ the food on the table looks delicious.

C 빈칸에 알맞은 be동사를 넣어 문장을 완성하시오. (현재시제로 쓸 것)

1 Each room _____ filled with colorful balloons.

2 All the milk _____ for the puppies.

3 All of the students _____ enjoying lunchtime.

4 Every dog _____ its owner's best friend.

5 Both of my brothers _____ good at taking pictures.

틀리기 쉬운 내/신/포/인/트

each, every, all, both 뒤에 오는 명사의 수와 동사의 수를 바르게 써야 해요.

다음 중 어법상 틀린 문장은?

① Each team has five players.
② All the money are not mine.
③ Both books were written by a teenager.
④ Every child has to wear a blue hat in the event.

POINT 7 의문대명사

의문대명사는 문장의 주어, 목적어, 보어에 해당하는 구체적인 정보를 물을 때 쓴다.

who 누구, 누가	**Who** is that man over there? **Who** decorated this table?	저기에 있는 저 남자는 **누구**니? **누가** 이 탁자를 장식했니?
whom 누구를	**Who(m)** will you invite to the party? *With* **whom** did you agree? ↪ 전치사 뒤에는 whom을 써요.	너는 **누구를** 파티에 초대할 거니? 너는 **누구에게** 동의했니?
whose 누구의, 누구의 것	**Whose** scarf is this? **Whose** is that smartphone on the desk?	이것은 **누구의** 스카프니? 책상 위의 저 스마트폰은 **누구의 것**이니?
what 무엇	**What** is special about this new bike? **What** did Kevin say to you?	이 새 자전거의 **무엇**이 특별하니? Kevin이 네게 **무엇**을 말했니?
which 어느 것	**Which** is your jacket? **Which** do you prefer, spring or fall?	**어느 것**이 네 재킷이니? 너는 봄과 가을 중 **어느 것**을 더 좋아하니?

> **Tips** what과 which는 명사를 수식하는 의문형용사로도 쓰인다.
> **What** sport do you like? 너는 **무슨** 스포츠를 좋아하니?
> **Which** color do you prefer, blue or green? 너는 파랑과 초록 중 **어떤** 색깔을 더 좋아하니?

개념확인 옳은 해석 고르기

1 Who won the race?
☐ 누가 ☐ 무엇

2 Which is his umbrella?
☐ 무엇 ☐ 어느 것

3 What did you buy?
☐ 누가 ☐ 무엇

기본연습 A 괄호 안에서 알맞은 것을 고르시오.

1 (Who / Whose) designed that house over there?

2 Of (who / whom) is Ms. Baker taking care?

3 (Who / What) do you do in your spare time?

4 (Whom / Which) is cheaper, the red bag or the white one?

5 (Whose / Whom) is this pencil case? I found it under the desk.

B 우리말과 일치하도록 괄호 안의 말을 바르게 배열하여 문장을 쓰시오.

1 너는 어제 저녁으로 무엇을 먹었니? (did, for dinner, you, what, yesterday, eat)

→ _____

2 네가 가장 좋아하는 작가는 누구니? (is, writer, your, who, favorite)

→ _____

3 너는 방과 후에 누구를 만날 거니? (will, meet, after school, you, whom)

→ _____

STEP 1 Map으로 개념 정리하기

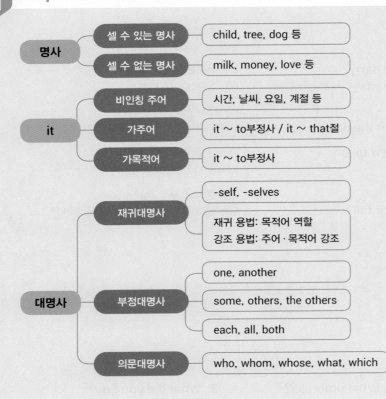

명사
- 셀 수 있는 명사 → child, tree, dog 등
- 셀 수 없는 명사 → milk, money, love 등

it
- 비인칭 주어 → 시간, 날씨, 요일, 계절 등
- 가주어 → it ~ to부정사 / it ~ that절
- 가목적어 → it ~ to부정사

대명사
- 재귀대명사
  - -self, -selves
  - 재귀 용법: 목적어 역할
    강조 용법: 주어·목적어 강조
- 부정대명사
  - one, another
  - some, others, the others
  - each, all, both
- 의문대명사 → who, whom, whose, what, which

Quick Check

❶ I bought (a book / book) about (a happiness / happiness).

❷ He drank two (cup / cups) of tea.

❸ (It / That) was windy.

❹ (It / That) is easy to swim here.

❺ I'm very proud of (me / myself).

❻ I have three balls. _____ is red, _____ is yellow, and _____ is green.

❼ All the tickets (is / are) sold out.

❽ (Who / Which) do you prefer, summer or winter?

STEP 2 기본 다지기

빈칸완성

A 우리말과 일치하도록 빈칸에 알맞은 말을 넣어 문장을 완성하시오.

1 Andrew는 넘어졌을 때 다쳤다.

→ Andrew hurt _____ when he fell over.

2 너는 Helen에게 생일 선물로 무엇을 줄 거니?

→ _____ are you going to give Helen for her birthday?

3 누구에 의해 그 새로운 기계가 발명되었니?

→ By _____ was the new machine invented?

4 몇몇 아이들은 매운 음식을 좋아했지만, 나머지 모두는 좋아하지 않았다.

→ _____ children liked spicy food, but _____ _____ didn't.

5 탁자 위에 세 병의 우유와 한 장의 치즈가 있다.

→ There are _____ _____ _____ milk and _____ _____ _____ cheese on the table.

6 앉아서 편안히 쉬세요.

→ Please have a seat and _____ _____ at home.

7 Sara와 Anna는 쌍둥이다. 한 명은 과학자이고, 다른 한 명은 간호사이다.

→ Sara and Anna are twins. _____ is a scientist, and _____ _____ is a nurse.

8 나는 요리 세 개를 주문했다. 하나는 파스타, 또 다른 하나는 수프, 그리고 나머지 하나는 샐러드였다.

→ I ordered three dishes. _____ was pasta, _____ was soup, and _____ _____ was salad.

오류수정

B 밑줄 친 부분을 바르게 고쳐 쓰시오.

1 All of the money <u>were</u> stolen by the thief. → _____

2 Add two spoonfuls of <u>a salt</u> to the soup. → _____

3 Children enjoyed <u>themself</u> by singing and dancing. → _____

4 <u>That</u> will take two hours from this building. → _____

5 Bella sold her old sunglasses and bought new <u>one</u>. → _____

6 The actor <u>him</u> wrote the script of the movie. → _____

7 Each of the athletes <u>have</u> to run 10 km a day. → _____

8 Jennifer found <u>that</u> interesting to play bingo. → _____

문장전환

C 우리말과 일치하도록 괄호 안의 말을 이용하여 문장을 완성하시오.

1 나는 이 벽을 혼자 칠했다. (oneself)

→ I painted this wall _____.

2 많은 채소를 먹는 것은 중요하다. (eat, a lot of vegetables)

→ It is important _____.

3 David가 그 피자를 만들었다는 것이 놀랍다. (make, the pizza)

→ It is surprising _____.

4 Julie는 그 산을 혼자 오르는 것이 불가능하다고 생각한다. (it, impossible, climb)

→ Julie considers _____ the mountain alone.

명사와 대명사 **155**

STEP 3 서술형 따라잡기

그림이해

A 그림을 보고, 보기 의 단어를 두 개씩 이용하여 문장을 완성하시오.

| 보기 | cake | bread | water | loaf | piece | glass |

1 Mina is drinking _____.

2 There are _____ in the basket.

3 There are _____ on the plate.

영작완성

B 우리말과 일치하도록 괄호 안의 말을 바르게 배열하여 문장을 쓰시오.

1 수영장 근처를 달리는 것은 매우 위험하다. (it, very, run, is, to, a swimming pool, near, dangerous)

→ _____

2 그녀의 부모님이 직접 이 집을 지으셨다. (her parents, themselves, this house, built)

→ _____

3 나는 빈 병을 재활용하는 것이 중요하다는 것을 알았다.

(it, I, important, empty bottles, to, found, recycle)

→ _____

4 몇몇 학생들은 농구를 했고, 나머지 모두는 벤치에 앉아 있었다.

(the others, some students, sat, basketball, and, played, on the bench)

→ _____

문장영작

C 우리말과 일치하도록 괄호 안의 말과 부정대명사를 사용하여 영작하시오.

1 각 문장은 이해하기 어렵다. (sentence, difficult, understand)

→ _____

2 나는 남동생이 두 명 있다. 한 명은 학생이고, 나머지 한 명은 가수이다. (a student, a singer)

→ I have two brothers. _____

3 Joy는 세 가지의 취미가 있다. 하나는 수영, 또 다른 하나는 독서, 그리고 나머지 하나는 하이킹이다.

(swimming, reading, hiking)

→ Joy has three hobbies. _____

[1-3] 빈칸에 들어갈 말로 알맞은 것을 고르시오.

1

I put a _____ of cheese in my sandwich.

① cup   ② loaf   ③ slice
④ bowl   ⑤ bottle

2

Let me introduce _____ to you. I'm Jiho from Korea.

① me   ② her   ③ myself
④ herself   ⑤ yourself

3

_____ of his two books are easy to read.

① One   ② Each   ③ Another
④ Both   ⑤ Other

4 빈칸에 들어갈 말로 알맞지 않은 것을 모두 고르면?

I need a piece of _____.

① advice   ② milk   ③ paper
④ sugar   ⑤ cake

5 밑줄 친 It의 성격이 나머지 넷과 다른 하나는?

① It is not easy to get up at 5 a.m.
② It is not true that Mike is the club president.
③ It is fun to play in the amusement park.
④ It is important that we keep our word.
⑤ It was very dark and quiet that evening.

6 다음 대답에 대한 질문으로 알맞은 것은?

I'll go with Dylan.

① Who will come with me?
② Who is Dylan?
③ With whom will you go?
④ What will you buy at the store?
⑤ Which will you choose, a cat or a dog?

[7-9] 빈칸에 들어갈 말이 순서대로 짝 지어진 것을 고르시오.

7

I have two dreams. _____ is to become a designer, and _____ is to travel to space.

① One – other   ② One – the other
③ Another – other   ④ Other – the other
⑤ Another – the other

8

- I've lost my smartphone. I need to buy a new _____.
- Rosa bought a chair. _____ is made of wood.

① one – Other   ② one – It
③ it – Another   ④ it – One
⑤ another – It

9

- I don't like this jacket. Can you show me _____?
- She has three brothers. One lives in Boston, and _____ live in Seattle.

① other – others
② others – one
③ some – another
④ another – the other
⑤ another – the others

10 밑줄 친 부분의 쓰임이 [보기]와 다른 하나는?

> [보기] He can express himself in English.

① Did you hurt yourself?
② I myself cleaned the yard.
③ I enjoyed myself at the festival.
④ They hid themselves behind the wall.
⑤ She looked at herself in the mirror.

11 다음 대화의 밑줄 친 ①~⑤ 중 어색한 것은?

> A: ①What did you buy?
> B: I bought ②a skirt and ③two T-shirts.
> A: I'm thinking about buying ④a pair of shoes.
> B: What about those red shoes?
> A: Well, I prefer the blue ⑤one.

12 빈칸에 들어갈 말이 나머지 넷과 다른 하나는?

① _____ will your report be about?
② _____ kind of movies do you like?
③ _____ is special about this picture?
④ _____ do you prefer, cats or dogs?
⑤ _____ do you do in your free time?

13 우리말을 영어로 바르게 옮긴 것은?

> 그는 그 사건을 설명하는 것이 어렵다는 것을 알았다.

① He found difficult to explain the accident.
② It found him difficult to explain the accident.
③ He found that difficult to explain the accident.
④ He found it difficult to explain the accident.
⑤ He found difficult it to explain the accident.

14 다음 중 밑줄 친 부분이 틀린 문장의 개수는?

> ⓐ You can't buy a health with money.
> ⓑ Every building in the city is beautiful.
> ⓒ I bought a nice present for myself.
> ⓓ Each classmate have a different task.

① 0개   ② 1개   ③ 2개
④ 3개   ⑤ 4개

15 다음 대화 중 자연스럽지 <u>않은</u> 것은?

① A: Did you have a good time at the party?
   B: Yes. I really enjoyed myself.

② A: Which do you want to watch, the horror movie or the action movie?
   B: I usually watch movies in my free time.

③ A: Who made this bracelet?
   B: I made it myself.

④ A: Here are two questions. One is easy, and the other is difficult.
   B: I'll go for the easy one first.

⑤ A: What did you buy at the mall?
   B: I bought a pair of gloves.

16 우리말과 일치하도록 괄호 안의 말을 배열할 때, 네 번째로 오는 단어는?

> Jim이 그의 숙제를 깜빡한 것은 이상하다.
> (Jim, his, it, strange, forgot, that, homework, is)

① it   ② is   ③ forgot
④ that   ⑤ strange

17 다음 중 어법상 <u>어색한</u> 문장은?

① Helen drank two glasses of water.
② Help yourself to the cheese pizza.
③ One of his favorite subjects is science.
④ Robin chased the robber by himself.
⑤ That is exciting to think about new ideas.

18 밑줄 친 부분의 우리말 해석이 <u>어색한</u> 것은?

① The man talks to himself all the time.
   (귓속말을 한다)

② Did you solve the quiz for yourself?
   (혼자 힘으로)

③ Sam cut himself with a broken bottle.
   (베었다)

④ I really enjoyed myself when I was in Rome.
   (즐겁게 시간을 보냈다)

⑤ My grandfather lives by himself in the house on the corner.   (홀로)

19 밑줄 친 부분의 쓰임이 <u>어색한</u> 것은?

① This hat is too expensive. Where can I find a cheaper <u>one</u>?

② These pants are too tight on me. Please show me larger <u>ones</u>.

③ Can you fix my computer? I need to fix <u>one</u>.

④ My bike is broken. I want to buy a new <u>one</u>.

⑤ My brother has a white bag and I have a black <u>one</u>.

20 어법상 올바른 문장의 개수는?

> ⓐ Lynn considers that hard to exercise every day.
> ⓑ All the houses were destroyed because of the typhoon.
> ⓒ It is interesting that some animals use tools.
> ⓓ I have two sisters. Both of them are interested in fashion.

① 0개   ② 1개   ③ 2개
④ 3개   ⑤ 4개

21 다음 단체 사진을 보고, 글을 완성하시오.

This is a picture of Amy's classmates. _____ of them look happy. _____ student is wearing glasses, but _____ are not wearing them. Two students have closed their eyes. _____ of them have curly brown hair.

22 어법상 <u>틀린</u> 부분을 바르게 고쳐 문장을 다시 쓰시오.

(1) Who do you prefer, a cheese pizza or a pepperoni pizza?

→ _____

_____

(2) By who was the jet plane invented?

→ _____

23 학생들이 좋아하는 취미를 나타낸 그래프를 보고, 조건 에 맞게 문장을 완성하시오.

ride a bike   play sports

watch movies

조건 some, others, the others 중 필요한 단어를 골라 사용할 것

_____ students like to play sports, and _____ like to watch movies.

24 우리말과 일치하도록 괄호 안의 말을 바르게 배열하여 문장을 쓰시오.

(1) 그 소녀들 각자는 수영을 잘한다.

(the girls, good, each, is, swimming, of, at)

→ _____

(2) 남극에서 사는 것은 쉽지 않다.

(live, is, easy, it, to, in the South Pole, not)

→ _____

(3) Kate는 그 연극을 보는 것이 재미있다고 생각했다.

(it, Kate, to, fun, the play, watch, considered)

→ _____

고난도
25 우리말과 일치하도록 괄호 안의 말을 이용하여 문장을 영작하시오.

(1) 그는 스스로를 자랑스러워했다.

(be proud of)

→ _____

(2) 이 요리를 네 마음껏 먹어.

(help, this dish)

→ _____

(3) 모든 학생은 별명을 가지고 있다.

(every, have, a nickname)

→ _____

_____

(4) 그가 너를 기다리고 있는 것은 사실이다.

(it, true, that, wait for)

→ _____

_____

C H A P T E R

9

형용사, 부사, 비교 구문

POINT 1	형용사의 쓰임
POINT 2	수량형용사
POINT 3	부사의 쓰임
POINT 4	주의해야 할 부사
POINT 5	원급 비교
POINT 6	비교급 비교
POINT 7	최상급 비교
POINT 8	배수 비교
POINT 9	다양한 비교 표현
POINT 10	원급과 비교급을 이용한 최상급 표현

This plane is the fastest of the three.

The slower I go, the more I can see.

비교 구문은 형용사와 부사를 이용하여 두 개 이상의 대상을 비교할 때 사용한다.

POINT 1 형용사의 쓰임

한정적 용법: 형용사는 명사나 대명사를 수식하는 역할을 한다.

명사 수식	We saw a **famous** singer in the shopping mall.	우리는 쇼핑몰에서 **유명한** 가수를 보았다.
대명사 수식	I want to eat something **spicy**.	나는 **매운** 무언가를 먹고 싶다.

주의 -thing, -body, -one으로 끝나는 대명사는 형용사가 뒤에서 수식한다.
There is **nothing** *wrong* with this sentence. 이 문장에는 아무것도 틀린 것이 없다.

서술적 용법: 형용사는 주어나 목적어를 보충 설명하는 보어로 쓰인다.

주격보어	The movie was very **impressive**. \<The movie = impressive\>	그 영화는 매우 **인상적**이었다.
목적격보어	Mr. Ray keeps his office **clean**. \<his office = clean\>	Ray 씨는 그의 사무실을 **깨끗하게** 유지한다.

Tips 형용사 awake(깨어 있는), asleep(잠든), alone(혼자), afraid(두려워하는), alike(비슷한), alive(살아 있는), glad(반가운), pleased(기쁜) 등은 서술적 용법으로만 쓴다.

개념확인 형용사 찾기

1 I have a small dog.　　**2** Jane is honest.　　**3** I want something cold.

기본연습 **A** 밑줄 친 형용사의 용법과 같은 것을 **보기**에서 골라 그 기호를 쓰시오.

> **보기** ⓐ James watched a sad movie last night.
> ⓑ The department store is very crowded now.

1 Kate made her father <u>happy</u> on his birthday.　　[　　　　]

2 The information on the website was very <u>helpful</u>.　　[　　　　]

3 The Eiffel Tower is a <u>popular</u> tourist place.　　[　　　　]

4 His voice sounded <u>strange</u> on the phone.　　[　　　　]

B 괄호 안에서 알맞은 것을 고르시오.

1 My brother and I look (alike / like).

2 Do you have (special anything / anything special) to do?

3 The dance company is looking for (someone creative / creative someone).

4 He found (nothing interesting / interesting nothing) in the newspaper.

POINT 2 수량형용사

수량형용사는 명사의 수와 양을 나타내는 형용사로, 함께 쓰이는 명사가 셀 수 있는 명사인지, 셀 수 없는 명사인지에 따라 구분해서 사용한다.

	+셀 수 있는 명사	+셀 수 없는 명사		
많은	many, a number of	much	He has **many** friends. I didn't get **much** sleep last night.	그는 **많은** 친구들이 있다. 나는 지난밤 잠을 **많이** 못 잤다.
	a lot of, lots of, plenty of		I have **lots of** homework today.	나는 오늘 숙제가 **많다**.
약간의, 조금 있는	a few	a little	I borrowed **a few** books. I just need **a little** time.	나는 **몇** 권의 책을 빌렸다. 나는 시간이 **조금** 필요하다.
거의 없는	few	little	We have **few** secrets between us. He has **little** time to exercise.	우리 사이에는 비밀이 **거의 없다**. 그는 운동할 시간이 **거의 없다**.
약간의, 조금의	some, any		He drank **some** milk this morning. We don't have **any** money.	그는 오늘 아침에 우유를 **조금** 마셨다. 우리는 돈이 **조금도** 없다.

Tips some은 주로 긍정문과 권유문에 쓰이고, any는 주로 부정문과 의문문에 쓰인다.

 개념확인 수량형용사 찾기

1 He gave me some advice.

2 I didn't put much salt in my soup.

 기본연습 괄호 안에서 알맞은 것을 고르시오.

1 There is (few / little) ice in the refrigerator.

2 There were (few / little) people in the park last night.

3 There aren't (some / any) empty seats in the train.

4 They need (a little / a few) rest at the end of a long day.

5 How (much / many) students are there in each class?

6 We have (a few / a little) problems with this new computer.

7 Mr. Smith has (many / plenty of) information about art museums.

틀 리 기 쉬 운
내/신/포/인/트

셀 수 있는 명사인지 셀 수 없는 명사인지에 따라 함께 쓰이는 수량형용사가 달라져요.

밑줄 친 부분이 어법상 틀린 것은?

① **Many** children are interested in sports.

② **Few** people came to see me in hospital.

③ She has **a number of** time to take a rest.

④ You should drink **plenty of** water in hot weather.

부사는 주로 형용사에 -ly를 붙여 만들며, 동사, 형용사, 다른 부사 또는 문장 전체를 수식한다.

동사 수식	Ann **suddenly** called me last night.	Ann은 어젯밤 나에게 **갑자기** 전화했다.
형용사 수식	The weather is **extremely** hot today.	오늘 날씨가 **매우** 덥다.
부사 수식	Ron plays the piano **fantastically** well.	Ron은 피아노를 **환상적으로** 잘 친다.
문장 전체 수식	**Unfortunately**, I couldn't attend the meeting.	**불행히도**, 나는 그 회의에 참석할 수 없었다.

개념확인 부사 찾기

1 It was a truly happy moment.

2 He has traveled widely in Europe.

기본연습 **A** 밑줄 친 부사가 수식하는 말에 밑줄을 그으시오.

1 David explained everything very clearly.

2 Luckily, we found the treasure on the island.

3 Hojin politely asked me to help him.

4 Patrick sang loudly in the shower.

5 They come from totally different cultures.

6 The restaurant in front of the library is surprisingly cheap.

B 괄호 안의 말을 알맞은 형태로 바꿔 빈칸에 쓰시오.

1 John _____ supports his daughter's plans. (full)

2 I am _____ sorry for the inconvenience. (terrible)

3 We are _____ impressed with your work. (true)

4 The child answered very _____. (rude)

5 Smoking can _____ damage your health. (serious)

6 I think human beings are _____ good. (basic)

7 They can _____ finish the project tonight. (easy)

8 She looked at him _____ when he lied to her. (angry)

형용사와 형태가 같은 부사를 주의한다.

early	형 이른	부 일찍		fast	형 빠른	부 빨리	
hard	형 어려운, 열심인	부 열심히		high	형 높은	부 높이	
late	형 늦은	부 늦게		long	형 (길이·거리가) 긴	부 오래, 오랫동안	
far	형 먼	부 멀리		close	형 가까운	부 가까이	
pretty	형 예쁜	부 꽤		enough	형 충분한	부 충분히	

The **pretty** little girl is my sister. <형용사> 그 **예쁜** 작은 소녀는 내 여동생이다.

The game was **pretty** good. <부사> 그 경기는 **꽤** 괜찮았다.

주의 enough가 형용사나 부사로 쓰일 때 위치에 주의한다.

I had **enough** money. <형용사> 나는 **충분한** 돈을 가지고 있었다. ➡ 명사 앞에서 명사 수식

She is rich **enough** to buy the car. <부사> 그녀는 그 차를 살 정도로 **충분히** 부유하다. ➡ 형용사 뒤에서 형용사 수식

-ly가 붙으면 의미가 달라지는 부사에 주의한다.

hard 열심히 – hardly 거의 ~ 않다	late 늦게 – lately 최근에	high 높이 – highly 매우	near 가까이 – nearly 거의

He lives somewhere **near** here. 그는 여기 **가까이** 어딘가에 산다.

It took **nearly** two hours to get there. 그곳에 가는 데 **거의** 두 시간이 걸렸다.

개념확인 **알맞은 의미 고르기**

1 Have you driven <u>far</u>? ☐ 먼 ☐ 멀리   **2** This hat is big <u>enough</u> for me. ☐ 충분한 ☐ 충분히

기본연습 **우리말과 일치하도록 빈칸에 알맞은 말을 보기 에서 골라 쓰시오.**

보기	pretty	late	close	nearly	hard	hardly	enough

1 동아리 모임은 늦게 시작했다. → The club meeting started _____.

2 그들은 하루에 두 번 열심히 훈련했다. → They trained _____ twice a day.

3 그 문제를 해결하는 것이 꽤 어렵다. → It's _____ difficult to solve the problem.

4 파티에 거의 200명의 사람들이 있었다. → There were _____ 200 people at the party.

5 우리 집은 지하철역에 가깝다. → Our house is _____ to the subway station.

6 이 상자는 그 케이크를 넣기에 충분히 크다. → This box is large _____ for the cake.

7 나는 그것을 거의 믿을 수가 없었다. → I could _____ believe it.

POINT 5 원급 비교

두 대상의 정도가 같음을 표현할 때 「as+원급+as」의 형태로 쓰며, '~만큼 …한/하게'라는 의미이다.

	as+원급+as 원급: 형용사/부사의 원래 형태	
Playing tennis is	as **exciting** as	playing soccer.
Tina speaks French	as **fluently** as	Mr. Brown.

테니스를 치는 것은 축구를 하는 것**만큼** 신난다.

Tina는 Brown 씨**만큼** 프랑스어를 유창하게 말한다.

부정문은 「not as(so)+원급+as」 형태로 쓰며, '~만큼 …하지 않은/않게'라는 의미이다.

	not as(so)+원급+as	
Mike is	not as(so) **humorous** as	Jinho.
My computer is	not as(so) **fast** as	yours.

Mike는 진호**만큼** 유머러스하지 **않**다.

내 컴퓨터는 네 것**만큼** 빠르지 **않**다.

개념확인 옳은 표현 고르기

1 그는 Jack만큼 부지런하다.

☐ He is diligent as Jack as.

☐ He is as diligent as Jack.

2 이 가방은 내 것만큼 크지 않다.

☐ This bag is not as big as mine.

☐ This bag is as not big as mine.

기본연습 A 우리말과 일치하도록 **보기**의 말을 사용하여 문장을 완성하시오.

보기	difficult	bright	regularly	useful	hard	long

1 스마트폰은 컴퓨터만큼 유용하다.

→ Smartphones are _____ computers.

2 이 방은 그 거실만큼 밝지 않다.

→ This room is _____ the living room.

3 나는 너만큼 오래 그녀를 알아왔다.

→ I have known her _____ you.

4 Anna는 Jenny만큼 열심히 연습한다.

→ Anna practices _____ Jenny.

5 나는 나의 형만큼 규칙적으로 운동하지 않는다.

→ I don't exercise _____ my brother.

6 영어로 말하는 것은 영어로 쓰는 것만큼 어렵지 않다.

→ Speaking in English is _____ writing in English.

B 보기와 같이 괄호 안의 단어를 사용하여 원급 비교 문장으로 바꿔 쓰시오.

> 보기   Lydia is 40 years old. Danny is 40 years old, too.
> → Danny is <u>as old as Lydia.</u> (old)

1 Brian is 175 cm tall. Teddy is 175 cm tall, too.

→ Teddy is _____ Brian. (tall)

2 This shirt is colorful. That shirt is very simple.

→ That shirt is _____ this shirt. (colorful)

3 The yellow box weighs 20 kg. The white box also weighs 20 kg.

→ The yellow box is _____ the white box. (heavy)

4 I go to bed at 9 p.m. Julie also goes to bed at 9 p.m.

→ Julie goes to bed _____ I do. (early)

5 Eric usually eats dinner for one hour. Minsu also eats dinner for one hour.

→ Eric eats dinner _____ Minsu. (slowly)

6 The chicken salad is $12. The tuna sandwich is $8.

→ The chicken salad is _____ the tuna sandwich. (cheap)

7 It takes 20 minutes to go to the park. It takes 5 minutes to go to the theater.

→ The park is _____ the theater. (close)

8 Carl can run 50 meters in 9 seconds. Ron can also run 50 meters in 9 seconds.

→ Ron can run 50 meters _____ Carl. (fast)

9 The temperature is 27℃ today. The temperature was 30℃ yesterday. (hot)

→ Today is _____ yesterday. (hot)

**틀리기 쉬운
내/신/포/인/트**

원급 비교는 「as + 원급 + as」의
형태로 써요.

다음 중 어법상 어색한 것은?

① Somi dances as well as Suji.
② This jacket is as light as a feather.
③ Junho is as kind as his brother.
④ The turtle is not as slower as the snail.

「비교급+than」은 차이가 있는 두 개의 대상을 비교할 때 쓰며, '~보다 더 …한/하게'라는 의미이다.

	비교급 + than		
My flight left	**earlier than**	Mira's.	내 비행기가 미라의 비행기**보다 더 일찍** 떠났다.
Taking a taxi is	**more expensive than**	taking a subway.	택시를 타는 것은 지하철을 타는 것**보다 더 비싸다.**

Tips 비교급은 대부분의 경우, 형용사나 부사에 -(e)r를 붙여 만든다. 단, 3음절 이상이거나 -ful, -ous, -ing, -ive 등으로 끝나는 2음절 단어, -ly로 끝나는 부사는 형용사나 부사 앞에 more을 붙인다.

「less+원급+than」은 '~보다 덜 …한/하게'라는 의미로, 두 대상 중 한쪽의 정도가 덜함을 나타낸다.

	less + 원급 + than		
Today is	**less cold than**	yesterday.	오늘은 어제**보다 덜 춥다.**
This question is	**less difficult than**	that one.	이 문제는 저 문제**보다 덜 어렵다.**

Tips 비교급 앞에 much, even, still, far, a lot 등을 사용하여 '훨씬'이라는 의미로 비교급을 강조한다.
My room is **much cleaner than** my brother's. 내 방은 내 남동생의 방보다 **훨씬** 더 깨끗하다.

Tips 「less+원급+than」은 「not as(so)+원급+as」로 바꿔 쓸 수 있다.
This box is **less heavy than** that one. 이 상자는 저 상자**보다 덜 무겁다.**
= This box is **not as(so) heavy as** that one. 이 상자는 저 상자**만큼 무겁지 않다.**

> 궁금해요!
> 부사 very도 비교급을 강조할 수 있나요?
>
> 아니요! 부사 very는 원급을 수식하고, 비교급과 함께 쓰지 않아요.

개념확인 옳은 표현 고르기

1 ~보다 덜 중요한 　　☐ less important than 　　☐ more important than

2 ~보다 훨씬 더 흥미진진한 　　☐ far more exciting than 　　☐ very more exciting than

기본연습 A 괄호 안에서 알맞은 것을 고르시오.

1 Harry looked (more / much) surprised than me.

2 This movie is (more funny / funnier) than that one.

3 I think Tom's idea is (very / much) more creative than Jim's.

4 My smartphone is less (new / newer) than Bora's smartphone.

5 Homin is (much more / more much) cheerful than his brother.

6 Money is (little / less) valuable than health.

7 The new doctor is (helpfuler / more helpful) than the old one.

8 This watch is (very / a lot) more expensive than that one.

9 The egg sandwich is (less / least) delicious than the cheese sandwich.

B 우리말과 일치하도록 괄호 안의 말을 이용하여 비교급 문장을 완성하시오.

1 소리는 빛보다 더 느리게 이동한다. (slowly)

→ Sound travels _____ light.

2 Harper 선생님은 우리 아버지보다 덜 엄격하시다. (strict)

→ Mr. Harper is _____ my father.

3 왕복표가 편도 표보다 훨씬 더 싸다. (far, cheap)

→ The round ticket is _____ the one-way ticket.

4 올해 치마가 원피스보다 덜 인기 있다. (popular)

→ Skirts are _____ dresses this year.

5 네 소파는 내 것보다 훨씬 더 편하다. (much, comfortable)

→ Your sofa is _____ mine.

C 보기 의 단어를 이용하여 주어진 두 문장을 한 문장으로 바꿔 쓰시오.

보기	old	diligent	long	heavy	often

1 Dan always arrives at school on time. Ben is always late for school.

→ Dan is _____ than Ben.

2 My tablet PC weighs 500 g. Kevin's tablet PC weighs 750 g.

→ My tablet PC is _____ than Kevin's tablet PC.

3 The Han River is about 494 kilometers long. The Nile is 6,650 kilometers long.

→ The Nile is much _____ than the Han River.

4 The museum was built in 1970. The city hall was built in 2020.

→ The museum is much _____ than the city hall.

5 Jina watches TV twice a week. I watch TV every day.

→ Jina watches TV _____ than I do.

**틀 리 기 쉬 운
내/신/포/인/트**

비교급을 강조할 때 사용하는
부사를 기억해요.

빈칸에 들어갈 말로 알맞은 것은?

Amy's computer is _____ faster than mine.

① more　　　② very　　　③ even　　　④ less

POINT 7 최상급 비교

「the+최상급」은 셋 이상의 대상을 비교하여 그 중 하나가 '가장 ···한/하게'라는 의미이다. 뒤에 in이나 of를 사용하여 비교 범위를 나타낼 수 있다.

	the + 최상급		
This is	**the tallest**	building **in** this city.	이것은 이 도시에서 **가장 높은** 건물이다.
Helen is	**the most popular**	**of** all the members.	Helen은 모든 구성원 중에 **가장 인기가** 있다.

Tips 최상급 앞에는 the를 쓰며, 대부분의 경우 형용사나 부사에 -est를 붙인다. 단, 3음절 이상이거나 -ful, -ous, -ing, -ive 등으로 끝나는 2음절 단어는 앞에 most를 써서 최상급을 만든다.

주의 in 뒤에는 '장소나 범위를 나타내는 명사(구)'가 오고, of 뒤에는 '비교의 대상이 되는 명사(구)'가 온다.

「one of+the+최상급+복수 명사」는 '가장 ~한 ··· 중의 하나'라는 의미이다.

Jeju-do is	**one of the most beautiful islands**	in Korea.	제주도는 한국에서 **가장 아름다운 섬 중 하나**이다.

주의 「one of+the+최상급+복수 명사」가 주어로 오는 경우, 단수 동사를 쓴다.
One of the most beautiful islands in Korea **is** Jeju-do. 한국에서 가장 아름다운 섬 중 하나는 제주도이다.

개념확인 옳은 표현 고르기

1 가장 추운 날
☐ the coldest day
☐ the most cold day

2 가장 재미있는 책 중 하나
☐ one of the funniest book
☐ one of the funniest books

기본연습 우리말과 일치하도록 괄호 안의 말을 이용하여 최상급 문장을 완성하시오.

1 John은 그 셋 중에 가장 키가 큰 소년이다. (tall)
→ John is _____ boy of the three.

2 네 인생에서 가장 중요한 것은 무엇이니? (important)
→ What is _____ thing in your life?

3 바티칸 시국은 세계에서 가장 작은 국가이다. (small)
→ Vatican City is _____ country in the world.

4 지구온난화는 세계에서 가장 심각한 문제 중 하나이다. (serious)
→ Global warming is _____ problems in the world.

5 이 산은 한국에서 가장 높은 산이다. (high)
→ This mountain is _____ mountain in Korea.

POINT 8 배수 비교

배수사(twice, three times ...)를 사용하여 「배수사＋as＋원급＋as」, 「배수사＋비교급＋than」 형태로 쓰며, '～보다 …배 더 ～한/하게'라는 의미이다.

My room is	twice as big as	yours.	내 방은 네 방보다 두 배 더 크다.
This box is	three times as heavy as	that one.	이 상자는 저 상자보다 세 배 더 무겁다.
The museum is	four times older than	the library.	그 미술관은 도서관보다 네 배 더 오래되었다.
Her speech was	three times longer than	mine.	그녀의 연설은 나의 연설보다 세 배 더 길었다.

Tips 「배수사＋as＋원급＋as」는 「배수사＋비교급＋than」으로 바꿔 쓸 수 있다.

This box is **three times as heavy as** that box. 이 상자는 저 상자보다 세 배 더 무겁다.
= This box is **three times heavier than** that box.

개념확인 배수사 고르기

1 This hat is four times cheaper than that one.　**2** His bag is three times as big as mine.

기본연습 A 괄호 안에서 알맞은 것을 고르시오.

1 Mr. Baker is three times as (old / older) as his son.

2 The pine tree is twice (as tall as / as taller than) the lilac tree.

3 This building is three times (high / higher) than that one.

4 The rabbit ran twice (as fast as / as more fast) the tortoise.

5 The library is four times (as farther as / farther than) the subway station from my house.

B 다음 두 문장의 의미가 같도록 문장을 완성하시오.

1 My new laptop is three times as light as the old one.

= My new laptop is _____ lighter _____ the old one.

2 The hole has become four times deeper than last year.

= The hole has become _____ deep _____ last year.

**틀 리 기 쉬 운
내/신/포/인/트**

「배수사＋as＋원급＋as」는 「배수사＋
비교급＋than」으로 바꿔 쓸 수 있어요.

두 문장의 의미가 같도록 빈칸에 알맞은 말을 쓰시오.

Peter ran twice as fast as I did.

= Peter ran _____ _____ _____ I did.

POINT 9 다양한 비교 표현

원급, 비교급, 최상급을 이용하여 다양한 의미를 나타낼 수 있다.

as+원급+as+possible = as+원급+as+주어+can (가능한 한 ~한/하게)	You need to speak **as clearly as possible**. = You need to speak **as clearly as you can**. 너는 가능한 한 명확하게 말할 필요가 있다.
비교급+and+비교급 (점점 더 ~한/하게)	The little boy cried **louder and louder**. 그 어린 소년은 점점 더 크게 울었다.
the+비교급, the+비교급 (~하면 할수록 더 …한/하게)	**The more** you laugh, **the happier** you will feel. 네가 더 많이 웃으면 웃을수록 너는 더 행복하다고 느낄 것이다.
the+최상급+명사+(that) +주어+have (ever)+과거분사 (지금껏 ~한 것 중에서 가장 …한)	He is **the kindest person (that) I have ever met**. 그는 내가 지금껏 만난 사람 중에서 가장 친절한 사람이다.

주어는 주절의 주어를 그대로 쓰고,
조동사 can/could는 주절의 시제에
일치시켜요.

주의 「비교급+and+비교급」에서 비교급의 형태가 「more+원급」인 경우, 「more and more+원급」으로 쓴다.
The singer is getting **more and more popular**. 그 가수는 점점 더 유명해지고 있다.

개념확인 옳은 표현 고르기

1 점점 더 더운
☐ hotter and hotter
☐ more and more hot

2 가능한 한 조용히
☐ as quietly as you can
☐ as quietly as you possible

3 점점 더 긴장하는
☐ more nervous and nervous
☐ more and more nervous

기본연습 A 우리말과 일치하도록 괄호 안의 말을 이용하여 문장을 완성하시오.

1 그 상황을 가능한 한 정확하게 나에게 말해 줘. (exactly, possible)
→ Please tell me the situation _____.

2 우리는 나이가 들면 들수록 더 현명해진다. (old, wise)
→ _____ we grow, _____ we become.

3 그 기차가 역에서 점점 더 멀어져갔다. (far)
→ The train went _____ from the station.

4 그는 내가 지금껏 만난 사람 중에서 가장 유명한 사람이다. (famous, meet)
→ He is _____ person _____.

5 그 야구 경기는 점점 더 흥미진진해지고 있다. (exciting)
→ The baseball game is getting _____.

6 나는 가능한 한 빨리 그 문제를 풀려고 노력했다. (quickly, can)
→ I tried to solve the problem _____.

B 밑줄 친 부분이 틀린 경우 바르게 고쳐 쓰시오. (옳은 경우 ○표 할 것)

1 The more you practice, the skillful you will become. → _____

2 Jennifer spoke as politely as she can. → _____

3 This is the most sad movie I've ever watched. → _____

4 The wind is getting more and more strong. → _____

5 They get together as often as possible. → _____

6 Florida is the best beautiful city I have visited. → _____

7 Many and many people are using the Internet. → _____

C 주어진 우리말과 일치하도록 [보기]의 말을 이용하여 「the+비교급, the+비교급」 문장을 완성하시오.

보기	high	fresh	late	long
	good	cold	nervous	expensive

1
> 과일은 신선할수록 맛이 더 좋아.

→ _____ the fruit is, _____ it tastes.

2
> 나는 더 오래 기다릴수록 더 초조해졌어.

→ _____ I waited, _____ I became.

3
> 산에 높이 올라갈수록 더 추워져.

→ _____ you climb up the mountain, _____ it gets.

4
> 네가 비행기 표를 더 늦게 살수록 비행기 표는 더 비싸질 거야.

→ _____ you buy a flight ticket, _____ it will be.

틀리기 쉬운 내/신/포/인/트

「the+비교급, the+비교급」 구문의 형태와 어순을 기억해야 해요.

우리말과 일치하도록 괄호 안의 말을 이용하여 문장을 완성하시오.

바다가 깊으면 깊을수록 더 어두워진다. (deep, dark)
_____ _____ the sea is, _____ _____ it becomes.

POINT 10 원급과 비교급을 이용한 최상급 표현

원급과 비교급을 이용하여 최상급의 의미를 나타낼 수 있다.

the+최상급	가장 ~한
= 비교급+than any other+단수 명사	다른 어떤 ~보다 더 …한
= 부정주어 ~ as+원급+as	어떤 ~도 −만큼 …하지 않은
= 부정주어 ~ 비교급+than	어떤 ~도 −보다 더 …하지 않은

Mt. Everest is **the highest** mountain in the world. 에베레스트산은 세계에서 **가장 높은** 산이다.

= Mt. Everest is **higher than any other mountain** in the world. 에베레스트산은 세계에서 **다른 어떤 산보다 더 높다.**

= **No mountain** in the world is **as high as** Mt. Everest. 세계에서 **어떤 산도** 에베레스트산만큼 높지 않다.

= **No mountain** in the world is **higher than** Mt. Everest. 세계에서 **어떤 산도** 에베레스트산보다 더 높지 않다.

주의 부정주어가 있는 문장에서는 동사를 부정형으로 쓰지 않는다.
No mountain in the world is ~~not~~ higher than Mt. Everest.

개념확인 **의미가 같은 문장 모두 고르기**

No country in the world is bigger than Russia.
☐ Russia is the biggest country in the world.
☐ Russia is bigger than any other country in the world.
☐ No country in the world is as big as Russia.

기본연습 **A 괄호 안에서 알맞은 것을 고르시오.**

1 James is (the tallest / taller than) any other student in his class.

2 The chicken salad is (the cheapest / the cheaper) food in the restaurant.

3 No other month of the year is as (short as / shorter than) February.

4 Jeju-do is bigger than (any other island / other island) in Korea.

B 우리말과 일치하도록 괄호 안의 말을 이용하여 문장을 완성하시오.

1 Kate는 우리 학교에서 다른 어떤 학생보다 더 똑똑하다. (smart)
→ Kate is _____ any other student in my school.

2 그 팀에서 어떤 선수도 Sam만큼 빠르지 않다. (fast)
→ No player on the team is _____ Sam.

3 나의 부모님께 받은 선물은 다른 어떤 선물보다 더 소중하다. (precious)

→ The gift from my parents is _____ gift.

4 서울은 한국에서 가장 큰 도시이다. (big)

→ Seoul is _____ city in Korea.

5 어떤 대답도 너의 대답보다 더 창의적이지 않다. (creative)

→ No answer is _____ your answer.

C 다음 문장들의 의미가 같도록 문장을 완성하시오.

1 This book is the most popular book in the library.

= This book is more _____ in the library.

= No book in the library is _____ this book.

= No book in the library is _____ this book.

2 Jupiter is the biggest planet in the solar system.

= Jupiter is bigger _____ in the solar system.

= No planet in the solar system is _____ Jupiter.

= No planet in the solar system is _____ Jupiter.

3 Vatican City is the smallest country in the world.

= Vatican City is smaller _____ in the world.

= No country in the world is _____ Vatican City.

= No country in the world is _____ Vatican City.

4 Ms. Hanson is the oldest person in the world.

= Ms. Hanson is older _____ in the world.

= No person in the world is _____ Ms. Hanson.

= No person in the world is _____ Ms. Hanson.

다음 중 문장의 의미가 나머지 셋과 다른 것은?

① Jane is the tallest girl in my class.

② Jane is as tall as the other girls in my class.

③ Jane is taller than any other girl in my class.

④ No girl in my class is as tall as Jane.

개 념 완 성 TEST

정답 및 해설 p.28

STEP 1 Map으로 개념 정리하기

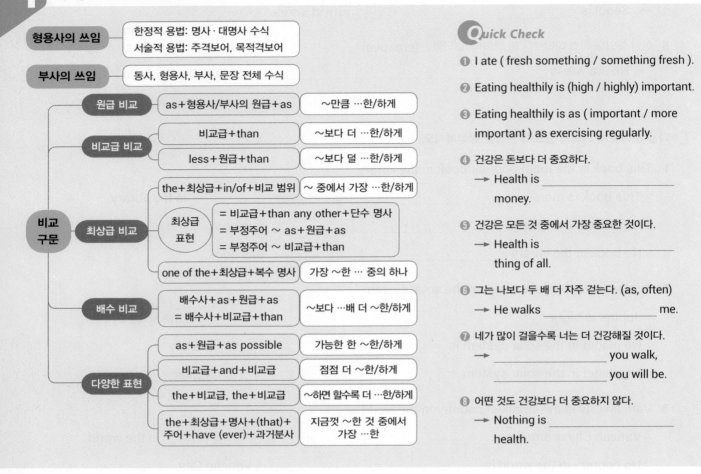

형용사의 쓰임	한정적 용법: 명사·대명사 수식
	서술적 용법: 주격보어, 목적격보어

부사의 쓰임	동사, 형용사, 부사, 문장 전체 수식

비교 구문

원급 비교	as+형용사/부사의 원급+as	~만큼 …한/하게

| 비교급 비교 | 비교급+than | ~보다 더 …한/하게 |
| | less+원급+than | ~보다 덜 …한/하게 |

최상급 비교	the+최상급+in/of+비교 범위	~ 중에서 가장 …한/하게
	최상급 표현	= 비교급+than any other+단수 명사
		= 부정주어 ~ as+원급+as
		= 부정주어 ~ 비교급+than
	one of the+최상급+복수 명사	가장 ~한 … 중의 하나

| 배수 비교 | 배수사+as+원급+as
= 배수사+비교급+than | ~보다 …배 더 ~한/하게 |

다양한 표현	as+원급+as possible	가능한 한 ~한/하게
	비교급+and+비교급	점점 더 ~한/하게
	the+비교급, the+비교급	~하면 할수록 더 …한/하게
	the+최상급+명사+(that)+ 주어+have (ever)+과거분사	지금껏 ~한 것 중에서 가장 …한

Quick Check

❶ I ate (fresh something / something fresh).

❷ Eating healthily is (high / highly) important.

❸ Eating healthily is as (important / more important) as exercising regularly.

❹ 건강은 돈보다 더 중요하다.
  → Health is ＿＿＿＿＿＿＿＿＿＿ money.

❺ 건강은 모든 것 중에서 가장 중요한 것이다.
  → Health is ＿＿＿＿＿＿＿＿＿＿ thing of all.

❻ 그는 나보다 두 배 더 자주 걷는다. (as, often)
  → He walks ＿＿＿＿＿＿＿＿＿＿ me.

❼ 네가 많이 걸을수록 너는 더 건강해질 것이다.
  → ＿＿＿＿＿＿＿＿＿＿ you walk,
  ＿＿＿＿＿＿＿＿＿＿ you will be.

❽ 어떤 것도 건강보다 더 중요하지 않다.
  → Nothing is ＿＿＿＿＿＿＿＿＿＿ health.

STEP 2 기본 다지기

빈칸완성

A 우리말과 일치하도록 빈칸에 알맞은 말을 넣어 문장을 완성하시오.

1 그들은 아기를 깨우지 않기 위해 문을 조용히 닫았다.
  → They closed the door ＿＿＿＿＿＿＿ in order not to wake up the baby.

2 이 요리는 저 요리보다 덜 맵다.
  → This dish is ＿＿＿＿＿ ＿＿＿＿＿ ＿＿＿＿＿ that one.

3 우리가 높이 올라가면 올라갈수록 공기는 더 차가워진다.
  → ＿＿＿＿＿ ＿＿＿＿＿ we climb, ＿＿＿＿＿ ＿＿＿＿＿ the air becomes.

4 나는 이 문장에서 잘못된 어떤 것도 찾을 수 없다.
  → I can't find ＿＿＿＿＿ ＿＿＿＿＿ with this sentence.

5 나는 그녀의 생일을 위해 벽을 장식할 약간의 풍선이 필요하다.

→ I need _____ _____ _____ to decorate the wall for her birthday.

6 가족은 내 인생에서 가장 중요한 것이다.

→ Family is _____ _____ _____ thing in my life.

오류수정

B 밑줄 친 부분이 틀린 경우 바르게 고쳐 쓰시오. (옳은 경우 ○표 할 것)

1 He is looking for <u>creative someone</u> to join his team. → _____

2 Could you wait for <u>a little</u> minutes? → _____

3 Jiho answered the questions <u>as clear as possible</u>. → _____

4 This summer is <u>less hotter than</u> last summer. → _____

5 There were <u>near</u> 5,000 people in the concert hall. → _____

6 The game is getting <u>more exciting and more exciting</u>. → _____

7 Kelly spent too <u>many</u> money buying a new computer. → _____

8 The more they worked, <u>the most tired</u> they became. → _____

9 Miranda is one of the most cheerful <u>student</u> in my class. → _____

문장전환

C 주어진 문장을 괄호 안의 지시대로 바꿔 쓰시오.

1 Soccer is less popular than baseball in America. (「not as+원급+as」로)

→ _____ in America.

2 The telephone is the most important invention in human history. (「one of the+최상급」으로)

→ _____ in human history.

3 Tom got up as early as possible to catch the flight. (「as+원급+as+주어+can(could)」으로)

→ _____ to catch the flight.

4 This horror movie is not as scary as I imagined. (less를 사용한 문장으로)

→ _____ I imagined.

5 The museum is five times as large as the gym in my school. (「배수사+비교급+than」으로)

→ _____ the gym in my school.

6 The South Pole is the coldest place in the world. (「비교급+than any other+명사」로)

→ _____ in the world.

STEP 3 서술형 따라잡기

그림이해

A 그림을 보고, 빈칸에 알맞은 말을 쓰시오.

$15 $90 $45

1 The yellow bag is _____ expensive than the brown one.

2 The brown bag is _____ _____ _____ as the red one.

3 The red bag is _____ _____ _____ _____ than the yellow one.

영작완성

B 우리말과 일치하도록 괄호 안의 말을 바르게 배열하여 문장을 쓰시오.

1 나는 가능한 한 빨리 그 프로젝트를 완성할 것이다.

(as, complete, possible, will, the project, I, quickly, as)

→ _____

2 서울은 한국의 다른 어떤 도시보다 더 붐빈다.

(more, other, in Korea, Seoul, crowded, is, any, than, city)

→ _____

3 나는 외국인들과 의사소통할 기회가 거의 없었다.

(with, chances, had, foreigners, to, I, communicate, few)

→ _____

문장영작

C 우리말과 일치하도록 괄호 안의 말을 이용하여 영작하시오.

1 지구가 점점 더 더워지고 있다. (get, warm)

→ The earth _____.

2 충분히 자는 것은 규칙적으로 운동하는 것만큼 중요하다. (important, exercise, regularly)

→ Sleeping enough is _____.

3 그 문제는 우리가 예상했던 것보다 훨씬 더 어려웠다. (even, difficult, expect)

→ The problem was _____.

4 하와이는 내가 지금껏 방문했던 중에서 가장 아름다운 섬이다. (beautiful, island, ever, visit)

→ Hawaii is _____.

1 형용사와 부사의 짝이 바르지 <u>않은</u> 것은?

① total – totally
② wide – widely
③ polite – politely
④ sudden – suddenly
⑤ enough – enoughly

[2-3] 빈칸에 들어갈 말이 순서대로 짝 지어진 것을 고르시오.

2

- Lia arrived at school _____ early as I did.
- John is less friendly _____ his brother.

① as – as
② as – than
③ so – as
④ than – as
⑤ than – than

3

- Andy is _____ taller than Fred.
- The train was moving _____ slowly.

① very – very
② very – even
③ much – very
④ much – as
⑤ even – the

4 빈칸에 들어갈 수 <u>없는</u> 말을 모두 고르면?

I have _____ time to help you with the project.

① many
② enough
③ plenty of
④ lots of
⑤ a number of

5 빈칸에 들어갈 말로 알맞은 것은?

The more you practice, _____ you become.

① good
② better
③ best
④ the better
⑤ the best

6 밑줄 친 부분이 어법상 어색한 것은?

① Jihye and her sister don't <u>look alike</u>.
② Is there <u>anyone new</u> coming today?
③ Jack's speech was <u>very impressive</u>.
④ I can smell <u>delicious something</u>.
⑤ He gathered <u>a few friends</u> to clean the park.

7 두 문장의 의미가 같도록 할 때 빈칸에 들어갈 말로 알맞은 것은?

Try to smile as often as possible.
= Try to smile as often as _____.

① you are
② you do
③ you can
④ you could
⑤ you will be able to

8 두 문장을 한 문장으로 나타낼 때 빈칸에 알맞은 말은?

Danny goes to bed at 10.
Bill goes to bed at 9:30.
→ Bill goes to bed _____ Danny.

① as early as
② not as early as
③ earlier than
④ less early than
⑤ the earliest

9 밑줄 친 부분의 쓰임이 올바른 것은?

① Hojin has few time to change his clothes.
② Junsu needs some help to complete his homework.
③ There are much ways to improve your English.
④ The park was polluted with a number of trash.
⑤ A little students were playing basketball in the gym.

10 짝 지어진 문장 중 밑줄 친 단어의 뜻이 서로 같은 것은?

① Ann doesn't want to stay there long.
   Joe was standing outside for a long time.
② The pizza was delivered an hour late.
   We arrived at the airport too late.
③ They sat close together.
   Sujin is a very close friend of mine.
④ I think the test was pretty easy.
   You have a really pretty voice.
⑤ There aren't enough chairs for everyone.
   Are the carrots cooked enough?

고난도

11 어법상 올바른 문장의 개수는?

ⓐ Harry's new artwork is near completed.
ⓑ A little trees can survive in a desert.
ⓒ This restaurant is less busier than yesterday.
ⓓ The Nile is very longer than the Han River.

① 0개   ② 1개   ③ 2개
④ 3개   ⑤ 4개

12 밑줄 친 단어의 쓰임이 나머지 넷과 다른 것은?

① This window is much wider than the others.
② Kate plays tennis much better than Somi.
③ Math is much more difficult than science to me.
④ Mr. Smith doesn't have much money with him.
⑤ Tom was much more famous than I thought.

13 빈칸 (A)~(C)에 들어갈 말이 순서대로 짝 지어진 것은?

- I bought the lightest bag ___(A)___ the shop.
- The Sahara Desert is one of the hottest ___(B)___ in the world.
- The blue whale is larger than any other ___(C)___ in the world.

	(A)		(B)		(C)
①	in	⋯	place	⋯	animal
②	in	⋯	places	⋯	animal
③	in	⋯	places	⋯	animals
④	of	⋯	place	⋯	animals
⑤	of	⋯	places	⋯	animals

14 밑줄 친 부분과 바꿔 쓸 수 있는 것은?

The bank is five times as far as the flower shop from my house.

① as five times as far
② five times the farthest
③ farther five times than
④ five times farther than
⑤ more five times as far as

15 동아중학교 학생들이 좋아하는 운동 종목을 나타낸 그래프에 대한 설명으로 옳지 <u>않은</u> 것은?

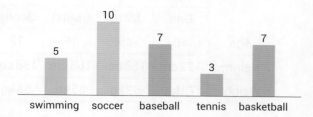

① Baseball is as popular as basketball.
② Tennis is less popular than swimming.
③ Soccer is more popular than any other sport.
④ Swimming is more popular than tennis.
⑤ Basketball is not as popular as swimming.

16 다음 중 의미가 나머지 넷과 <u>다른</u> 하나는?

① No planet in the solar system is brighter than Venus.
② Venus is as bright as the other planets in the solar system.
③ Venus is the brightest planet in the solar system.
④ Venus is brighter than any other planet in the solar system.
⑤ No planet in the solar system is as bright as Venus.

17 주어진 우리말을 바르게 영작한 것은?

> Ryan은 내가 지금껏 만난 사람 중에서 가장 외향적인 사람이다.

① Ryan is the most outgoing person.
② Ryan is the most outgoing person I met.
③ Ryan is one of the most outgoing people.
④ Ryan is more outgoing person I've ever met.
⑤ Ryan is the most outgoing person I've ever met.

18 빈칸에 **more**를 쓸 수 <u>없는</u> 것은?

① I think Lucy is _____ cheerful than Alex.
② The actor became more and _____ popular.
③ These shoes are _____ comfortable than the others.
④ Soccer is the _____ popular sport in Europe.
⑤ The _____ you have, the more you want.

19 두 문장의 의미가 서로 <u>다른</u> 것은?

① I am less brave than Andrew.
= I am not as brave as Andrew.
② Nothing is more important than family.
= Family is the most important thing.
③ Lia threw the ball as far as she could.
= Lia threw the ball as far as possible.
④ Tom is one of the tallest students in the class.
= No student in the class is smaller than Tom.
⑤ This river is cleaner than any other river in the world.
= No river in the world is as clean as this river.

고난도
20 어법상 <u>틀린</u> 문장을 <u>모두</u> 고르면?

① The nights are getting more long and long.
② The earlier you leave, sooner you will arrive.
③ Julie speaks much more slowly than Mark.
④ They are looking at the painting as closely as they can.
⑤ This is the most touching movie I've ever watched.

21 표의 정보와 괄호 안의 말을 이용하여 문장을 완성하시오.

	Height
the Eiffel Tower	300 m
N Seoul Tower	236 m
the Statue of Liberty	93 m

(1) N Seoul Tower is not _____ _____
_____ the Eiffel Tower. (tall)

(2) N Seoul Tower is _____ _____ the
Statue of Liberty. (tall)

(3) The Statue of Liberty is _____ _____
of the three. (short)

22 보기 의 단어를 이용하여 문장을 완성하시오.

보기	happy far good

(1) The more you practice, _____
you become.

(2) The higher you climb, _____
you can see.

(3) The more you laugh, _____
you will be.

23 우리말과 일치하도록 괄호 안의 말을 이용하여 문장을
완성하시오.

(1) 그 토끼는 우리에게 점점 더 가까이 왔다.

→ The rabbit came _____

_____ to us. (close)

(2) 음악은 학생들에게 가장 인기 있는 과목이다.

→ Music is _____

_____ for students. (popular, subject)

24 Max의 가족에 관한 표를 보고, 조건 에 맞게 문장을
완성하시오.

	Dad	Mom	I(Max)	Jenny
Age	48	45	15	12
Height	172 cm	158 cm	168 cm	158 cm
Weight	78 kg	52 kg	65 kg	54 kg

조건	1. 비교 표현을 사용할 것
	2. 괄호 안의 단어를 이용할 것
	3. (3)은 배수사를 포함할 것

(1) Jenny is _____ _____ _____ Mom.
(tall)

(2) Mom is not _____ _____
Jenny. (heavy)

(3) Dad is _____ _____ _____ _____
Jenny. (old)

🔺고난도
25 우리말과 일치하도록 괄호 안의 말을 바르게 배열하여
문장을 쓰시오.

(1) Tony는 그의 반에서 가장 빠른 주자들 중 한 명이다.

(is, Tony, the, runners, in, of, his class, one,
fastest)

→ _____

_____

(2) 그의 새 앨범은 점점 더 인기가 많아지고 있다.

(more, his new album, and, becoming, more,
is, popular)

→ _____

(3) 피노키오가 거짓말을 하면 할수록, 그의 코는 더 길게
자랐다.

(the, grew, Pinocchio, longer, the, his nose,
more, lied)

→ _____

_____

CHAPTER

10

접속사

She has to wear sunglasses (since) the sunlight is strong.

접속사는 단어와 단어, 구와 구, 절과 절을 연결해 주는 말이다.
접속사가 절과 절을 연결할 때 접속사가 이끄는 절은 부사 또는 명사 역할을 한다.

시간의 접속사는 시간의 부사절을 이끌며 주절과 부사절을 이어주는 역할을 한다.

when	~할 때	Jenny visited New York **when** she was twenty. Jenny는 스무 살이었을 **때** 뉴욕을 방문했다.
while	~하는 동안	I listened to music **while** I was waiting for Ann. 나는 Ann을 기다리고 있는 **동안** 음악을 들었다.
as	~할 때	**As** I got off the train, my uncle called me. 내가 기차에서 내렸을 **때**, 나의 삼촌이 내게 전화했다.
	~함에 따라	**As** he grew older, he looked more like his dad. 그는 나이가 들어감에 **따라** 그의 아빠를 더 닮아갔다.
before	~하기 전에	He called his mom **before** the plane took off. 그는 비행기가 이륙하기 **전에** 그의 엄마에게 전화했다.
after	~한 후에	What are you going to do **after** you graduate? 너는 졸업한 **후에** 무엇을 할 거니?
until(till)	~할 때까지	I will keep singing **until** the baby falls asleep. 아기가 잠들 **때까지** 나는 계속 노래를 부를 것이다. ↘ 시간의 부사절에서는 미래의 일을 현재시제로 나타내요.
since	~한 이후로	He has been sick **since** he moved to Florida. 그는 플로리다로 이사 간 **이후로** 아팠다.

↘ 주로 접속사 since가 이끄는 시간의 부사절에는 과거시제, 주절에는 현재완료시제를 써요.

개념확인 옳은 해석 고르기

1 We will wait until he arrives.

☐ 그가 도착할 때까지   ☐ 그가 도착한 이후로

2 Ellen was a cheerful girl when she was a child.

☐ 그녀가 아이였을 때   ☐ 그녀가 아이였던 이후로

기본연습 괄호 안에서 알맞은 것을 고르시오.

1 Write it down (after / before) you forget.

2 You can't use your smartphone (since / until) the exam ends.

3 I have been a fan of hers (until / since) I read her first novel.

4 (When / Until) he came out of his house, it began to rain.

5 (After / While) the class was over, she went to the restroom.

6 (As / Since) the years went by, he got used to the town.

7 She didn't talk to him (after / while) they were having dinner.

8 They will hold a party when David (comes / will come) back.

9 It has been three years (after / since) he quit his job.

10 We have 10 minutes (when / before) the movie starts.

POINT 2 이유의 접속사

접속사 because, since, as는 이유를 나타내는 부사절을 이끈다.

because		She went to bed early **because** she was tired. 그녀는 피곤했기 **때문에** 일찍 잠자리에 들었다.
since	~ 때문에	**Since** it was raining heavily, they didn't go out. 비가 심하게 내리고 있었기 **때문에** 그들은 나가지 않았다.
as		**As** he loved singing, he joined the school band. 그는 노래하는 것을 정말 좋아했기 **때문에** 학교 밴드에 가입했다.

접속사 because 뒤에는 「주어+동사」를 포함한 절이 오고, 전치사 because of 뒤에는 명사(구)가 온다.

| because | The game was canceled **because** it rained.
주어+동사 | 그 경기는 비가 왔기 **때문에** 취소되었다. |
| because of | The game was canceled **because of** rain.
명사 | 그 경기는 비 **때문에** 취소되었다. |

개념확인 옳은 해석 고르기

1 Since I missed her, I cried.
□ ~한 이후로   □ ~ 때문에

2 As I have enough time, I can help you now.
□ ~할 때   □ ~ 때문에

기본연습 A 이유의 접속사가 들어갈 위치를 고르시오.

1 (ⓐ) Kate is kind to everyone, (ⓑ) people like her.

2 (ⓐ) Mr. Ray was late for work (ⓑ) he had a car accident.

3 (ⓐ) They can't watch the movie (ⓑ) they are under 15.

4 (ⓐ) I can't go with you (ⓑ) I have other plans today.

5 (ⓐ) He kicked another player, (ⓑ) he got a yellow card.

6 (ⓐ) My sister didn't eat the soup (ⓑ) she didn't like the smell.

B because 또는 because of 중 빈칸에 알맞은 말을 쓰시오.

1 He woke up at night _____ the noise.

2 The road is slippery _____ it snowed this morning.

3 He was surprised _____ the dog appeared suddenly.

4 Many animals are losing their homes _____ humans.

5 _____ it was a public holiday, many stores were closed.

POINT 3 조건 · 양보의 접속사

접속사 if, unless, as long as는 조건을 나타내는 부사절을 이끈다.

if	(만약) ~하면	**If** it snows tomorrow, I will stay home all day. 내일 눈이 온다면, 나는 하루 종일 집에 머물 것이다.
unless	(만약) ~하지 않으면 (= if ~ not)	**Unless** the sky is clear, we can't see the stars. 하늘이 맑지 **않으면**, 우리는 별을 볼 수 없다. (= **If** the sky **isn't** clear, we can't see the stars.)
as long as	~하는 한	**As long as** you exercise regularly, you can be healthy. 네가 규칙적으로 운동**하는 한**, 너는 건강해질 수 있다.

주의 조건의 부사절에서는 미래의 일을 현재시제로 나타낸다.
If you **go** straight, you will see the library. 곧장 가면, 너는 도서관을 발견할 것이다.
↳ will go (✕)

접속사 although, though, even though는 양보를 나타내는 부사절을 이끈다.

although (though)	(비록) ~이지만, ~에도 불구하고	**Although**(**Though**) he is over 50, he looks much younger. 비록 그는 50이 넘었**지만**, 훨씬 더 젊어 보인다.
even though		**Even though** I ate two apples, I am still hungry. 비록 나는 사과 두 개를 먹었**지만**, 여전히 배가 고프다.

Tips even if는 '(만약) ~일지라도'라는 의미를 나타내는 접속사이다.
I will do it myself **even if** it takes a long time. 오랜 시간이 걸릴지라도 나는 그것을 직접 할 것이다.

주의 in spite of와 despite는 '~에도 불구하고'라는 뜻의 전치사로, 뒤에 명사(구)가 온다.
In spite of his age, he looks very young. 그의 나이에도 불구하고, 그는 매우 젊어 보인다.
　　　　　　명사(구)
Despite her efforts, she failed to win the prize. 그녀의 노력에도 불구하고, 그녀는 상을 타지 못했다.
　　　　명사(구)

개념확인 옳은 해석 고르기

1 Unless it's true, I'll be disappointed.
　□ 그것이 진실이 아니라면　□ 그것이 진실임에도 불구하고

2 Although he left early, he arrived late.
　□ 그가 일찍 떠났다면　□ 그는 일찍 떠났지만

기본연습 A 괄호 안에서 알맞은 것을 고르시오.

1 She'll never forget it (though / as long as) she lives.

2 (If / Although) it snows a lot, the flight can be canceled.

3 (If / Even though) his room is small, it has many hidden spaces.

4 (If / Unless) you feel hot and thirsty, you'd better drink some water.

5 This jacket is clean and warm (though / unless) it looks old.

6 (Although / In spite of) the strong sunlight, she didn't wear a hat.

B 우리말과 일치하도록 빈칸에 알맞은 접속사를 쓰시오.

1 날씨가 좋은 한 그는 낚시를 갈 것이다.

→ He will go fishing _____ the weather is fine.

2 약을 좀 먹으면, 당신은 곧 나아질 것이다.

→ _____ you take some medicine, you will get better soon.

3 네가 조심하지 않으면, 너는 그 꽃병을 깰지도 모른다.

→ _____ you are careful, you may break the vase.

4 비가 심하게 내리고 있었지만, 그들은 해변에 갔다.

→ _____ it was raining heavily, they went to the beach.

5 네가 내일 등산을 하러 간다면, 나는 너와 함께 갈 것이다.

→ _____ you go hiking tomorrow, I'll go with you.

6 나에게 기회가 있는 한 나는 포기하지 않을 것이다.

→ I won't give up _____ I have a chance.

7 두꺼운 코트를 입지 않으면 너는 감기에 걸릴 것이다.

→ You'll get a cold _____ you wear a thick coat.

8 우리는 다른 언어를 말하지만, 우리는 좋은 친구이다.

→ _____ we speak different languages, we are good friends.

C 빈칸에 알맞은 접속사를 보기에서 골라 쓰시오. (한 번씩만 사용할 것)

보기	if	unless	as long as	although

1 _____ you don't hurry up, you will miss the school bus.

2 I'll never forget your kindness _____ I live.

3 _____ you arrive in time, you can't watch the show.

4 _____ he felt really sad, he smiled at his children.

틀리기 쉬운
내/신/포/인/트

시간과 조건의 부사절에서
주절의 시제가 미래일 때,
동사의 시제에 유의해야
해요.

빈칸에 들어갈 말로 알맞은 것은?

If he _____ me, I will come to the party.

① invite
② invites
③ invited
④ inviting

「**so that ~**」은 목적을 나타내는 접속사로, 뒤에 오는 절의 동사는 주로 조동사(can, will 등)와 함께 쓴다.

so that ~	~하기 위해서, ~하도록	He does yoga every day **so that** he can stay healthy. 그는 건강을 유지할 수 **있도록** 매일 요가를 한다.

Tips 「**so that ~**」은 목적을 나타내는 부사적 용법의 to부정사로 바꿔 쓸 수 있다.
He saved money **so that** he **could buy** a computer. 그는 컴퓨터를 살 수 있도록 돈을 저축했다.
= He saved money (**in order**) **to buy** a computer.
= He saved money (**so as**) **to buy** a computer.

「**so ~ that ...**」은 결과를 나타내는 접속사로, so는 뒤에 오는 형용사/부사를 수식하는 부사이다.

so+형용사/부사+that ...	너무〔매우〕 ~해서 …하다	It was **so** *windy* **that** they couldn't walk. 바람이 너무 불어서 그들은 걸을 수 없었다.

Tips 「**so ~ that+주어+can**」은 「**enough+to부정사**」로, 「**so ~ that+주어+can't**」는 「**too ~ to부정사**」로 바꿔 쓸 수 있다.
He is **so** tall **that** he **can** touch the ceiling. 그는 키가 매우 커서 천장에 닿을 수 있다.
→ He is tall **enough to** touch the ceiling.
She felt **so** tired **that** she **couldn't** walk. 그녀는 너무 피곤해서 걸을 수 없었다.
→ She felt **too** tired **to** walk.

개념확인 옳은 해석 고르기

1 He left early so that he wouldn't be late.

☐ 그는 너무 늦어서
☐ 그는 늦지 않도록

2 She is so sick that she can't go to work.

☐ 너무 아파서 그녀는 일하러 갈 수 없다
☐ 너무 아프지만 그녀는 일하러 갈 수 있다

기본연습 **A** 우리말과 일치하도록 괄호 안의 말을 바르게 배열하여 문장을 완성하시오.

1 너무 추워서 나는 내 재킷을 입었다. (my jacket, that, cold, so, I, wore)

→ It was _____ .

2 그들은 좋은 자리를 얻을 수 있도록 일찍 도착했다. (get, they, that, good seats, so, could)

→ They arrived early _____ .

3 빛이 너무 밝아서 나는 눈을 뜰 수가 없다. (bright, I, so, can't, that, my eyes, open)

→ The light is _____ .

4 그는 그녀가 독서에 집중할 수 있도록 TV를 껐다. (could, so, reading, that, focus on, she)

→ He turned off the TV _____ .

5 그 문제는 너무 어려워서 아무도 그것을 풀 수 없었다. (could, that, so, it, solve, difficult, nobody)

→ The problem was _____ .

B 밑줄 친 부분을 바르게 고쳐 쓰시오.

1 She closed her eyes so <u>what</u> she wouldn't see the scene. → _____

2 The dish was so salty <u>which</u> we couldn't eat it. → _____

3 He is working hard <u>too</u> that he won't miss the deadline. → _____

4 The weather was so <u>nicely</u> that we went out and played. → _____

5 I read the book slowly <u>such that</u> I could understand it. → _____

C 두 문장의 의미가 같도록 문장을 완성하시오.

1 She was too angry to calm down.

= She was _____ _____ _____ she couldn't calm down.

2 He is so tall that he can reach the book on the shelf.

= He is _____ _____ _____ the book on the shelf.

3 I collected used items so that I could donate them.

= I collected used items _____ _____ _____ _____ them.

4 She is so young that she can't drive a car.

= She is _____ _____ _____ a car.

5 I opened the windows to get some fresh air.

= I opened the windows _____ _____ I could _____ some fresh air.

6 Minho studied so hard that he could pass the test.

= Minho studied _____ _____ _____ _____ the test.

7 She got up early in order to catch the first train.

= She got up early _____ _____ she could _____ the first train.

빈칸에 so that이 들어갈 수 <u>없는</u> 것은?

① She hurried _____ she could get there on time.

② I'll give you a key _____ you can open the box.

③ I left my phone number _____ he could contact me.

④ He drank a cup of coffee _____ he felt tired and sleepy.

POINT 5 다양한 의미를 나타내는 접속사

접속사 as가 이끄는 부사절은 다양한 의미를 나타낸다.

~할 때, ~하면서	**As** she was giving her speech, the lights went out. 그녀가 연설을 하고 있을 **때**, 전기가 나갔다.
~함에 따라	She enjoyed the work more **as** she got used to it. 그녀는 그 일에 익숙해짐에 **따라** 그 일을 더 좋아하게 되었다.
~ 때문에	He decided not to go out **as** he was very tired. 그는 매우 피곤했기 **때문에** 나가지 않기로 결정했다.
~ 대로	I did **as** my sister asked. 나는 내 여동생이 요청한 **대로** 했다.

접속사 since는 시간이나 이유를 나타내는 부사절을 이끈다.

시간	~한 이후로	They have been friends **since** they first met. 그들은 처음 만난 **이후로** 친구로 지내 왔다.
이유	~ 때문에	**Since** his legs hurt, he sat on the bench. 그의 다리가 아팠기 **때문에** 그는 벤치에 앉았다.

접속사 while은 시간이나 대조를 나타내는 부사절을 이끈다.

시간	~하는 동안	Please don't play games **while** you're having dinner. 저녁을 먹는 **동안** 게임을 하지 마세요.
대조	~인 반면에	**While** Lucy is good at swimming, her brother isn't. Lucy는 수영을 잘하는 **반면에**, 그녀의 남동생은 그렇지 않다.

개념확인 옳은 해석 고르기

1 Since it's Monday, the museum is closed.
☐ ~한 이후로 ☐ ~ 때문에

2 Show your ticket as you go in.
☐ ~할 때 ☐ ~ 대로

기본연습 A 괄호 안에서 알맞은 것을 고르시오.

1 The egg wasn't cooked (as / since) I asked.

2 Sharks are fish, (as / while) dolphins are mammals.

3 Ann listened to music (while / since) she was writing a report.

4 (As / While) the years went by, the work became easier for her.

5 (While / Since) he didn't read the book, he didn't know its story.

6 She really enjoyed the movie (as / while) it was based on her favorite novel.

7 Clare has lived with her grandparents (while / since) she moved to Chicago.

B 우리말과 일치하도록 빈칸에 as, since, while 중 알맞은 접속사를 쓰시오.

1 해가 지남에 따라 그 가수는 더욱 유명해질 것이다.

→ _____ years go by, the singer will become more popular.

2 그는 공원을 걷는 동안 나무에서 새 둥지를 발견했다.

→ _____ he was walking in the park, he found a bird nest in a tree.

3 그가 항상 다른 사람들을 무시하기 때문에 나는 그를 좋아하지 않는다.

→ I don't like him _____ he always ignores other people.

4 나는 배구를 보는 것을 좋아하는 반면에, 지호는 골프를 보는 것을 좋아한다.

→ _____ I like watching volleyball, Jiho likes watching golf.

5 그녀는 학교를 졸업한 이후로 식당에서 일해 왔다.

→ She has worked in a restaurant _____ she graduated from school.

C 우리말과 일치하도록 보기의 접속사와 괄호 안의 말을 이용하여 문장을 완성하시오. (중복 사용 가능)

보기	as	since	while

1 그는 그의 선생님이 명령했던 대로 했다. (his teacher, order)

→ He did _____.

2 나는 캐나다에 머무는 동안 여러 도시들을 방문했다. (stay, in Canada)

→ I visited several cities _____.

3 Chris는 그가 대학에 들어간 이후로 팝 음악을 작곡해 왔다. (enter, college)

→ Chris has written pop music _____.

4 그는 똑똑하기 때문에 그 어려운 퀴즈를 쉽게 풀 수 있다. (smart)

→ He can solve the difficult quiz easily _____.

5 그녀는 자라면서 예술에 더욱 관심을 가지게 되었다. (grow up)

→ _____, she became more interested in art.

6 그는 어두운색 머리카락을 가지고 있는 반면에, 그의 남동생은 밝은색 머리카락을 가지고 있다. (have, dark hair)

→ _____, his brother has bright hair.

틀리기 쉬운
내/신/포/인/트

다양한 의미로 사용되는 접속사는 연결된 두 절의 의미 관계에 유의하여 의미를 파악해야 해요.

밑줄 친 since의 의미가 나머지 셋과 다른 하나는?

① He wants to be a vet <u>since</u> he loves animals.
② I have known him <u>since</u> I was a little child.
③ I can't do my homework <u>since</u> my computer is broken.
④ <u>Since</u> the sunlight is strong, she has to wear sunglasses.

POINT 6 상관접속사

상관접속사는 떨어져 있는 한 쌍의 어구가 접속사 역할을 하며, 보통 문법적으로 대등한 어구를 연결한다.

주어가 both *A* and *B*일 경우 복수 동사를 써요.

both *A* and *B*	A와 B 둘 다	**Both** *Becky* **and** *Jack* are Alan's friends. Becky와 Jack 둘 다 Alan의 친구들이다.
not only *A* but also *B* (= *B* as well as *A*)	A뿐만 아니라 B도	The singer **not only** *sings* **but also** *dances*. (= The singer *dances* **as well as** *sings*.) 그 가수는 노래를 할 **뿐만 아니라** 춤도 춘다.
either *A* or *B*	A 또는 B 중 하나	He will go **either** to *London* **or** to *Vienna*. 그는 런던**이나** 빈으로 갈 것이다.
neither *A* nor *B*	A도 B도 아닌	The pasta was **neither** *cheap* **nor** *delicious*. 그 파스타는 저렴**하지도** 맛있**지도 않았다**.

Tips 상관접속사로 연결된 주어가 쓰인 경우, 동사는 A와 B 중에서 B에 일치시킨다. 단, both *A* and *B*는 복수 취급한다.
Not only *him* **but also** *his sisters* **were** happy with the news. 그뿐만 아니라 그의 여동생들도 그 소식에 행복했다.
Both *Sam* **and** *Tina* **need** to exercise regularly. Sam과 Tina 둘 다 규칙적으로 운동할 필요가 있다.

개념확인 올바른 의미 고르기

1 Either he or she will go.

☐ 그와 그녀 둘 다   ☐ 그 또는 그녀 둘 중 하나

2 He has neither a car nor a bike.

☐ 차도 자전거도 없는   ☐ 차는 없지만 자전거는 있는

기본연습 **A** 우리말과 일치하도록 빈칸에 알맞은 말을 쓰시오.

1 포도는 보통 초록색이거나 보라색이다.

→ Grapes are usually _____ green _____ purple.

2 Cindy도 Mark도 그 문제를 풀 수 없었다.

→ _____ Cindy _____ Mark was able to solve the question.

3 사과는 맛있을 뿐만 아니라 건강에도 좋다.

→ Apples are _____ _____ delicious _____ _____ good for health.

4 너는 살을 빼기 위해서 건강한 음식도 먹고 운동도 더 해야 한다.

→ You should _____ eat healthy food _____ exercise more to lose weight.

5 Jerry는 종이 차뿐만 아니라 종이 꽃도 만들었다.

→ Jerry made the paper flower _____ _____ _____ the paper car.

B 빈칸에 알맞은 말을 넣어 문장을 완성하시오.

1 We can see either a musical _____ a ballet this weekend.

2 Brian can play not only the violin _____ also the piano.

3 Both my grandma _____ grandpa came to my graduation.

4 Terry will neither read a book _____ watch TV.

5 This flower is not only beautiful _____ _____ fragrant. *fragrant 향기로운

6 The little boy wants to learn _____ to swim or to ride a bike.

7 I bought presents for _____ Homin and Jina at a gift shop.

8 It was raining heavily, but we had _____ umbrellas nor raincoats.

9 One of my friends can speak English _____ well as Spanish.

10 I like _____ _____ his music but also his personality a lot.

11 The old lady is wise as well _____ generous.

C 괄호 안에서 알맞은 것을 고르시오.

1 Both Andy and I (am / are) able to play the drums.

2 Either Cathy or you (has / have) to apologize to him.

3 Not only Mario but also Luigi (come / comes) from Italy.

4 Neither Lisa nor her sons (has / have) been to Spain before.

5 Either Junho or Kate (has / have) to make a presentation.

6 Not only you but also I (am / are) responsible for the mistake.

7 Neither he nor I (want / wants) to go home now.

8 Not only swimming but also dancing (is / are) interesting to him.

9 Both Mr. Brown and his daughter (was / were) surprised at the new machine.

틀리기 쉬운 내/신/포/인/트

상관접속사로 연결된 주어가 쓰인 경우 주어와 동사의 수 일치에 유의해요.

밑줄 친 부분이 틀린 것은?

① Both Nick and I am soccer players.

② Either my parents or my brother is cooking dinner.

③ Neither Sam nor his friends play basketball after school.

④ Not only the teacher but also the students are excited.

접속사 whether와 if는 '~인지 (아닌지)'라는 의미로 명사절을 이끌며, 문장에서 주어, 보어, 목적어 역할을 한다.

주어	**Whether** my sister will come *is* not certain. 내 여동생이 올지는 확실하지 않다.
보어	The question is **whether** my sister can do it. 문제는 내 여동생이 그것을 할 수 있냐는 것이다.
목적어	I'm not sure **whether(if)** she can help me. 나는 그녀가 나를 도와줄 수 있는지 확신하지 못한다. I wonder **whether(if)** the baby will like this toy. 나는 그 아기가 이 장난감을 좋아할지 궁금하다.

➜ 접속사 whether가 이끄는 절이 주어로 쓰이면 단수 취급해요.

➜ 주어와 보어로 쓰이는 명사절에 if는 쓰이지 않아요.

➜ 접속사 if는 주로 목적어로 쓰이는 명사절에 쓰여요.

주의 목적어로 쓰이는 명사절이 전치사 뒤에 오면 if를 쓸 수 없다.
They talked *about* **whether** he had left. 그들은 그가 떠났는지에 대해 이야기했다.
↳ if (×)

주의 whether or not(~인지 아닌지)은 쓸 수 있지만, if or not은 쓸 수 없다.
I don't know **whether or not** he is a student. 나는 그가 학생인지 아닌지 모르겠다.
I don't know **whether(if)** he is a student **or not**. ➜ if ~ or not은 가능해요.

Tips 접속사 that은 '~라는 것'이라는 의미로 명사절을 이끈다.
I think (**that**) he is a good actor. 나는 그가 훌륭한 배우라고 생각한다.

개념확인 옳은 해석 고르기

1 I wonder if he'll come.
□ 그가 올지 □ 그가 온다는 것을

2 The question is whether he can swim.
□ 그가 수영을 할 수 있다는 것 □ 그가 수영을 할 수 있는지

기본연습 A 밑줄 친 부분의 역할과 같은 것을 보기에서 골라 그 기호를 쓰시오.

> **보기**
> ⓐ Whether she agreed is important.
> ⓑ The question is whether he can come to the event.
> ⓒ I wonder whether she likes playing tennis.

1 The issue is whether he took the chance. [   ]

2 Whether you accept it matters to us. [   ]

3 I wondered whether the cat would survive. [   ]

4 Whether he'll continue to work hasn't been decided yet. [   ]

5 I'm worried about whether I can get there on time. [   ]

6 The topic of the debate was whether animal testing is needed. [   ]

7 He didn't know whether his friends would visit him or not. [   ]

B 밑줄 친 부분이 틀린 경우 바르게 고쳐 쓰시오. (옳은 경우 ○표 할 것)

1 If this is correct is not certain.   → _____

2 I doubt if she'll be able to buy a car.   → _____

3 The question is if I have enough time.   → _____

4 I wonder if or not she likes ham sandwiches.   → _____

5 Kevin hopes whether people don't notice him.   → _____

6 My concern is that my children are safe or not.   → _____

7 Whether you will succeed are up to you.   → _____

8 Think carefully about if you did the right thing.   → _____

C 우리말과 일치하도록 알맞은 접속사와 괄호 안의 말을 이용하여 문장을 완성하시오.

1 나는 나의 개가 이 공을 잡을 수 있을지 궁금하다. (my dog, will, catch)

→ I wonder _____ this ball.

2 나는 그녀가 나를 도울 수 있는지 모르겠다. (can, help)

→ I'm not sure _____ .

3 나는 그녀가 꽃을 좋아하는지 알고 싶다. (like, flowers)

→ I want to know _____ .

4 우리는 그녀가 사실을 말하고 있는지 모르겠다. (tell, the truth)

→ We are not sure _____ .

5 나는 이것이 맞는 답인지 알고 싶다. (this, the right answer)

→ I want to know _____ .

6 네가 파티에 올 수 있는지 없는지 분명히 말해 줘. (can, come, to the party)

→ Please say clearly _____ or not.

밑줄 친 부분의 의미가 나머지 셋과 다른 하나는?

① Whether I have enough money is important.
② I'll fix your computer if you bring it with you.
③ I don't know if I can wait until tomorrow.
④ He was worried about whether he failed the test.

POINT 8 접속부사

접속부사는 두 문장의 의미를 자연스럽게 연결해 주는 부사이다.

for example	예를 들어	He has various pets. **For example**, he raises cats, rabbits and an iguana. 그는 다양한 애완동물이 있다. **예를 들어**, 그는 고양이, 토끼 그리고 이구아나를 기른다.
in addition	게다가, 덧붙여	I'm cold and hungry. **In addition**, I'm sleepy. 나는 춥고 배고프다. **게다가**, 나는 졸리다.
therefore	그러므로	I want to be healthier. **Therefore**, I'll exercise regularly. 나는 더 건강해지기를 원한다. **그러므로**, 나는 규칙적으로 운동할 것이다.
thus	따라서	The computer was very new. **Thus**, it was expensive. 그 컴퓨터는 최신 제품이었다. **따라서**, 그것은 비쌌다.
however	하지만, 그러나	Alex is a shy boy. **However**, he has many friends. Alex는 수줍음이 많은 소년이다. **하지만**, 그는 친구가 많다.
in fact	사실은, 실은	I don't know him well. **In fact**, I haven't even met him. 나는 그를 잘 모른다. **사실**, 나는 심지어 그를 만난 적도 없다.
instead	대신에	I'm busy on Monday. Can we meet on Tuesday, **instead**? 나는 월요일에 바빠. **대신**, 우리 화요일에 만날까?

↳ 접속부사는 문장의 앞, 중간, 뒤에 올 수 있으며, 접속부사 앞 또는 뒤에 콤마(,)를 붙여요.

주의 접속부사는 부사이므로 절과 절을 연결하는 접속사 기능은 할 수 없다.
Alex is a shy boy, **but** he has many friends. Alex는 수줍음이 많은 소년이**지만**, 그는 친구가 많다.
↳ but 대신 however을 쓸 수 없어요.

개념확인 알맞은 접속부사 고르기

1 He called Emma. _____, she didn't answer the phone. ☐ Thus ☐ However

2 She was very tired. _____, she went home early. ☐ Therefore ☐ Instead

---

기본연습 우리말과 일치하도록 빈칸에 알맞은 접속부사를 쓰시오.

1 Sam은 오늘 운전해서 출근하지 않았다. 대신에, 그는 버스를 탔다.

→ Sam didn't drive to work today. _____, he took a bus.

2 이 셔츠는 세 가지 크기로 나온다. 하지만, 그것은 오직 한 가지 색깔로 나온다.

→ This shirt comes in three sizes. _____, it comes in only one color.

3 우유는 건강에 좋다. 게다가, 그것은 당신이 더 잘 자도록 도움을 줄 수 있다.

→ Milk is good for your health. _____, it can help you sleep better.

4 Joe와 나는 같은 나이이다. 사실, 그의 생일이 한 달 더 이르다.

→ Joe and I are the same age. _____, his birthday is a month earlier than mine.

POINT 9 간접의문문

의문문이 문장의 일부가 되어 주어, 목적어, 보어로 쓰이는 것을 간접의문문이라고 한다.

의문사가 있는 간접의문문 ➔ 「의문사+주어+동사」의 순서로 써요.

I don't know. + What are they doing?

→ I don't know **what they are doing**.
　　　　　　　　　　 의문사+주어+동사 ~

나는 그들이 무엇을 하고 있는지 모른다.

주의 의문사가 주어인 경우, 「의문사(주어)+동사」의 순서로 쓴다.

Do you know **who broke this vase**? 너는 누가 이 꽃병을 깼는지 아니?
　　　　　　 의문사(주어)+동사

의문사가 없는 간접의문문은 접속사 whether(if)를 써서 나타낸다.

의문사가 없는 간접의문문 ➔ 「whether(if)+주어+동사」의 순서로 써요.

I wonder. + Did she make this doll?

→ I wonder **whether(if) she made this doll**.
　　　　　　 whether(if)+주어+동사 ~

나는 그녀가 이 인형을 만들었는지 궁금하다.

궁금해요!
간접의문문으로 나타낼 때 동사의 형태가 바뀌기도 하나요?

네! 의문사가 없는 간접의문문의 경우, 주어가 3인칭 단수이고 현재시제일 때와 과거시제일 때 동사의 형태를 주의해서 써야 해요.

개념확인 간접의문문 찾기

1 I don't know why he is crying.

2 I'm not sure if I can buy the ticket.

3 I wonder who paid for this.

4 I'm wondering whether she can help me.

기본연습 **A** 우리말과 일치하도록 빈칸에 알맞은 말을 쓰시오.

1 그는 Jessica가 왜 화가 났는지 이해하지 못한다.

→ He doesn't understand _____ Jessica is angry.

2 나는 그녀가 오늘 아침에 일찍 일어났는지 궁금하다.

→ I wonder _____ she woke up early this morning.

3 너는 누가 대회에서 우승했는지 아니?

→ Do you know _____ won the competition?

4 너는 버스가 언제 오는지 나에게 말해 줄 수 있니?

→ Can you tell me _____ the bus comes?

5 네가 내 크리스마스 카드를 받았는지 나에게 말해 줘.

→ Please tell me _____ you received my Christmas card.

B 우리말과 일치하도록 괄호 안의 말을 바르게 배열하여 문장을 완성하시오.

1 너는 여름 방학이 언제 시작되는지 아니? (starts, the summer vacation, when)

→ Do you know _____?

2 나는 그가 스케이트를 잘 타는지 궁금하다. (skating, at, whether, is, he, good)

→ I wonder _____.

3 너는 누가 이 그림을 그렸는지 나에게 말해 줄 수 있니? (painted, who, this picture)

→ Can you tell me _____?

4 당신이 어디에서 그 정보를 얻었는지 제게 알려주세요. (the information, you, where, got)

→ Please let me know _____.

5 Tim은 그의 어머니에게 그가 컴퓨터 게임을 할 수 있는지 물었다. (play, he, computer games, if, could)

→ Tim asked his mother _____.

C 주어진 두 문장을 한 문장으로 바꿔 쓰시오.

1 I wonder. Where will they go after school?

→ _____

2 He wants to know. Why is the cat following him?

→ _____

3 Can you tell me? Who found your wallet?

→ _____

4 Ask Laura. Does she want to go to the concert?

→ _____

5 Do you know? When does the train for Busan leave?

→ _____

6 I'd like to know. Can I make a reservation for the group tour?

→ _____

틀 리 기 쉬 운
내/신/포/인/트

간접의문문의 어순은 일반
의문문의 어순과 다르므로
주의해야 해요.

밑줄 친 부분이 어법상 어색한 것은?

① I wonder whether they live near here.
② Do you know where are our seats?
③ I'm not sure if he knows the answer.
④ I'd like to know what he is doing.

개 념 완 성 T E S T

정답 및 해설 p.32

STEP 1 Map으로 개념 정리하기

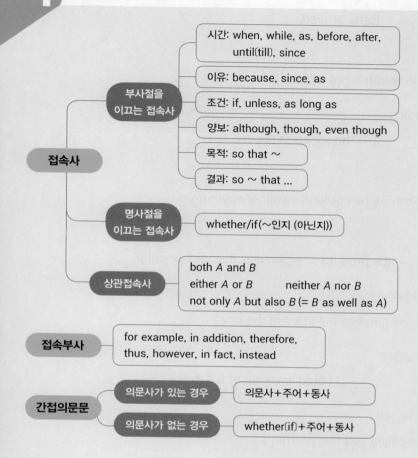

접속사
- 부사절을 이끄는 접속사
  - 시간: when, while, as, before, after, until(till), since
  - 이유: because, since, as
  - 조건: if, unless, as long as
  - 양보: although, though, even though
  - 목적: so that ~
  - 결과: so ~ that ...
- 명사절을 이끄는 접속사
  - whether/if(~인지 (아닌지))
- 상관접속사
  - both A and B
  - either A or B   neither A nor B
  - not only A but also B (= B as well as A)

접속부사
- for example, in addition, therefore, thus, however, in fact, instead

간접의문문
- 의문사가 있는 경우 — 의문사＋주어＋동사
- 의문사가 없는 경우 — whether(if)＋주어＋동사

Quick Check

❶ (Although / Because) it was cold, he didn't put on his coat.

❷ As (long / much) as it's sunny, I'll go camping.

❸ It (either / neither) rained nor snowed for days.

❹ I wonder (whether / unless) it will rain tomorrow.

❺ Can you tell me (where is the umbrella / where the umbrella is)?

❻ It is the middle of summer. (However / Thus), it is a little cold at night.

❼ I exercise every day so that I can stay healthy.
해석:_____

❽ It was so hot that I opened the window.
해석:_____

STEP 2 기본 다지기

빈칸완성

A 빈칸에 알맞은 말을 보기 에서 골라 쓰시오.

| 보기 | since | thus | so that | not only | because of | although |

1 She has never left her hometown _____ she was born.

2 The parade was delayed _____ the bad weather.

3 _____ he took the medicine, he didn't get better at all.

4 _____ Jack but also Jane will go on a picnic this weekend.

5 The deadline had passed. _____, she couldn't apply for the job.

6 They dug a hole in the ground _____ they could bury their treasure.

B 우리말과 일치하도록 빈칸에 알맞은 말을 쓰시오.

1 우리는 Betty가 도착한 후에 파티를 시작했다.

→ We started the party _____ Betty arrived.

2 시간이 지나감에 따라 날씨가 더욱 나빠졌다.

→ _____ time passed, the weather got worse.

3 그는 휴가가 끝날 때까지 그 휴양지에서 머물 것이다.

→ He will stay at the resort _____ the vacation is over.

4 Ted는 목이 아파서 아무것도 삼킬 수 없었다.

→ _____ Ted had a sore throat, he couldn't swallow anything.

5 그 제품은 비싸지만, 매우 인기가 좋다.

→ _____ the product is expensive, it is very popular.

6 오늘 밤 비가 오지 않으면 우리는 하늘에서 별을 볼 수 있다.

→ _____ it rains tonight, we can see the stars in the sky.

7 나는 오전 6시에 일어날 수 있도록 알람시계를 맞췄다.

→ I set the alarm clock _____ I could wake up at 6 a.m.

8 나는 오늘 아침에 Jason이 너에게 전화했는지 궁금하다.

→ I wonder _____ Jason called you this morning.

9 퍼즐이 너무 어려워서 그녀는 그것을 풀 수 없었다.

→ The puzzle was _____ difficult _____ she couldn't solve it.

10 번개가 하늘에서 번쩍였다. 게다가, 비가 내리기 시작했다.

→ The lightning flashed in the sky. _____, it started to rain.

11 우리는 이 사안을 토론해야 한다. 그러므로, 우리는 다음 주에 만날 것이다.

→ We have to discuss this issue. _____, we will meet next week.

12 Brad나 Karen이 먼저 결승선을 지나갈 것이다.

→ _____ Brad _____ Karen will cross the finish line first.

13 Jeffrey도 Linda도 아직 Sue에 관한 소식을 듣지 못했다.

→ _____ Jeffrey _____ Linda has heard the news about Sue yet.

14 Lydia는 그 영화를 보지 않았다. 하지만, 그녀는 그 영화의 후기를 썼다.

→ Lydia didn't watch the movie. _____, she wrote the movie review.

C 밑줄 친 부분이 어법상 틀린 경우 바르게 고쳐 쓰시오. (옳은 경우 ○표 할 것)

1 He asked me if he could borrow my pen. → _____

2 They couldn't go for a walk as they were tired. → _____

3 Not only Jim but also his sisters likes playing tennis. → _____

4 We know what this word means. → _____

5 It was cold so that she wore her coat. → _____

6 James will forgive you if you apologize to him. → _____

7 You can meet either Kevin nor Susan there. → _____

8 She wanted a dress for her birthday, however he gave her a doll. → _____

9 He couldn't go to the concert because of he didn't have a ticket. → _____

10 Unless you don't turn down the music, you will wake everybody up. → _____

D 주어진 두 문장을 괄호 안의 지시에 따라 한 문장으로 바꿔 쓰시오.

1 This car is very old. It still runs well. (although 사용)
→ _____

2 Do you know? Where can I take a taxi? (간접의문문으로)
→ _____

3 I wonder. Is the boy a student of this school? (간접의문문으로)
→ _____

4 He doesn't have a driver's license. So he can't drive. (because 사용)
→ _____

5 He fed my goldfish. I was in Hawaii for a week. (while 사용)
→ _____

6 Andrew likes singing. Also, he likes dancing. (「both A and B」사용)
→ _____

7 The pizza was very big. So she couldn't eat it all. (「so ~ that ...」사용)
→ _____

서술형 따라잡기

그림이해

A 그림을 보고, 접속사 while과 괄호 안의 말을 이용하여 문장을 완성하시오. (현재시제로 쓸 것)

1

2

1 Patrick always listens to music _____. (clean, his room)

2 _____, her brother is quite tall. (short)

영작완성

B 우리말과 일치하도록 괄호 안의 말을 바르게 배열하여 문장을 완성하시오.

1 나는 그가 언제 서울에 왔는지 모르겠다. (came, when, Seoul, he, to)

→ I don't know _____.

2 네가 포기하지 않는 한, 너는 답을 찾을 수 있다. (give up, as, don't, long, you, as)

→ _____, you can find the answer.

3 그와 그의 아내 둘 다 스페인에 가 본 적이 전혀 없다. (have, and, never, wife, both, been, his, he)

→ _____ to Spain.

4 그는 이 로봇이 그를 웃게 만들 수 있는지 궁금하다. (laugh, can, this, whether, robot, him, make)

→ He is wondering _____.

문장영작

C 우리말과 일치하도록 괄호 안의 말과 알맞은 접속사를 이용하여 영작하시오.

1 햇살이 비치고 있지만, 날씨는 추워지고 있다. (the sun, shining)

→ _____, it is getting cold.

2 그가 이 마을을 떠난 이후로 나는 그에게서 소식을 듣지 못했다. (leave, this town)

→ I haven't heard from him _____.

3 잠을 충분히 자지 않으면 너는 다음날 피곤할 것이다. (get, enough sleep)

→ _____, you'll be tired the next day.

4 Rosa는 그녀의 팀이 이길 수 있도록 최선을 다했다. (her team, can, win)

→ Rosa did her best _____.

[1-2] 빈칸에 들어갈 말로 알맞은 것을 고르시오.

1

_____ you need a pen, I can lend you mine.

① If   ② After   ③ Although
④ Unless   ⑤ Though

2

I wonder _____ she has a brother or a sister.

① as   ② when   ③ since
④ though   ⑤ whether

3 빈칸에 들어갈 수 없는 것을 모두 고르면?

_____ they left late, they arrived on time.

① Until   ② Though
③ Although   ④ As long as
⑤ Even though

4 빈칸에 공통으로 들어갈 말로 알맞은 것은?

• He felt very tired _____ he stayed up late last night.
• The air becomes colder _____ we go up higher.

① if   ② as   ③ since
④ so that   ⑤ because

5 빈칸에 들어갈 말이 순서대로 짝 지어진 것은?

• She tried again and again _____ she succeeded.
• I'm trying not to eat fast food _____ I can stay healthy.

① since – before   ② as – unless
③ if – after   ④ until – so that
⑤ whether – when

6 보기 의 밑줄 친 말과 바꿔 쓸 수 있는 것을 모두 고르면?

보기   He lowered his voice because his daughter was asleep.

① if   ② as
③ until   ④ since
⑤ although

7 밑줄 친 부분의 우리말 뜻이 바르지 않은 것은?

① They did **as the teacher asked**.
　　　　　(그 선생님이 요청한 대로)
② I don't know **if she can speak Korean**.
　　　　　　　(그녀가 한국어를 말할 수 있다면)
③ **Both Jack and I** like to go to the movies.
　　(Jack과 나 둘 다)
④ **Although he was late**, he didn't hurry.
　　(비록 그는 늦었지만)
⑤ I can't finish my project **unless he helps me**.
　　　　　　　　　　　(그가 나를 돕지 않으면)

8 밑줄 친 부분 중 어법상 바르지 <u>않은</u> 것은?

① The problem is <u>not only</u> money but also time.
② He has a sore throat <u>because</u> a cold.
③ You can stay here <u>as long as</u> you want.
④ <u>After</u> the concert is over, we will have dinner.
⑤ The product is <u>so</u> popular <u>that</u> everybody wants it.

[9-10] 밑줄 친 부분의 쓰임이 나머지와 다른 것을 고르시오.

9 ① They ate some pizza <u>while</u> they watched TV.
② Susan likes cats <u>while</u> her sister likes dogs.
③ He listens to music <u>while</u> he's jogging in the park.
④ Let's decorate the tree <u>while</u> they're making a cake.
⑤ <u>While</u> his car was being repaired, he took a bus to work.

10 ① The little boy cried a lot <u>as</u> he was hungry.
② <u>As</u> Amy was sick, she took some medicine.
③ <u>As</u> I have to finish my report, I can't go for a walk now.
④ She did <u>as</u> her grandmother asked.
⑤ He didn't know the story <u>as</u> he hadn't watched the movie.

11 빈칸에 If가 들어가기에 의미상 <u>어색한</u> 것은?

① _____ she comes, we'll start the meeting.
② _____ you like baseball, let's go to the stadium.
③ _____ he makes a mistake, he can break the world record.
④ _____ you feel hot, drink water instead of soft drinks.
⑤ _____ you bring your own cup, you can get a discount.

12 밑줄 친 부분 중 보기의 if와 의미가 다른 것은?

보기 He wanted to know <u>if</u> I could go hiking with him.

① I'm not sure <u>if</u> she can go fishing with me.
② We wondered <u>if</u> Harry was really an actor.
③ I wonder <u>if</u> she bought an electric car.
④ We will visit him <u>if</u> Joyce is at home.
⑤ He asked me <u>if</u> I could come to his birthday party.

[13-14] 다음 우리말을 영어로 옮길 때 빈칸에 들어갈 말로 알맞은 것을 고르시오.

13

그는 그 소식을 들었을 때 웃지도 울지도 않았다.
→ When he heard the news, _____.

① he didn't smile but cried
② he either smiled or cried
③ he both smiled and cried
④ he neither smiled nor cried
⑤ he not only smiled but also cried

14

나는 네가 점심으로 무엇을 먹을지 궁금하다.
→ I wonder _____.

① what will you have for lunch
② what have you for lunch
③ what you will have for lunch
④ whether will you have for lunch
⑤ whether you will have for lunch

15 우리말과 일치하도록 괄호 안의 말을 배열할 때, 여섯 번째로 오는 단어는?

> 그는 새 스마트폰을 살 수 있도록 그의 돈을 저축했다.
> (he, that, smartphone, his, money, could, saved, buy, a, new, so, he)

① so ② buy ③ could
④ money ⑤ that

고난도
16 다음 밑줄 친 부분 중 어법상 틀린 것의 개수는?

> ⓐ Can you tell me why is Jenny shouting?
> ⓑ Either Lisa or James are able to join the school band.
> ⓒ Ms. Ray likes not only growing vegetables but also raising flowers.
> ⓓ I'm not sure whether she can do the volunteer work with me.
> ⓔ Julie is not full in spite of she ate three pieces of pizza.

① 1개 ② 2개 ③ 3개
④ 4개 ⑤ 5개

17 다음 문장과 전달하는 의미가 같은 것은?

> She is so clever that she can solve the difficult puzzle.

① She is too clever to solve the difficult puzzle.
② She is clever enough to solve the difficult puzzle.
③ She can solve the difficult puzzle unless she is clever.
④ She is clever if she can solve the difficult puzzle.
⑤ Although she is clever, she can't solve the difficult puzzle.

18 밑줄 친 부분의 쓰임이 문맥상 어색한 것은?

① Dan didn't feel well. <u>However</u>, he went to school.
② My bike was broken. <u>Thus</u>, I couldn't ride it.
③ It was getting dark. <u>Instead</u>, the wind began to blow.
④ Anna doesn't like snack food. <u>In fact</u>, she never eats candies.
⑤ This laptop doesn't belong to me. <u>Therefore</u>, I can't lend it to you.

19 빈칸 (A)~(C)에 들어갈 말이 순서대로 짝 지어진 것은?

> • Neither Jim nor his sons ___(A)___ ice cream.
> • Whether he'll agree ___(B)___ an important matter.
> • I have written in my diary since I ___(C)___ 8.

  (A) (B) (C)
① like – is – was
② likes – is – was
③ like – is – have been
④ likes – are – have been
⑤ like – are – was

고난도
20 다음 중 어법상 올바른 것끼리 짝 지어진 것은?

> ⓐ I drink warm milk so that I can sleep well.
> ⓑ He bought a pair of sneakers as well as a sweater.
> ⓒ The sofa was so comfortable which I fell asleep.
> ⓓ Please let me know where you bought your bag.
> ⓔ Both Tommy and Mark enjoys playing computer games.

① ⓐ, ⓑ, ⓒ ② ⓐ, ⓑ, ⓓ ③ ⓐ, ⓓ, ⓔ
④ ⓑ, ⓒ, ⓓ ⑤ ⓒ, ⓓ, ⓔ

21 알맞은 접속사를 사용하여 주어진 두 문장을 한 문장으로 바꿔 쓰시오.

(1) The mountain is very high. So they can't climb it.

→ The mountain is _____

_____ .

(2) I'm not sure. Does Ben enjoy spicy food?

→ I'm not sure _____

_____ .

22 우리말과 일치하도록 괄호 안의 말과 알맞은 접속사를 이용하여 문장을 완성하시오.

(1) 비록 그는 기차역까지 달려갔지만, 그의 기차를 놓쳤다. (run, to the train station)

→ _____

_____ , he missed his train.

(2) 네가 얼음 위에서 천천히 걷지 않으면, 너는 넘어질 것이다. (walk, slowly)

→ _____

_____ on the ice, you'll fall down.

23 우리말과 일치하도록 괄호 안의 말을 바르게 배열하여 문장을 쓰시오.

(1) 너는 누가 이 사진을 찍었는지 아니?

(this, do, picture, you, who, took, know)

→ _____

_____

(2) 나는 내 편지가 나의 할머니를 행복하게 만들었는지 궁금하다.

(my letter, made, I, my grandmother, whether, happy, wonder)

→ _____

_____

24 Jane과 Tim이 돈을 저축한 목적을 나타내는 그림을 보고, 조건 에 맞게 문장을 완성하시오.

(1)  (2)

조건   1. so that을 반드시 포함할 것
       2. 괄호 안의 말과 could를 이용할 것

(1) Jane saved her money _____

_____ .

(buy a new hat)

(2) Tim saved his money _____

_____ .

(take a cooking class)

고난도
25 학생들의 방과 후 희망 활동을 조사한 결과를 나타내는 표를 보고, 조건 에 맞게 문장을 완성하시오.

Activities	play the guitar	go swimming
Betty	○	×
Paul	○	○
Monica	×	×

조건   1. 알맞은 상관접속사를 이용할 것
       2. (1)은 both를 사용할 것
       3. (2)는 neither를 사용할 것
       4. (3)은 only와 also를 사용할 것

(1) _____

want to play the guitar after school.

(2) _____

wants to go swimming after school.

(3) Paul wants to _____

_____ after school.

CHAPTER

11 관계사

관계대명사
who
whom
whose
which
that

관계부사
where
when
why
how

복합 관계대명사
whoever
whatever
whichever

복합 관계부사
wherever
whenever
however

관계사는 앞에 오는 명사를 수식하는 절을 이끌며,
관계사에는 관계대명사와 관계부사가 있다.

POINT 1 주격 관계대명사

정답 및 해설 p.34

관계대명사절이 앞의 선행사를 수식해요.

주격 관계대명사는 관계대명사가 이끄는 절(관계대명사절)에서 주어 역할을 한다. 선행사가 사람일 때 who, 선행사가 사물이나 동물일 때 which를 쓴다. 선행사에 관계없이 that을 쓸 수 있다.

선행사	주격 관계대명사		
사람	who that	I have **a brother**. + **He** is good at singing. → I have **a brother** **who(that)** is good at singing. (선행사 ↑ 관계대명사절)	나는 노래를 잘 부르는 남동생이 있다.
사물·동물	which that	He bought **a bag**. + **It** has a large pocket. → He bought **a bag** **which(that)** has a large pocket. (선행사 ↑ 관계대명사절)	그는 큰 주머니가 있는 가방을 샀다.

Tips 주격 관계대명사 뒤에 나오는 동사는 선행사의 인칭과 수에 일치시킨다.

Listen to this song **which is** famous in Korea. 한국에서 유명한 이 노래를 들어 봐.
(선행사: 단수 명사 / 단수 동사)

I have two sisters **who are** younger than me. 나는 나보다 어린 여동생이 두 명 있다.
(선행사: 복수 명사 / 복수 동사)

주의 문장의 주어가 관계대명사절을 포함하여 길어진 경우, 문장의 동사를 파악할 때 유의한다.

The piano [**which** is in the living room] is my sister's.
(주어 ↑ / 동사)

거실에 있는 피아노는 내 여동생의 것이다.

궁금해요!
주격 관계대명사를 생략할 수 있나요?

단독으로 생략할 수는 없지만, 뒤에 be동사가 나온 경우 「주격 관계대명사+be동사」를 생략할 수 있어요. 이때 be동사 뒤에는 현재분사 또는 과거분사가 남게 돼요.

Tony is the boy (**who is**) running around the lake.
Tony는 호수 주변을 뛰어다니고 있는 소년이다.
This is a car (**which was**) made in Germany.
이것은 독일에서 만든 차이다.

개념확인 주격 관계대명사와 선행사 찾기

1 John is the boy who is wearing glasses.

2 He has a house which has two bedrooms.

기본연습 **A** 괄호 안에서 알맞은 것을 고르시오.

1 I want a robot (who / which) can clean my house.

2 She is the player (who / which) scored the final goal.

3 I know a boy who (want / wants) to be a famous cook.

4 Some people don't like stories which (has / have) sad endings.

5 Look at the man (which / who) is standing behind the tent.

6 The sports car which is parked outside (is / are) very expensive.

7 We will go to the park (who / which) is famous for its fountains. * fountain 분수

B 다음 문장에서 생략 가능한 부분에 밑줄을 그으시오. (없을 경우 X표 할 것)

1 Jessica saw a man who was singing in the rain.

2 We are looking at the stars which are shining in the night sky.

3 He knows a store which sells fresh fruits and vegetables.

4 We saw the building which was built in the 1980s.

5 There are many students who are playing in the playground.

6 Junho who lives next door is my best friend.

7 The cookies which were baked by my grandma are really delicious.

C 관계대명사를 사용하여 주어진 두 문장을 한 문장으로 연결하시오.

1 We must protect wild animals. They are in danger.

→ We must protect wild animals _____.

2 I like my grandparents. They are really generous to me.

→ I like my grandparents _____.

3 Spain is a country. It has many beautiful places.

→ Spain is a country _____.

4 David works at the restaurant. It is located next to the bank.

→ David works at the restaurant _____.

5 Helen wants to be an announcer. The announcer reports news on TV.

→ Helen wants to be an announcer _____.

6 I want to borrow a detective novel. It is written by Agatha Christie.

→ I want to borrow a detective novel _____.

7 Look at the cats. They are playing with a ball.

→ Look at the cats _____.

틀리기 쉬운 내/신/포/인/트

주격 관계대명사 뒤에 이어지는 동사는 선행사의 인칭과 수에 일치시켜야 해요.

다음 중 어법상 틀린 문장은?

① You can eat the sandwich that is on the table.

② The boy who is crossing the street is my brother.

③ This is the picture which were painted by Amy.

④ Do you know the lady who lives in that house?

POINT 2 목적격 관계대명사

목적격 관계대명사는 관계대명사절에서 목적어 역할을 한다. 선행사가 사람일 때 **who** 또는는 **whom**을 쓰고, 선행사가 사물일 때 **which**를 쓴다. 선행사에 관계없이 **that**을 쓸 수 있다.

선행사	목적격 관계대명사		
사람	who whom that	He is **a singer**. + Everybody likes **him**. → He is **a singer** who(whom/that) everybody likes. 　　　　　　선행사 ↑		그는 모두가 좋아하는 가수이다.
사물 · 동물	which that	This is **the bike**. + My uncle bought **it** for me. → This is **the bike** which(that) my uncle bought for me. 　　　　　선행사 ↑		이것은 삼촌이 나에게 사 준 자전거이다.

Tips 목적격 관계대명사는 생략할 수 있다.

The man (**who/whom/that**) I met in the park is a famous poet. 내가 공원에서 만난 남자는 유명한 시인이다.
This is the lamp (**which/that**) Kevin made a year ago. 이것은 Kevin이 1년 전에 만든 등이다.

주의 선행사가 문장의 주어일 때 문장의 동사는 선행사의 인칭과 수에 일치시켜야 한다.

The chairs [**which** I made] are very comfortable. 내가 만든 의자들은 매우 편안하다.
선행사: 복수 명사 ↑　　　　복수 동사

개념확인 목적격 관계대명사와 선행사 찾기

1 Ms. Ray is an inventor whom I respect.　　**2** This is the radio which he gave me.

기본연습 관계대명사를 사용하여 주어진 두 문장을 한 문장으로 연결하시오.

1 Mina is a person. I can trust her.

→ Mina is a person _____ .

2 I found the dog. My neighbor was looking for the dog.

→ I found the dog _____ .

3 Let's read the Christmas card. Andy sent us the Christmas card.

→ Let's read the Christmas card _____ .

4 She is a famous celebrity. I often see her on TV.　　＊ celebrity 유명 인사

→ She is a famous celebrity _____ .

5 The bus is very crowded. I take the bus every day.

→ The bus _____ is very crowded.

6 Do you know the old man? Dr. Kim treated him.

→ Do you know the old man _____ ?

소유격 관계대명사는 관계대명사절에서 소유격 대명사 역할을 하며, 선행사에 관계없이 whose를 쓴다.
소유격 관계대명사 뒤에는 소유의 대상이 되는 명사가 나온다.

| whose | I have **an aunt**. + **Her** *hobby* is taking pictures.
 → I have **an aunt whose** *hobby* is taking pictures.
 선행사

 I met **a girl whose** *hometown* is London.

 My friend lost **a cat whose** *name* is Cookie. | 나는 취미가 사진 촬영인 이모가 있다.

 나는 고향이 런던인 소녀를 만났다.

 내 친구는 이름이 쿠키인 고양이를 잃어버렸다. |

주의 소유격 대명사와 관사는 함께 쓸 수 없으므로, 소유격 관계대명사와 명사 사이에 관사(the, a, an)는 올 수 없다.
I know the girl **whose** *bike* was stolen. 나는 자전거를 도둑맞은 그 소녀를 안다.
whose a bike (✗)

> 소유격 관계대명사 뒤에는 명사가 나와요.

개념확인 소유격 관계대명사와 선행사 찾기

1 The kid whose name is Homin is my cousin.　　**2** Look at the dog whose hair is very long.

기본연습 A 밑줄 친 부분이 어법상 **틀린** 경우 바르게 고쳐 쓰시오. (옳은 경우 ○표 할 것)

1 There once was a little dragon its body was black. → _____

2 I'm looking for a storybook whose cover are golden. → _____

3 There are monkeys their arms are long in the zoo. → _____

4 I met a little boy whose father is a famous writer. → _____

B 관계대명사를 사용하여 주어진 두 문장을 한 문장으로 연결하시오.

1 Juila is the girl. Her birthday is tomorrow.

→ Juila is the girl _____.

2 My brother is wearing a coat. Its buttons are very big.

→ My brother is wearing a coat _____.

틀리기 쉬운 내/신/포/인/트

관계대명사가 문장에서 하는 역할이 무엇인지 살펴보면 주격, 목적격, 소유격 관계대명사를 구별하기 더 쉬워요.

빈칸에 들어갈 말이 나머지 셋과 **다른** 것은?

① This is my friend _____ name is Jane.
② I know the man _____ car was stolen.
③ Ben is the boy _____ dream is to be an actor.
④ I want to be a person _____ people trust.

POINT 4 관계대명사 what

what은 선행사를 포함하는 관계대명사로, '~하는(한) 것'으로 해석한다. 관계대명사 what이 이끄는 명사절은 문장에서 주어, 목적어, 보어 역할을 한다.

주어	**What** I need now *is* your help. └→ 문장의 주어로 쓰인 경우 단수 취급해요.	내가 지금 필요한 것은 너의 도움이다.
목적어	I don't believe **what** she said.	나는 그녀가 말한 것을 믿지 않는다.
보어	This book is **what** I wanted to read.	이 책은 내가 읽고 싶었던 것이다.

↘ 관계대명사 what은 선행사를 포함하고 있으므로, the thing(s) which[that]의 의미를 나타낸다고 볼 수 있어요.

Tips 관계대명사 what *vs.* 관계대명사 that
Show me **what** you have in your pocket. 네 주머니 속에 가지고 있는 것을 내게 보여 줘. ➜ 앞에 선행사가 없어요.
Can I borrow the pen **that** is in your pocket? 네 주머니 속에 있는 펜을 내가 빌릴 수 있을까? ➜ 앞에 선행사가 있어요.
　　　　　　　선행사

주의 관계대명사 what *vs.* 의문사 what
〈관계대명사〉 **What** he said was true. 그가 말한 것은 사실이었다. ➜ what이 '~한 것'으로 해석됨
〈의문사〉　　 **What** will you do after school? 너는 방과 후에 **무엇**을 할 거니? ➜ what이 '무엇'으로 해석됨

개념확인 옳은 해석 고르기

1 I like what you gave me.
　□ 무엇을 네가 내게 주었는지　　□ 네가 내게 준 것

2 What I want to buy is a new smartphone.
　□ 무엇을 내가 사고 싶은지　　□ 내가 사고 싶은 것

기본연습 **A** 밑줄 친 부분의 역할을 고르고, 해석을 완성하시오.

1 What they need now is your advice.　　　　□ 주어　□ 목적어　□ 보어
　→ _____ 은 당신의 조언이다.

2 The test result was not what he expected.　　□ 주어　□ 목적어　□ 보어
　→ 그 시험 결과는 _____ 이 아니었다.

3 We have to remember what we learned in school.　□ 주어　□ 목적어　□ 보어
　→ 우리는 _____ 을 기억해야 한다.

4 That is what I want to say.　　　　　　　□ 주어　□ 목적어　□ 보어
　→ 그것이 _____ 이다.

5 What she enjoys in summer is swimming.　　□ 주어　□ 목적어　□ 보어
　→ _____ 은 수영이다.

6 Don't put off till tomorrow what you can do today.　□ 주어　□ 목적어　□ 보어
　→ _____ 을 내일로 미루지 마라.

B 밑줄 친 부분이 어법상 틀린 경우 바르게 고쳐 쓰시오. (옳은 경우 ○표 할 것)

1 That was not <u>that</u> I meant to say.　　　　　→ _____

2 I don't understand <u>what</u> you're saying.　　　→ _____

3 Fantasy novels are <u>that</u> I like reading.　　　→ _____

4 <u>What</u> you need to do is to press this button.　→ _____

5 She bought the chair <u>what</u> I recommended.　→ _____

6 Do you know <u>what</u> his future dream is?　　　→ _____

7 Do you remember <u>that</u> you heard from Jason?　→ _____

8 Choose the song <u>what</u> you want to listen to.　→ _____

C 우리말과 일치하도록 관계대명사 what과 괄호 안의 말을 이용하여 문장을 완성하시오.

1 그가 필요한 것은 숙면이다. (need)

　→ _____ is a good night's sleep.

2 이 애플파이는 내가 Amy를 위해 구운 것이다. (bake, for)

　→ This apple pie is _____.

3 너는 네가 하고 싶은 것을 하는 게 좋다. (want, do)

　→ You'd better do _____

4 그녀가 어제 산 것은 그녀의 조카를 위한 장난감 자동차였다. (buy, yesterday)

　→ _____ was a toy car for her nephew.

5 새 재킷은 내가 살 필요가 있는 것이다. (need, buy)

　→ A new jacket is _____

6 네가 먹고 싶은 것을 내게 알려 줘. (want, eat)

　→ Let me know _____

밑줄 친 부분의 쓰임이 어법상 틀린 것은?

① You have <u>what</u> I'm looking for.

② Show me <u>what</u> you have in your hands.

③ This is the house <u>what</u> Mr. Green built.

④ We can't understand <u>what</u> she said.

관계대명사가 전치사의 목적어로 쓰인 경우, 전치사는 관계대명사절의 끝에 오거나 관계대명사 바로 앞에 올 수 있다.

I know the girl. + James is talking to her.

→ I know the girl (**whom**) James is talking **to**.

→ I know the girl **to whom** James is talking.

나는 James가 이야기하고 있는 소녀를 안다.

↪ 단독으로 쓰인 목적격 관계대명사는 생략 가능해요.

↪ 전치사를 관계대명사 앞에 쓰면, 목적격 관계대명사를 생략할 수 없어요.

Tips 목적격 관계대명사로 who나 that을 쓴 경우, 전치사를 관계대명사 앞에 쓸 수 없다.
즉, 목적격 관계대명사 whom과 which만 「전치사＋관계대명사」의 형태가 가능하다.

She is my sister **whom**(~~who/that~~) I live **with**. 그녀는 내가 함께 사는 여동생이다.

→ She is my sister **with whom**(~~who/that~~) I live.

This is the key **which**(~~that~~) I was looking **for**. 이것이 내가 찾고 있던 열쇠이다.

→ This is the key **for which**(~~that~~) I was looking.

개념확인 밑줄 친 전치사가 들어갈 수 있는 다른 위치 찾기

1 Bill is the boy whom I spoke <u>to</u>.

2 This is the town <u>in</u> which Violet was born.

기본연습 괄호 안에서 알맞은 것을 고르시오.

1 Let me tell you about the person to (who / whom / that) I gave the flowers.

2 This is the car (in which / that) they are interested.

3 Andrew is the man about (who / whom / that) everybody told you.

4 Basketball is the sport of (which / that) we are fond.

5 Jenny and Tim are friends (on who / on whom) I can depend.

6 The picture (at which / at that) she is looking was painted by my uncle.

7 Where is the theater (which / to which) you went to last Sunday?

**틀 리 기 쉬 운
내/신/포/인/트**

전치사 바로 뒤에는 목적격 관계대명사 who나 that 을 쓸 수 없어요.

밑줄 친 관계대명사의 쓰임이 올바른 것을 **두 개** 고르면?

① She is the woman with <u>who</u> I worked.

② He didn't get the job <u>that</u> he applied for.

③ This is the contest in <u>which</u> he participated.

④ The chair on <u>that</u> he is sitting is mine.

계속적 용법은 관계대명사절이 선행사에 대해 추가 설명을 할 때 쓰며, 관계대명사 앞에 콤마(,)를 쓴다. ☆

선행사가 단어나 구일 때	Ms. Jones has two **daughters, who** are musicians. Jones 씨는 딸이 두 명 있는데, 둘 다 음악가이다. We will go to **Seokguram, which** is located in Gyeongju. 우리는 석굴암에 갈 것인데, 경주에 위치해 있다. I'm reading **a book about London, which** Joan lent me. 나는 런던에 관한 책을 읽고 있는데, Joan이 내게 빌려주었다.
선행사가 앞 절 전체일 때	**I didn't do my homework, which** made him angry. 나는 숙제를 하지 않았는데, 그것이 그를 화나게 만들었다. **She helped me find my dog, which** was very touching. 그녀는 내가 개를 찾는 것을 도와주었는데, 그것은 매우 감동적이었다.

↝ 계속적 용법의 해석은
앞에서부터 차례로
하는 것이 자연스러워요.

↝ 앞 절 전체가 선행사인 경우,
계속적 용법의 관계대명사는
which를 써요.

주의 관계대명사 that은 계속적 용법으로 쓰이지 않는다.

개념확인 **알맞은 관계대명사 고르기**

1 I met Aron, _____ is a famous novelist.

☐ which   ☐ who

2 He won the game, _____ made us happy.

☐ which   ☐ that

기본연습 **A** 빈칸에 알맞은 관계대명사를 쓰시오.

1 This is bibimbap, _____ is a traditional Korean dish.

2 Luke passed his driving test, _____ surprised his friends.

3 They climbed Mt. Everest, _____ was a difficult challenge for them.

B 주어진 정보와 관계대명사를 이용하여 문장을 완성하시오.

1 King Sejong invented Hangeul.

→ This book is about King Sejong, _____.

2 I visited the old town last year.

→ I remember the old town, _____.

3 The Louvre Museum has many works of art.

→ I want to visit the Louvre Museum, _____.

POINT 7 관계부사

관계부사는 접속사와 부사(구)의 역할을 동시에 하며, 관계부사가 이끄는 절이 장소, 시간, 이유, 방법을 나타내는 선행사를 수식한다.

관계부사	선행사	
where	장소 (the place, the city 등)	Busan is **the city where** I was born. 부산은 내가 태어난 도시이다.
when	시간 (the time, the day 등)	I won't forget **the day when** I first met you. 나는 너를 처음 만났던 날을 잊지 못할 것이다.
why	이유 (the reason)	I want to know **the reason why** she didn't call me. 나는 그녀가 왜 내게 전화하지 않았는지 이유를 알고 싶다.
how	방법 (the way)	Let me tell you **how** I solved the math problem. (= Let me tell you **the way** I solved the math problem.) 내가 그 수학 문제를 풀었던 방법을 너에게 말해 줄게.

> 관계부사 how와 the way는 함께 쓸 수 없고, 둘 중 하나만 써요.

Tips 관계부사는 「전치사+관계대명사」로 나타낼 수 있다.

where → at/in/on/to+which	when → at/in/on+which
why → for which	how → in which

> where와 when은 선행사에 맞는 전치사를 써야 해요.

Busan is the city **where** I was born. ⟿ I was born (in the city)
→ Busan is the city **in which** I was born.

주의 관계대명사 *vs.* 관계부사
관계대명사 뒤에는 주어나 목적어가 없는 불완전한 문장이 이어지고, 관계부사 뒤에는 부사(구)를 제외한 온전한 문장이 나온다.
〈관계대명사〉 I will visit **the town** which has a famous festival. 나는 유명한 축제가 있는 마을을 방문할 것이다.
〈관계부사〉 I will visit **the town where** I was born. 나는 내가 태어난 마을을 방문할 것이다.

개념확인 관계부사와 선행사 찾기

1 This is the store where I bought my watch.　　2 I remember the day when I won the quiz show.

기본연습 A 괄호 안에서 알맞은 것을 고르시오.

1 New York is a big city (where / why) many people live together.

2 Sunday is the day (where / when) we watch a movie together.

3 Can you tell me (the way / the reason) why you didn't come to my birthday party?

4 I want to know (how / the way how) you solved this puzzle.

5 This is the street (on where / on which) Tommy found this wallet.

6 Do you know the reason (why / which) she looks so sad?

B 빈칸에 알맞은 관계부사를 쓰시오.

1 Yeosu is the city _____ I spent my childhood.

2 Tomorrow is the day _____ my best friend is going back to Spain.

3 Don't ask the reason _____ she gave up the singing audition.

4 The Internet is changing _____ we communicate.

5 We need a place _____ we can play baseball together.

6 This is the reason _____ we should finish the project by tomorrow.

7 This is _____ you cook samgyetang.

8 I'm looking forward to the time _____ I can drive a car.

9 This is a place in _____ I can relax.

C 관계부사를 사용하여 주어진 두 문장을 한 문장으로 연결하시오.

1 Winter is the season. We enjoy skiing in the winter.

→ Winter is the season _____.

2 This is the town. My grandparents live in this town.

→ This is the town _____.

3 I want to know the reason. Jina is absent for the reason.

→ I want to know the reason _____.

4 Amy told me the way. She made her blog in this way.

→ Amy told me _____.

5 They visited the house. Chopin was born in that house.

→ They visited the house _____.

틀리기 쉬운
내/신/포/인/트

관계대명사는 (대)명사를
대신하고, 관계부사는 부
사(구)를 대신해요.

빈칸에 들어갈 관계사가 나머지 셋과 다른 것은?

① This is the park _____ I ride my bike.

② She'll buy the house _____ she saw last week.

③ There is a supermaket _____ we can buy fresh fruit.

④ This is the restaurant _____ we had dinner yesterday.

POINT 8 복합관계대명사

복합관계대명사는 「관계대명사+-ever」의 형태로, 명사절 또는 양보의 부사절을 이끈다.

명사절	whoever	~하는 누구든지 (= anyone who)	**Whoever** wishes to come can join me. 오고 싶은 **누구든지** 나와 함께할 수 있다.
	whatever	~하는 무엇이든지 (= anything that)	You can do **whatever** you want. 너는 네가 원하는 **무엇이든지** 할 수 있다.
	whichever	~하는 어느 것이든지 (= anything which)	I can choose **whichever** I like. 나는 내가 좋아하는 **어느 것이든지** 선택할 수 있다.
양보의 부사절	whoever	누가 ~할지라도 (= no matter who)	**Whoever** comes, we don't care. **누가** 올**지라도** 우리는 상관없다.
	whatever	무엇이〔을〕 ~할지라도 (= no matter what)	I am on your side **whatever** happens. **무엇이** 일어날**지라도** 나는 네 편이다.
	whichever	어느 것이〔을〕 ~할지라도 (= no matter which)	**Whichever** you choose, you will be happy. 네가 **어느 것을** 선택할**지라도** 너는 행복할 것이다.

> 복합관계대명사가 이끄는 명사절은 문장에서 주어, 목적어, 보어 역할을 해요.

Tips whoever나 whatever가 이끄는 절이 주어로 쓰인 경우, 단수 취급한다.
Whatever I say is true. 내가 말하는 무엇이든지 사실이다.
<u>주어</u>

개념확인 옳은 해석 고르기

1 You can eat <u>whatever you want</u>.
  ☐ 네가 원하는 무엇이든지   ☐ 네가 무엇을 원할지라도

2 Whoever comes, I don't mind.
  ☐ 오는 누구든지   ☐ 누가 오더라도

기본연습 우리말과 일치하도록 빈칸에 알맞은 복합관계대명사를 쓰시오.

1 그녀는 그녀가 아는 무엇이든지 우리에게 말할 것이다.
  → She will tell us ＿＿＿＿＿＿＿＿ she knows.

2 마지막으로 떠나는 누구든지 불을 꺼야 한다.
  → ＿＿＿＿＿＿＿＿ leaves last should turn off the lights.

3 너는 네가 좋아하는 어느 것이든지 주문할 수 있다.
  → You can order ＿＿＿＿＿＿＿＿ you like.

4 네가 무엇을 할지라도, 최선을 다해라.
  → ＿＿＿＿＿＿＿＿ you do, try your best.

5 누가 전화하더라도, 그들에게 내가 외출했다고 말해 줘.
  → ＿＿＿＿＿＿＿＿ rings, tell them I'm out.

POINT 9 복합관계부사

복합관계부사는 「관계부사+-ever」의 형태로, 장소나 시간의 부사절 또는 양보의 부사절을 이끈다.

장소 · 시간의 부사절	wherever	~하는 곳은 어디든지 (= at any place where)	We can go **wherever** we want. 우리는 우리가 원하는 곳은 어디든지 갈 수 있다.
	whenever	~할 때는 언제나 (= at any time when)	You can leave **whenever** you want. 너는 네가 원할 때는 언제나 떠날 수 있다.
양보의 부사절	wherever	어디에(서) ~하더라도 (= no matter where)	**Wherever** Sally goes, she makes friends easily. Sally는 어디에 가더라도, 그녀는 친구들을 쉽게 사귄다.
	whenever	언제 ~하더라도 (= no matter when)	I will run to you **whenever** you call me. 네가 언제 나를 부르더라도 나는 너에게 달려갈 것이다.
	however	아무리 ~하더라도 (= no matter how)	**However** tired we are, we must finish it. 우리가 아무리 피곤하더라도, 우리는 그것을 끝내야 한다.

however의 경우, 「however+형용사/부사+주어+동사」의 순서로 쓰는 것에 유의해요.

개념확인 옳은 해석 고르기

1 You can visit us <u>whenever you want</u>.

☐ 네가 원하더라도　　☐ 네가 원할 때는 언제나

2 <u>Wherever you go</u>, you will be welcomed.

☐ 네가 가려면　　☐ 네가 어디에 가더라도

기본연습 A 괄호 안에서 알맞은 것을 고르시오.

1 I will help you (however / whenever) you need me.

2 Please have a seat (however / wherever) you like.

3 (However / How) hungry you are, you should eat slowly.

4 (Whenever / However) he rides his bike, he wears a helmet.

5 However (it is hot / hot it is) inside, the windows should stay closed.

6 You can take a rest (whenever / whatever) you want.

7 (Whenever / Wherever) we go, there is no place like home.

B 우리말과 일치하도록 빈칸에 알맞은 복합관계부사를 쓰시오.

1 내 여동생은 내가 가는 곳은 어디든지 나를 따라온다.

→ My little sister follows me _____ I go.

2 비가 많이 내릴 때는 언제나 그 강이 범람한다.

→ The river overflows _____ it rains a lot.

3 네가 아무리 노력하더라도, 너는 그 보물 상자를 열지 못할 것이다.

→ _____ hard you try, you won't open the treasure box.

개 ' 념 ' 완 ' 성 ' **TEST**

정답 및 해설 p.36

STEP 1 Map으로 개념 정리하기

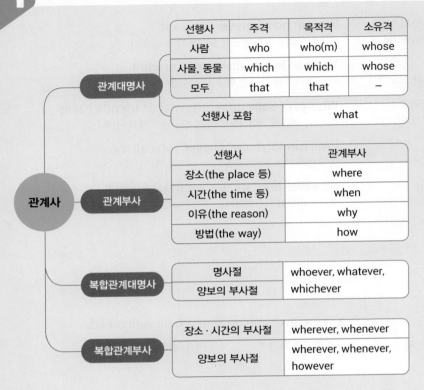

선행사	주격	목적격	소유격
사람	who	who(m)	whose
사물, 동물	which	which	whose
모두	that	that	–

선행사 포함	what

관계대명사

선행사	관계부사
장소(the place 등)	where
시간(the time 등)	when
이유(the reason)	why
방법(the way)	how

관계부사

관계사

명사절	whoever, whatever, whichever
양보의 부사절	

복합관계대명사

장소·시간의 부사절	wherever, whenever
양보의 부사절	wherever, whenever, however

복합관계부사

Quick Check

❶ I have a friend (who / which) likes camping.

❷ Look at the monkey (which / whose) arms are long.

❸ This is (what / which) I'm looking for.

❹ I know the boy to (that / whom) Kate is talking.

❺ I told a lie, _____ made him angry.

❻ I remember the year _____ I first met you.

❼ (Who / Whoever) wins the game will get the prize.

❽ (Whenever / However) smart he is, he can't solve the problem.

STEP 2 기본 다지기

오류수정

A 밑줄 친 부분이 틀린 경우 바르게 고쳐 쓰시오. (옳은 경우 ○표 할 것)

1 Lynn has an uncle <u>which</u> runs a restaurant. → _____

2 The bottle <u>that</u> I found in the sand had a letter inside. → _____

3 The child <u>standing</u> next to Mike is his brother. → _____

4 The taxi driver who took me to the airport <u>were</u> friendly. → _____

5 Steve sent me a letter <u>what</u> was written in blue ink. → _____

6 We don't know <u>how</u> he fixed the machine. → _____

7 Do you remember the day <u>where</u> your sister was born? → _____

8 The man for <u>who</u> we are waiting is a famous artist. → _____

9 <u>However you are tall</u>, you can't reach the ceiling. → _____

B 우리말과 일치하도록 보기의 관계사와 괄호 안의 말을 이용하여 문장을 완성하시오.

> 보기   what   whose   which   why   whom   whenever   whatever

1 Johns 씨는 이름이 Daisy인 아기를 돌본다. (name)

→ Ms. Johns takes care of a baby _____.

2 Andrew는 모두가 좋아하는 사람이다. (everybody, like)

→ Andrew is a person _____.

3 그 상점은 Helen이 사고 싶은 것을 가지고 있지 않다. (want to buy)

→ The shop doesn't have _____.

4 너는 그가 그 경주를 포기했던 이유를 아니? (give up the race)

→ Do you know the reason _____?

5 너는 네가 원하는 무엇이든지 선택할 수 있다. (want)

→ You can choose _____.

6 나는 책을 선택할 때는 언제나 표지를 먼저 본다. (choose a book)

→ I look at the cover first _____.

7 우리는 한라산을 등반할 예정인데, 그것은 제주도에 있다. (be, in Jeju-do)

→ We are going to climb Mt. Halla, _____.

C 관계사를 사용하여 주어진 두 문장을 한 문장으로 연결하시오.

1 David knows a restaurant. It sells delicious noodles.

→ _____

2 I read about a professor. Her ideas are new and creative.

→ _____

3 He can't forget the song. The band played the song yesterday.

→ _____

4 This is the road. The bike accident happened here.

→ _____

5 This is the flower shop. I told you about it. (전치사의 위치를 달리하여 두 문장을 쓸 것)

→ _____

→ _____

STEP 3 서술형 따라잡기

그림이해
A 그림의 상황에 맞게 what과 괄호 안의 말을 이용하여 대화를 완성하시오.

1
> Let me show you
> _____.

> Oh, that's
> a nice bag!

(buy, yesterday)

2
> _____
> is pasta.

> I'll cook it
> for you.

(want, eat)

영작완성
B 우리말과 일치하도록 괄호 안의 말을 바르게 배열하여 문장을 쓰시오.

1 Rob은 몸체가 금속으로 만들어진 친숙한 로봇이다.

(Rob, body, whose, a friendly robot, metal, is made of, is)

→ _____

2 나는 어젯밤에 잠을 잘 못 잤고, 그것이 나를 피곤하게 느끼게 만들었다.

(I, feel, sleep well, me, which, couldn't, made, last night, tired)

→ _____

3 그가 아무리 바쁘더라도, 그는 내일까지 그 일을 끝내야 한다.

(finish, busy, however, he, should, the work, is, he, by tomorrow)

→ _____

문장영작
C 우리말과 일치하도록 관계사와 괄호 안의 말을 이용하여 영작하시오.

1 네가 어제 그린 그림을 나에게 보여 줘. (show, the picture, paint)

→ _____

2 그는 그가 아는 무엇이든지 우리에게 말할 것이다. (will, tell, us, know)

→ _____

3 그녀는 그녀가 학교 선거에서 이겼던 날을 기억한다. (remember, the day, win, the school election)

→ _____

1 빈칸에 들어갈 말로 알맞은 것은?

> Sumi remembers the day _____ she met her favorite movie star.

① what   ② which   ③ when
④ where   ⑤ why

[2-4] 빈칸에 들어갈 말이 순서대로 짝 지어진 것을 고르시오.

2
> • Lucy is a competent doctor _____ everybody likes.
> • Wilbur is a little pig _____ friend is a wise spider.

① whom – which   ② which – whose
③ which – which   ④ whom – whose
⑤ whom – who

3
> • She will tell you _____ you need to know.
> • I'm going to meet Hojun, _____ is my best friend.

① that – who   ② what – what
③ that – what   ④ what – who
⑤ that – whom

4
> • This is the bakery _____ he buys bread every day.
> • This is the park _____ I told you about.

① which – where   ② where – which
③ which – which   ④ where – where
⑤ that – where

5 빈칸에 공통으로 들어갈 말로 알맞은 것은?

> • She opened the door _____ led to the attic.
> • Susan sent me a letter, _____ made me happy.

① who   ② which   ③ whose
④ whom   ⑤ what

6 밑줄 친 **what**의 쓰임이 나머지 넷과 다른 것은?

① This is exactly what I want.
② What she said was not true.
③ I don't know what this item is.
④ This sweater is what my grandma made for me.
⑤ Show me what you have in your hands.

7 우리말과 일치하도록 괄호 안의 말을 배열할 때, 세 번째로 오는 단어는?

> 내가 아무리 열심히 애썼을지라도, 나는 그 문을 열 수 없었다.
> (hard, open, I, however, couldn't, tried, the, door, I)

① hard   ② I   ③ couldn't
④ tried   ⑤ however

8 밑줄 친 부분이 어법상 틀린 것은?

① Where is the bike which I lent you?
② Show me what you bought at the market.
③ He is the singer whose voice is really beautiful.
④ I found the hat for that I was looking.
⑤ Thomas has two dogs which are very friendly.

9 밑줄 친 부분을 생략할 수 있는 문장을 모두 고르면?

> ⓐ The movie which Jason recommended to me was very scary.
> ⓑ The girl who is playing tennis is Mary's cousin.
> ⓒ This is the sunglasses of which I spoke yesterday.
> ⓓ He gave me the wallet which was made in Italy.

① ⓐ, ⓑ 　　② ⓐ, ⓒ 　　③ ⓐ, ⓑ, ⓒ
④ ⓐ, ⓑ, ⓓ 　　⑤ ⓑ, ⓒ, ⓓ

10 관계사를 사용하여 주어진 두 문장을 바르게 연결한 것은?

> · This is the scarf.
> · Elly made it for me as a present.

① This is the scarf who Elly made for me as a present.
② This is the scarf which Elly made it for me as a present.
③ This is the scarf what Elly made it for me as a present.
④ This is the scarf which Elly made for me as a present.
⑤ This is the scarf what Elly made for me as a present.

11 밑줄 친 부분과 바꿔 쓸 수 있는 것은?

> No matter what he says, don't believe him.

① Whoever　　② Whatever
③ Whichever　　④ However
⑤ Whenever

12 관계대명사를 사용하여 우리말을 바르게 영작한 것은?

> 나는 주머니가 아주 큰 배낭을 찾고 있다.

① I'm looking for a backpack who pocket is very big.
② I'm looking for a backpack which pocket is very big.
③ I'm looking for a backpack in which pocket is very big.
④ I'm looking for a backpack whose pocket is very big.
⑤ I'm looking for a backpack that pocket is very big.

13 밑줄 친 부분이 어법상 올바른 문장을 모두 고르면?

① I can choose whichever I like.
② I want to buy a house which have a big yard.
③ This is the way how we made this machine work.
④ The guitar which is on the table are very expensive.
⑤ The girl whose hair is red is my sister.

14 어법상 올바른 문장의 개수는?

> ⓐ What you need now is a rest.
> ⓑ He has many friends on whom he can rely on.
> ⓒ Do you know the reason when he went to Chicago?
> ⓓ Look at the mountain whose top is covered with snow.

① 0개　　② 1개　　③ 2개
④ 3개　　⑤ 4개

15 빈칸에 들어갈 말로 알맞지 <u>않은</u> 것은?

> The girl _____ is my classmate.

① whom Ken likes   ② plays with Emma
③ sitting next to Jake   ④ singing on the stage
⑤ whose eyes are brown

고난도

16 어법상 틀린 문장의 개수는?

> ⓐ You can use my computer whenever you want.
> ⓑ The boy playing the violin is my brother.
> ⓒ Will you eat the bananas which is in the basket?
> ⓓ I'm reading a book about Athens, which I visited three years ago.

① 0개   ② 1개   ③ 2개
④ 3개   ⑤ 4개

17 각 문장에 대한 설명을 <u>잘못</u> 말한 사람은?

> ⓐ This present is _____ we prepared for Jacob.
> ⓑ Monica is the person for _____ they are waiting.

① 준우: ⓐ는 빈칸 앞에 선행사가 없으므로 관계대명사 what을 써야 해.
② 예서: ⓐ는 is 뒤의 부분이 문장의 보어 역할을 해.
③ 기영: ⓑ의 빈칸에 들어갈 관계대명사는 생략해도 돼.
④ 민하: ⓑ의 빈칸에 목적격 관계대명사 whom을 써야 해.
⑤ 소연: ⓑ의 빈칸에 들어갈 수 있는 관계대명사는 한 개야.

18 빈칸에 that이 들어갈 수 <u>없는</u> 것은?

① This is the road _____ leads to the old town.
② He is a poet _____ I respect very much.
③ Mike got a new job, _____ is good news.
④ She joined a club _____ has many members.
⑤ The boxes _____ we packed yesterday have disappeared.

19 (A)~(C)에 알맞은 관계사가 순서대로 짝 지어진 것은?

> • That is the drawer (A) which / where I keep my album.
> • This is hanbok, (B) which / that is a traditional Korean clothes.
> • This is (C) how / however he did the work.

	(A)	(B)	(C)
①	which	– that	– however
②	where	– which	– how
③	where	– that	– however
④	which	– which	– how
⑤	where	– which	– however

고난도

20 우리말을 <u>잘못</u> 영작한 것은?

① 목성에 관해 네가 아는 것을 내게 말해 줘.
  → Tell me what you know about Jupiter.
② Austin은 런던에 사는 발레리노이다.
  → Austin is a ballerino who lives in London.
③ 내 반려동물은 내가 가는 곳은 어디든지 따라온다.
  → My pet follows me where I go.
④ 나는 아들이 우주 비행사인 이웃이 있다.
  → I have a neighbor whose son is an astronaut.
⑤ 누가 그 경주에서 이길지라도, 나는 상관없다.
  → Whoever wins the race, I don't mind.

21 Ⓐ와 Ⓑ에서 문장을 하나씩 골라 알맞은 관계대명사를 사용하여 한 문장으로 연결하시오.

> Ⓐ　(1) Where is the cheesecake?
> 　　(2) Lisa is my friend.
> 　　(3) Choose the baseball cap.
>
> Ⓑ　· You want to buy the baseball cap.
> 　　· It was in the refrigerator.
> 　　· Her hobby is taking pictures.

(1) _____

(2) _____

(3) _____

22 그림을 보고, 관계부사와 괄호 안의 말을 이용하여 문장을 완성하시오.

This is the park _____

_____. (walk my dog)

23 what과 괄호 안의 말을 이용하여 대화를 완성하시오.

(1) A: I didn't understand _____

_____. (say)

　　B: I'll explain it to you again.

(2) A: I went shopping today.

　　B: Oh, tell me _____

_____ in the mall. (buy)

　　A: This blue skirt!

24 우리말과 일치하도록 조건 에 맞게 괄호 안의 말을 배열하여 문장을 쓰시오.

> 조건 1. (1)은 「전치사＋관계대명사」의 형태를 사용할 것
> 　　　 2. (2)는 콤마(,)를 포함하여 계속적 용법으로 쓸 것
> 　　　 3. (3)은 콤마(,)를 포함할 것

(1) 내가 앉아 있는 소파는 편안하다.
(on, the sofa, sitting, is, which, I'm, comfortable)

→ _____

(2) 이 책은 반 고흐에 관한 것인데, 그는 유명한 화가였다.
(is, Van Gogh, this book, about, was, who, a famous painter)

→ _____

(3) 네가 아무리 피곤하더라도, 너는 네 일을 끝내야 한다.
(you, however, finish, are, you, have to, tired, your work)

→ _____

25 조건 에 맞게 우리말을 영작하시오.

> 조건 1. (1)과 (2)는 알맞은 관계사를 포함할 것
> 　　　 2. (3)은 관계사를 생략해서 쓸 것

(1) 그녀는 이름이 Bell인 고양이를 돌본다.
(take care of, name)

→ _____

(2) 우리는 우리가 원하는 무엇이든지 선택할 수 있다.
(can, choose, want)

→ _____

(3) 그는 내가 축제에서 보았던 그 영화배우이다.
(the movie star, see, in the festival)

→ _____

12

가정법

If it were sunny, I would play soccer.

가정법은 사실과 반대되거나 일어나기 힘든 일을 가정하여 말할 때 쓴다.

가정법 과거는 현재 사실과 반대되거나 일어나기 힘든 일을 가정할 때 쓰며, '(만약) ~한다면, …할 텐데.'의 의미를 나타낸다.

If+ 주어+동사의 과거형 ~, ((만약) ~한다면)	주어+조동사의 과거형+동사원형 …. (…할 텐데)
If I **had** enough money,	I **would buy** a new bicycle.
If I <u>were</u> Superman,	I **could help** people in danger.

→ be동사는 주어에 상관없이 주로 were를 써요.

조동사의 쓰임에 따라 해석이 달라져요.
• would: …할 텐데
• could: …할 수 있을 텐데
• might: …할지도 모를 텐데

→ 충분한 돈이 없어서 사지 못함

내가 충분한 돈이 **있다면**, 나는 새 자전거를 **살 텐데**.

내가 슈퍼맨**이라면**, 위험에 처한 사람들을 **도울 수 있을 텐데**.

→ 슈퍼맨이 아니라서 돕지 못함

Tips 일어날 가능성이 거의 없을 때 쓰는 가정법과 달리, 조건문은 일어날 가능성이 있을 때 쓴다.
〈조건문〉 **If** I **have** enough money, I **will buy** a new bicycle. → 돈이 생길 가능성이 있음
내가 충분한 돈이 있으면, 나는 새 자전거를 살 것이다.

Tips if절이 주절 뒤에 올 수 있으며, 이때 콤마(,)는 쓰지 않는다.
I would buy a new bicycle **if** I had enough money.

가정법 과거 문장은 사실 그대로를 말하는 직설법 현재 문장으로 바꿔 쓸 수 있다. 이때 if 대신 이유의 접속사 as나 because를 사용한다.

If I **had** enough money, I **would buy** a new bicycle. 〈가정법 과거〉
→ **As** I **don't have** enough money, I **won't buy** a new bicycle. 〈직설법 현재〉
나는 충분한 돈이 없어서, 새 자전거를 사지 않을 것이다.

If I **were** Superman, I **could help** people in danger. 〈가정법 과거〉
→ **As** I'**m not** Superman, I **can't help** people in danger. 〈직설법 현재〉
나는 슈퍼맨이 아니라서, 위험에 처한 사람들을 도울 수 없다.

궁금해요!
가정법을 직설법으로 바꾸는 방법은 무엇인가요?

직설법은 사실 그대로를 말하므로, 가정법의 긍정은 부정(not 포함)으로, 부정은 긍정으로 바꿔 써요.

개념확인 올바른 의미 고르기

If I knew his phone number, I would call him.

☐ 나는 그의 전화번호를 안다.   ☐ 나는 그의 전화번호를 모른다.

기본연습 **A** 괄호 안에서 알맞은 것을 고르시오.

1 If I had wings, I (can fly / could fly) in the sky.

2 If I (am not / were not) busy, I would visit my uncle.

3 If we go to Seoul, we (will visit / would visit) the N Seoul Tower.

4 If I (have / had) a million dollars, I would help sick children in Africa.

5 If Lucy (is / were) here, we could meet her every week.

6 If it were not a national holiday, the shops (will be / would be) open.

B 우리말과 일치하도록 괄호 안의 말을 이용하여 문장을 완성하시오.

1 내가 너라면, 나는 너무 많은 패스트푸드를 먹지 않을 텐데. (be, eat)

→ If I _____ you, I _____ _____ too much fast food.

2 내가 그녀의 주소를 안다면, 나는 그녀에게 선물을 보낼 텐데. (know, send)

→ If I _____ her address, I _____ _____ her a present.

3 네가 충분한 시간이 있다면, 우리는 캠핑을 갈 수 있을 텐데. (have, can, go)

→ If you _____ enough time, we _____ _____ camping.

4 Eric이 아프지 않다면, 그는 등산을 할 텐데. (be, climb)

→ If Eric _____ sick, he _____ _____ the mountain.

5 그 배낭이 저렴하다면, 그는 그것을 살 수 있을 텐데. (be, can, buy)

→ If the backpack _____ cheap, he _____ _____ it.

6 내가 복권에 당첨된다면, 나는 세계를 여행할 텐데. (win, travel)

→ If I _____ the lottery, I _____ _____ around the world.

7 내가 치통이 없다면, 나는 아이스크림을 먹을 텐데. (have, eat)

→ If I _____ _____ a toothache, I _____ _____ ice cream.

C 주어진 문장을 가정법 과거 문장으로 바꿔 쓸 때, 빈칸에 알맞은 말을 쓰시오.

1 As you live far away, I can't visit you.

→ If you _____ far away, I _____ you.

2 As I don't have a coupon, I can't get a discount.

→ If I _____ a coupon, I _____ a discount.

3 As I don't drive a car, I can't pick you up.

→ If I _____ a car, I _____ you up.

4 As I have math homework, I can't go to the movies.

→ If I _____ math homework, I _____ to the movies.

우리말과 일치하도록 괄호 안의 말을 이용하여 가정법 문장을 완성하시오.

내가 시간이 있다면, 나는 그녀와 박물관에 갈 텐데. (have, go)

→ If I _____ time, I _____ to the museum with her.

가정법 과거완료는 과거 사실과 반대되거나 과거에 이루지 못한 일을 가정할 때 쓰며, '(만약) ~했다면, …했을 텐데.'의 의미를 나타낸다.

If+ 주어+had+과거분사 ~, ((만약) ~했다면)	주어+조동사의 과거형+have+과거분사 .... (…했을 텐데)
If I **had had** enough time,	I **could have gone** swimming.
If he **had been** hungry, └→ be동사의 과거분사형	he **would have eaten** the pizza.

과거에 충분한 시간이 없어서
수영하러 갈 수 없었음

내가 충분한 시간이 있었다면,
나는 수영하러 갈 수 있었을 텐데.

그가 배가 고팠다면, 그는 피자를 먹었을 텐데.

└→ 과거에 배가 고프지 않아서
피자를 먹지 않았음

가정법 과거완료 문장은 접속사 as나 because를 사용하여 직설법 과거 문장으로 바꿔 쓸 수 있다.

If I **had had** enough time, I **could have gone** swimming. 〈가정법 과거완료〉 ↝ 가정법 과거완료가 '긍정'
→ **As** I **didn't have** enough time, I **couldn't go** swimming. 〈직설법 과거〉 → 직설법 과거는 '부정'으로 바뀜
　내가 충분한 시간이 없었기 때문에, 나는 수영하러 갈 수 없었다. 　가정법 과거완료가 '부정'
→ 직설법 과거는 '긍정'으로 바뀜
If he **had been** hungry, he **would have eaten** the pizza. 〈가정법 과거완료〉
→ **As** he **wasn't** hungry, he **didn't eat** the pizza. 〈직설법 과거〉
　그는 배가 고프지 않았기 때문에, 피자를 먹지 않았다.

개념확인 올바른 의미 고르기

1 If I had known the news, I would have told him.

　□ 그 소식을 알아서 그에게 말해주었다. 　　□ 그 소식을 알지 못해서 그에게 말하지 못했다.

2 If I had had more time, I could have gone on a trip.

　□ 시간이 있어서 여행을 떠날 수 있었다. 　　□ 시간이 없어서 여행을 떠나지 못했다.

기본연습 **A** 괄호 안에서 알맞은 것을 고르시오.

1 If you (came / had come) earlier, you could have met Jason.

2 If we (were not / hadn't been) tired, we would have played tennis.

3 If they had taken a taxi, they (would arrive / would have arrived) on time.

4 If I (were / had been) a great inventor, I would make a time machine.

5 If he had had free time, he (would play / would have played) computer games.

6 If I were not shy, I (would ask / would have asked) him for help.

7 If we (stayed / had stayed) in Jeju-do, we could have played on the beach.

8 If she had read the book, she (could answer / could have answered) the questions.

B 우리말과 일치하도록 괄호 안의 말을 이용하여 문장을 완성하시오.

1 네가 연습을 더 했더라면, 너는 경주에서 이겼을 텐데. (practice, win)

→ If you _____ _____ more, you _____ _____ _____ the race.

2 내가 가장 좋아하는 배우를 보았더라면, 나는 행복했을 텐데. (see, be)

→ If I _____ _____ my favorite actor, I _____ _____ _____ happy.

3 내가 해변에 갔더라면, 나는 모래성을 쌓을 수 있었을 텐데. (go, can, build)

→ If I _____ _____ to the beach, I _____ _____ _____ a sandcastle.

4 그녀가 열심히 공부했더라면, 그녀는 시험을 통과했을 텐데. (study, pass)

→ If she _____ _____ hard, she _____ _____ _____ the exam.

5 내가 조심했더라면, 나는 유리잔을 깨지 않았을 텐데. (be, break)

→ If I _____ _____ careful, I _____ _____ _____ the glass.

6 내가 팔을 다치지 않았다면, 나는 결승전에서 뛸 수 있었을 텐데. (hurt, can, play)

→ If I _____ _____ my arm, I _____ _____ _____ in the final.

C 주어진 문장을 가정법 과거완료 문장으로 바꿔 쓸 때, 빈칸에 알맞은 말을 쓰시오.

1 As we didn't have enough time, we didn't go to the amusement park.

→ If we _____ enough time, we _____
to the amusement park.

2 As you helped me, I could finish my history project.

→ If you _____ me, I _____ my history project.

3 As I was so busy, I couldn't send you an email.

→ If I _____ so busy, I _____ you an email.

4 As Jack didn't have enough money, he couldn't buy a concert ticket.

→ If Jack _____ enough money, he _____
a concert ticket.

다음 중 밑줄 친 부분이 어법상 틀린 것은?

① If I were you, I wouldn't buy the T-shirt.

② If we had had time, we would have helped you.

③ If I knew your phone number, I would call you.

④ If he bought a ticket, he could have seen the musical.

POINT 3 혼합 가정법

혼합 가정법은 과거의 사실과 반대되는 일이 현재까지 영향을 미치는 상황을 가정할 때 쓰며, '만약 (과거에) ~했다면, (지금) …할 텐데.'의 의미를 나타낸다.

If+ 주어+had+과거분사 ~, ((만약) ~했다면)	주어+ 조동사의 과거형+동사원형 …. (…할 텐데)
If I **had called** her yesterday,	she **wouldn't be** angry now.
If you **hadn't spent** the money,	you **could buy** a new hat today.

혼합 가정법의 주절에는 현재를 나타내는 부사 now나 today가 자주 함께 쓰여요.

어제 전화하지 않아서 지금 화가 나 있음

내가 어제 그녀에게 **전화했다면**, 그녀가 지금 화를 내지 **않을** 텐데.

네가 그 돈을 쓰지 않았다면, 너는 오늘 새 모자를 살 수 있을 텐데.

그 돈을 썼기 때문에 오늘 새 모자를 살 수 없음

개념확인 올바른 의미 고르기

If you had worked yesterday, you wouldn't be busy now.

☐ 어제 일을 해서 지금 바쁘지 않다.　　☐ 어제 일을 하지 않아서 지금 바쁘다.

기본연습 우리말과 일치하도록 괄호 안의 말을 이용하여 문장을 완성하시오.

1 내가 어제 일찍 잠자리에 들었다면, 나는 지금 졸리지 않을 텐데. (go, be)

→ If I ＿＿＿＿＿＿＿＿＿ to bed early yesterday, I ＿＿＿＿＿＿＿＿＿ sleepy now.

2 그가 숙제를 끝냈더라면, 그는 지금 TV를 볼 수 있을 텐데. (finish, can, watch)

→ If he ＿＿＿＿＿＿＿＿＿ his homework, he ＿＿＿＿＿＿＿＿＿ TV now.

3 네가 표를 샀더라면, 너는 오늘 콘서트를 볼 수 있을 텐데. (buy, can, see)

→ If you ＿＿＿＿＿＿＿＿＿ a ticket, you ＿＿＿＿＿＿＿＿＿ the concert today.

4 그가 어제 비행기를 놓치지 않았더라면, 그는 지금 토론토에 있을 텐데. (miss, be)

→ If he ＿＿＿＿＿＿＿＿＿ the plane yesterday, he ＿＿＿＿＿＿＿＿＿ in Toronto now.

5 내가 아침을 걸렀더라면, 나는 지금 배가 고플 텐데. (skip, be)

→ If I ＿＿＿＿＿＿＿＿＿ breakfast, I ＿＿＿＿＿＿＿＿＿ hungry now.

6 네가 다른 도시로 이사 가지 않았더라면, 나는 너를 매일 볼 수 있을 텐데. (move, can, see)

→ If you ＿＿＿＿＿＿＿＿＿ to another city, I ＿＿＿＿＿＿＿＿＿ you every day.

7 내가 담요를 가져왔더라면, 나는 지금 춥지 않을 텐데. (bring, be)

→ If I ＿＿＿＿＿＿＿＿＿ a blanket, I ＿＿＿＿＿＿＿＿＿ cold now.

8 내가 그 책을 지난주에 읽었더라면, 나는 오늘 그것을 네게 빌려줄 수 있을 텐데. (read, can, lend)

→ If I ＿＿＿＿＿＿＿＿＿ the book last week, I ＿＿＿＿＿＿＿＿＿ it to you today.

POINT 4 | I wish 가정법

〈I wish+가정법 과거〉는 현재의 이루기 힘든 소망이나 아쉬움을 표현하며, '(현재) ~라면 좋을 텐데.'의 의미를 나타낸다.

I wish+주어+동사의 과거형 ~.	
I wish	I **had** a new smartphone.
I wish	I **were** a famous painter.

동사의 과거형 대신 「조동사의 과거형+동사원형」이 쓰일 수도 있어요.
→ I wish I could have a new smartphone.

내가 새 스마트폰을 가지고 있다면 좋을 텐데.

내가 유명한 화가라면 좋을 텐데.

「I wish+주어+동사의 과거형 ~.」은 「I'm sorry (that)+주어+동사의 현재형 ~.」 형태의 직설법 현재 문장으로 나타낼 수 있다. ✎→ 이때 긍정은 부정으로, 부정은 긍정으로 바꿔요.

I wish I **had** a new smartphone. → I'm sorry (that) I **don't have** a new smartphone.

> **Tips** It's (about) time+주어+동사의 과거형: (이제) ~할 때이다
> It's about time you cleaned your room. 네가 네 방을 청소해야 할 때이다.

〈I wish+가정법 과거완료〉는 과거에 이루지 못한 일에 대한 아쉬움을 표현하며, '(과거에) ~했더라면 좋았을 텐데.'의 의미를 나타낸다.

I wish+주어+had+과거분사 ~.	
I wish	I **had had** a new smartphone.
I wish	I **had been** a famous painter.

내가 새 스마트폰을 가지고 있었더라면 좋았을 텐데.

내가 유명한 화가였더라면 좋았을 텐데.

「I wish+주어+had+과거분사 ~.」는 「I'm sorry (that)+주어+동사의 과거형 ~.」 형태의 직설법 과거 문장으로 나타낼 수 있다.

I wish I **had had** a new smartphone. → I'm sorry (that) I **didn't have** a new smartphone.

개념확인 올바른 의미 고르기

1 I wish I had enough time.

☐ 시간이 충분히 있다. ☐ 시간이 충분하지 않다.

2 I wish she had visited me.

☐ 그녀가 나를 방문했다. ☐ 그녀가 나를 방문하지 않았다.

기본연습 **A** 우리말과 일치하도록 괄호 안에서 알맞은 것을 고르시오.

1 내가 우주비행사라면 좋을 텐데.

→ I wish I (am / were) an astronaut.

2 네가 댄스 오디션에 합격했다면 좋았을 텐데.

→ I wish you (passed / had passed) the dance audition.

3 내가 가장 좋아하는 영화배우를 만날 수 있다면 좋을 텐데.

→ I wish I (will meet / could meet) my favorite movie star.

우리말과 일치하도록 괄호 안의 말을 이용하여 가정법 문장을 완성하시오.

1 내가 해변 근처에 살면 좋을 텐데. (live)

→ I wish I _____ near the beach.

2 내가 유명한 가수라면 좋을 텐데. (be)

→ I wish I _____ a famous singer.

3 내가 내 우산을 가져왔더라면 좋았을 텐데. (bring)

→ I wish I _____ my umbrella.

4 내가 큰 물고기를 잡았더라면 좋았을 텐데. (catch)

→ I wish I _____ a big fish.

5 네가 단것을 너무 많이 먹지 않았더라면 좋았을 텐데. (eat)

→ I wish you _____ too many sweet things.

6 네가 내 생일 파티에 올 수 있다면 좋을 텐데. (can, come)

→ I wish you _____ to my birthday party.

7 네가 지난달에 봉사 활동을 했었더라면 좋았을 텐데. (do)

→ I wish you _____ volunteer work last month.

C 두 문장의 의미가 같도록 I wish를 사용한 가정법 문장으로 바꿔 쓰시오.

1 I'm sorry that Anna doesn't know about the news.

→ _____ about the news.

2 I'm sorry that you didn't tell me the truth.

→ _____ me the truth.

3 I'm sorry that I don't have an older brother.

→ _____ an older brother.

4 I'm sorry that you can't see my performance.

→ _____ my performance.

틀 리 기 쉬 운 내/신/포/인/트

<I wish 가정법>을 영작할 때는 가정하는 부분의 우리말 시제가 현재인지, 과거인지를 먼저 파악해야 해요.

주어진 우리말을 바르게 영작한 것은?

내가 그 책을 샀었더라면 좋았을 텐데.

① I wish I buy the book.
② I wish I bought the book.
③ I wish I have bought the book.
④ I wish I had bought the book.

POINT 5 as if 가정법

〈as if+가정법 과거〉는 주절과 같은 시제의 상황을 반대로 가정하며, '마치 ~인/한 것처럼'의 의미를 나타낸다.

주어+동사	as if+주어+동사의 과거형 ~.
He talks	as if he **knew** the way.
He acts	as if he **were** a prince.

현재 사실의 반대

그는 마치 그 길을 아는 것처럼 말한다. → In fact, he doesn't know the way.

그는 마치 왕자인 것처럼 행동한다. → In fact, he isn't a prince.

〈as if+가정법 과거완료〉는 주절보다 이전 시점의 상황을 반대로 가정하며, '마치 ~였던/했던 것처럼'의 의미를 나타낸다.

주어+동사	as if+주어+had+과거분사 ~.
He talks	as if he **had known** the way.
He acts	as if he **had been** a prince.

과거 사실의 반대

그는 마치 그 길을 알았던 것처럼 말한다. → In fact, he didn't know the way.

그는 마치 왕자였던 것처럼 행동한다. → In fact, he wasn't a prince.

개념확인 올바른 의미 고르기

1 She talks as if she knew Bill.

☐ 그녀는 Bill을 안다.　☐ 그녀는 Bill을 모른다.

2 He talks as if he had won the game.

☐ 그는 경기를 이겼다.　☐ 그는 경기를 이기지 못했다.

기본연습 **A** 우리말과 일치하도록 괄호 안에서 알맞은 것을 고르시오.

1 그는 마치 부자였던 것처럼 말한다.

→ He talks as if he (were / had been) rich.

2 White 씨는 마치 도서관 사서인 것처럼 행동한다.

→ Ms. White acts as if she (were / had been) a librarian.

3 그녀는 마치 파리에서 살았던 것처럼 말한다.

→ She talks as if she (lived / had lived) in Paris.

4 David는 마치 모델인 것처럼 걷는다.

→ David walks as if he (were / had been) a model.

5 Jenny는 마치 말하기 대회에서 우승했던 것처럼 말한다.

→ Jenny talks as if she (won / had won) the speech contest.

6 그는 마치 깜짝 파티에 대해 아는 것처럼 행동한다.

→ He acts as if he (knew / had known) about the surprise party.

B 우리말과 일치하도록 괄호 안의 동사를 알맞은 형태로 바꿔 쓰시오.

1 그는 마치 자신이 선생님인 것처럼 행동한다. (be)

→ He acts as if he _____ a teacher.

2 그녀는 마치 자신이 경주에서 우승한 것처럼 말한다. (win)

→ She talks as if she _____ the race.

3 Andy는 마치 그들의 비밀을 아는 것처럼 행동한다. (know)

→ Andy acts as if he _____ their secret.

4 내 남동생은 마치 그 축구 경기를 봤던 것처럼 말한다. (watch)

→ My brother talks as if he _____ the soccer game.

5 그녀는 마치 그 모임에 늦지 않았던 것처럼 말한다. (be)

→ She talks as if she _____ late for the meeting.

6 Brown 씨는 마치 한국 사람인 것처럼 한국어를 말한다. (be)

→ Mr. Brown speaks Korean as if he _____ Korean.

C 주어진 문장을 as if를 사용한 가정법 문장으로 바꿔 쓰시오.

1 In fact, she is not an adult.

→ She acts _____ an adult.

2 In fact, he didn't visit Rome.

→ He talks _____ Rome.

3 In fact, my sister doesn't like spicy food.

→ My sister talks _____ spicy food.

4 In fact, she didn't finish her art homework.

→ She acts _____ her art homework.

5 In fact, Peter didn't write the science fiction book.

→ Peter talks _____ the science fiction book.

**틀 리 기 쉬 운
내/신/포/인/트**

as if 뒤에 오는 동사의 시
제에 따라 가정하는 시점
이 달라져요.

빈칸에 들어갈 말로 알맞은 것은?

그녀는 마치 그 사실을 알았던 것처럼 말한다.

→ She talks as if she _____ the fact.

① know   ② knew

③ has known   ④ had known

POINT 6 without 가정법

가정법 if절의 위치에 「without(but for)+명사(구)」의 형태를 쓰기도 하며, '~이 없다면/없었다면'의 의미이다.

Without+명사(구), (~이 없다면)	주어+조동사의 과거형+동사원형 ~. (…할 텐데)	⟶ 현재 사실과 반대되는 가정
Without your help, (= **But for** your help,)	I **couldn't finish** the work.	네 도움이 없다면, 나는 그 일을 끝낼 수 없을 텐데.

↳ Without 대신 If it were not for로 바꿀 수도 있어요.

Without+명사(구), (~이 없었다면)	주어+조동사의 과거형+have+과거분사 ~. (…했을 텐데)	⟶ 과거 사실과 반대되는 가정
Without your help, (= **But for** your help,)	I **couldn't have finished** the work.	네 도움이 없었다면, 나는 그 일을 끝내지 못했을 텐데.

↳ Without 대신 If it had not been for로 바꿀 수도 있어요.

개념확인 올바른 의미 고르기

Without the map, I couldn't have found the way.

☐ 지도가 없어서 길을 찾지 못했다.　　☐ 지도가 있어서 길을 찾을 수 있었다.

기본연습 A 우리말과 일치하도록 괄호 안에서 알맞은 것을 고르시오.

1 반려동물이 없다면, 내 삶은 외로울 텐데.

→ (With / Without) my pet, my life (would be / would have been) lonely.

2 내 코트가 없었다면, 나는 어젯밤에 추웠을 텐데.

→ (But for / But) my coat, I (would feel / would have felt) cold last night.

3 그의 도움이 없다면, 우리는 그 프로젝트를 할 수 없을 텐데.

→ (If it were not for / If it had not been for) his help, we (couldn't do / couldn't have done) the project.

B 우리말과 일치하도록 괄호 안의 말을 이용하여 문장을 완성하시오.

1 물이 없다면, 아무것도 이 세상에서 살아남지 못할 텐데. (can, survive)

→ Without water, nothing _____ on earth.

2 네 조언이 없었다면, 나는 시험에 통과하지 못했을 텐데. (can, pass)

→ Without your advice, I _____ the test.

3 네 전화가 없었다면, 나는 제시간에 일어나지 못했을 텐데. (get up)

→ But for your call, I _____ on time.

가정법 **237**

개 | 념 | 완 | 성 TEST

정답 및 해설 p.39

STEP 1 Map으로 개념 정리하기

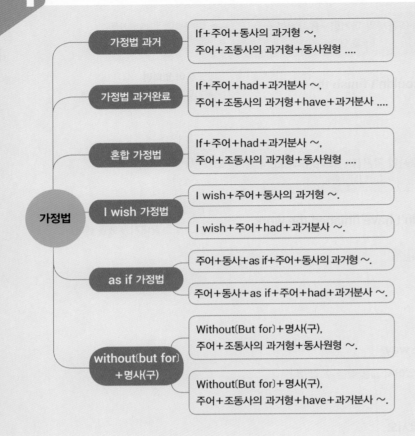

가정법

- **가정법 과거**
  - If+주어+동사의 과거형 ~,
    주어+조동사의 과거형+동사원형 ....
- **가정법 과거완료**
  - If+주어+had+과거분사 ~,
    주어+조동사의 과거형+have+과거분사 ....
- **혼합 가정법**
  - If+주어+had+과거분사 ~,
    주어+조동사의 과거형+동사원형 ....
- **I wish 가정법**
  - I wish+주어+동사의 과거형 ~.
  - I wish+주어+had+과거분사 ~.
- **as if 가정법**
  - 주어+동사+as if+주어+동사의 과거형 ~.
  - 주어+동사+as if+주어+had+과거분사 ~.
- **without(but for)
  +명사(구)**
  - Without(But for)+명사(구),
    주어+조동사의 과거형+동사원형 ~.
  - Without(But for)+명사(구),
    주어+조동사의 과거형+have+과거분사 ~.

Quick Check

❶ 내가 답을 안다면, 너에게 말할 텐데.
  → If I (know / knew) the answer, I would tell you.

❷ 내가 답을 알았다면, 너에게 말했을 텐데.
  → If I (knew / had known) the answer,
    I would have told you.

❸ 그가 그 책을 읽었더라면, 지금 이 문제를 풀 수 있을 텐데.
  → If he (read / had read) the book, he could
    solve this problem now.

❹ 내가 답을 알면 좋을 텐데.
  → I wish I (know / knew) the answer.

❺ 내가 답을 알았다면 좋았을 텐데.
  → I wish I (knew / had known) the answer.

❻ 그는 길을 아는 것처럼 말한다.
  → He talks as if he (knows / knew) the way.

❼ 그는 길을 알았던 것처럼 말한다.
  → He talks as if he (knew / had known) the way.

❽ 네 도움이 없다면, 나는 그 문제를 풀지 못할 텐데.
  → (With / Without) your help, I couldn't solve
    the problem.

STEP 2 기본 다지기

빈칸완성

A 우리말과 일치하도록 괄호 안의 말을 이용하여 문장을 완성하시오.

1 내가 발명가라면, 나는 말하는 냉장고를 발명할 텐데. (be, invent)
  → If I _____ an inventor, I _____ a talking refrigerator.

2 내가 카메라를 잃어버리지 않았더라면, 나는 지금 사진을 찍을 수 있을 텐데. (lose, can, take)
  → If I _____ my camera, I _____ a picture now.

3 내가 내 방을 가지고 있다면 좋을 텐데. (have)
  → I wish I _____ my own room.

4 그는 마치 Molly를 모르는 것처럼 행동한다. (know)
  → He acts as if he _____ Molly.

5 음악이 없다면, 우리의 삶은 덜 흥미로울 텐데. (be)
  → Without music, our lives _____ less interesting.

B

오류수정

우리말과 일치하도록 어법상 **틀린** 부분을 찾아 바르게 고쳐 쓰시오.

1 내가 백만장자라면, 나는 우주여행을 할 텐데.

→ If I were a millionaire, I will travel to space. _____ → _____

2 그가 요술 램프를 가지고 있다면, 그는 세 가지 소원을 빌 텐데.

→ If he had had a magic lamp, he would make three wishes. _____ → _____

3 내가 비행기를 놓치지 않았더라면, 나는 Jim을 만날 수 있었을 텐데.

→ If I hadn't missed the plane, I could meet Jim. _____ → _____

4 내 여동생이 미술 대회에서 우승했더라면 좋았을 텐데.

→ I wish my sister win the art contest. _____ → _____

5 그녀는 마치 그 이야기를 듣지 못했던 것처럼 말한다.

→ She talks as if she didn't hear the story. _____ → _____

6 내가 어제 내 선풍기를 수리했었더라면, 나는 오늘 그것을 사용할 수 있을 텐데.

→ If I had fixed my fan yesterday, I could have used it today. _____ → _____

7 팀워크가 없었다면, 우리는 팀 프로젝트를 끝내지 못했을 텐데.

→ But for teamwork, we wouldn't finish the team project. _____ → _____

C

문장전환

주어진 문장을 가정법 문장으로 바꿔 쓸 때, 빈칸에 알맞은 말을 쓰시오.

1 As I wasn't careful, I lost my key.

→ If I _____ careful, I _____ my key.

2 As he isn't a student, he can't get a discount.

→ If he _____ a student, he _____ a discount.

3 I'm sorry that David doesn't eat vegetables.

→ I wish David _____ vegetables.

4 I'm sorry that you lied to us.

→ I wish you _____ to us.

5 In fact, Mr. Johns didn't live in Spain.

→ Mr. Johns talks as if he _____ in Spain.

6 Without your help, I couldn't participate in the school talent show.

→ If it _____ your help, I couldn't participate in the school talent show.

STEP 3 서술형 따라잡기

A 그림 속 사람의 바람을 괄호 안의 말을 이용하여 완성하시오.

1 　　　　　**2**

1 If I didn't have science homework, I _____. (play, soccer)

2 I wish _____. (can, buy, the blue hat)

B 주어진 문장을 가정법 문장으로 바꿔 쓰시오.

1 As I don't know James, I can't introduce him to you.

→ If _____, _____.

2 I'm sorry that Alice moved to another city.

→ I wish _____.

3 In fact, he didn't see the accident.

→ He talks as if _____.

C 우리말과 일치하도록 괄호 안의 말을 배열하여 문장을 완성하시오. (필요하면 형태나 시제를 바꿀 것)

1 내가 콘서트에 갔었더라면, 나는 가장 좋아하는 밴드를 보았을 텐데.

(I, see, go, my favorite band, to the concert, will)

→ If I _____, _____.

2 네가 어제 그 일을 끝냈더라면, 너는 오늘 휴식을 취할 수 있을 텐데.

(can, you, finish, take a rest, the work, if)

→ _____ yesterday, you _____ today.

3 네 도움이 없었다면, 나는 학교 선거에서 이기지 못했을 텐데. (win, the school election, couldn't, I)

→ Without your help, _____.

4 내가 댄스 오디션에 합격한다면 좋을 텐데. (I, pass, I, will, the dance audition, wish)

→ _____

5 그녀는 마치 자신이 내 코치인 것처럼 말한다. (she, my coach, she, as if, talks, be)

→ _____

[1-2] 빈칸에 들어갈 말로 알맞은 것을 고르시오.

1

> If I _____ her address, I would send her a birthday present.

① know   ② knew   ③ known

④ had known   ⑤ will know

2

> If you hadn't left early, you _____ the train.

① miss   ② missed

③ will miss   ④ have missed

⑤ would have missed

3 빈칸에 들어갈 말이 순서대로 짝 지어진 것은?

> • If I finish my homework, I _____ play outside.
> • If I had a bicycle, I _____ ride it every day.

① will – will   ② will – would

③ would – will   ④ would – would

⑤ will be – would

[4-5] 빈칸에 들어갈 말이 나머지 넷과 다른 것을 고르시오.

4 ① If I _____ you, I wouldn't buy that backpack.

② If he _____ in Seoul, I could see him often.

③ If Julia _____ here, she would help us.

④ If I _____ careful, I wouldn't have lost my book.

⑤ If I _____ not sick, I could go fishing.

5 ① I wish I _____ more time now.

② If I _____ a million dollars, I would buy a house for my family.

③ I wish I _____ a younger sister.

④ If I _____ been busy, I couldn't have visited you.

⑤ If I _____ more time, I would have watched a movie.

6 다음 가정법 문장의 빈칸에 들어갈 말로 알맞은 것은?

> If you had gone to bed early, you _____ sleepy now.

① aren't   ② won't be

③ wouldn't be   ④ haven't been

⑤ hadn't been

7 밑줄 친 부분이 어법상 틀린 것은?

① If I were a student, I could get a discount.

② I wish I could sing well.

③ If I had a flying carpet, I would travel around the world.

④ He acts as if he were a movie director.

⑤ Cindy talks as if she knows everything.

8 밑줄 친 부분과 바꿔 쓸 수 있는 것을 모두 고르면?

> Without your help, I couldn't finish the project.

① With   ② With for

③ But   ④ But for

⑤ If it were not for

9 주어진 문장을 가정법 문장으로 바르게 바꾼 것은?

> As he is tired, he won't take the yoga class.

① If he is tired, he won't take the yoga class.
② If he isn't tired, he won't take the yoga class.
③ If he were tired, he wouldn't take the yoga class.
④ If he weren't tired, he would take the yoga class.
⑤ If he had been tired, he wouldn't have taken the yoga class.

10 밑줄 친 부분을 어법에 맞게 고친 것 중 틀린 것은?

① If she woke up early, she will catch the school bus.
　　　　　　　　　　　　　　→ would catch
② I wish I have an A in the science exam.
　　　　　　　→ had
③ If you didn't help me, I couldn't have cleaned
　　　　　　　→ hadn't helped
the garden.
④ If today were Saturday, I ride my bicycle in the park.
　　　　　　　　　　　　　　→ would ride
⑤ If you had finished your homework yesterday, you can watch TV now.
　　　　　　→ could have watched

11 주어진 우리말을 바르게 영작한 것은?

> 내가 새 스마트폰을 가지고 있다면 좋을 텐데.

① I wish I have a new smartphone.
② I wish I had a new smartphone.
③ I wish I'll have a new smartphone.
④ I wish I have had a new smartphone.
⑤ I wish I had had a new smartphone.

12 다음 중 어법상 틀린 문장의 개수는?

> ⓐ My sister talks as if she were a princess.
> ⓑ If I had practiced hard, I would have won the game.
> ⓒ I wish I hadn't seen the horror movie.
> ⓓ If I had enough time, I would join the photo club.

① 0개　　　　② 1개　　　　③ 2개
④ 3개　　　　⑤ 4개

13 (A)~(C)에 알맞은 것끼리 짝 지어진 것은?

> · If I (A) am / were him, I would follow Kelly's advice.
> · I wish I (B) met / had met my grandmother yesterday.
> · I (C) will / would travel to space if I won the lottery.

	(A)	(B)	(C)
①	am	– met	– will
②	am	– had met	– would
③	were	– met	– will
④	were	– had met	– will
⑤	were	– had met	– would

14 주어진 문장으로 알 수 있는 사실은?

> Mr. Smith acts as if he were a scientist.

① Mr. Smith is a scientist.
② Mr. Smith isn't a scientist.
③ Mr. Smith wants to be a scientist.
④ Mr. Smith is going to be a scientist.
⑤ Mr. Smith was a scientist before.

15 빈칸에 들어갈 말로 알맞지 <u>않은</u> 것을 <u>모두</u> 고르면?

> If I were you, _____.

① I would tell the truth
② I will join the singing club
③ I wouldn't buy the baseball cap
④ I won't move to another city
⑤ I would send a Christmas card to Mike

고난도

16 우리말을 영작한 것 중 <u>어색한</u> 것은?

① 내가 내 우산을 가져왔었더라면 좋았을 텐데.
　→ I wish I had brought my umbrella.
② 그녀가 바쁘지 않았다면, 나와 점심을 먹었을 텐데.
　→ If she were not busy, she would have lunch with me.
③ 그는 마치 유령을 보았던 것처럼 말한다.
　→ He talks as if he had seen a ghost.
④ 오늘 아침에 비가 오지 않았더라면, 지금 길이 젖어 있지 않을 텐데.
　→ If it hadn't rained this morning, the road wouldn't be wet now.
⑤ 내가 시간이 충분했다면, 문제를 다 풀 수 있었을 텐데.
　→ If I had had enough time, I could have solved all the problems.

17 다음 중 어법상 올바른 문장의 개수는?

> ⓐ If I had been sick, I couldn't have gone camping.
> ⓑ If I am you, I would exercise regularly.
> ⓒ If I had a camera, I would take your picture.
> ⓓ Without the map, we wouldn't have found the way.

① 0개　　② 1개　　③ 2개
④ 3개　　⑤ 4개

18 다음 문장이 의미하는 바로 알맞은 것은?

> If I hadn't had a toothache, I would have eaten the chocolate.

① As I have a toothache, I won't eat the chocolate.
② As I don't have a toothache, I will eat the chocolate.
③ As I had a toothache, I didn't eat the chocolate.
④ As I didn't have a toothache, I ate the chocolate.
⑤ As I have a toothache, I wouldn't eat the chocolate.

19 우리말과 일치하도록 괄호 안의 말을 배열할 때, 네 번째로 오는 단어는?

> 그가 내 공연을 볼 수 있다면 좋을 텐데.
> (my, I, could, performance, wish, he, see)

① could　　② he　　③ my
④ wish　　⑤ see

고난도

20 짝 지어진 두 문장의 의미가 서로 <u>다른</u> 것은?

① He talks as if he liked classical music.
　= In fact, he doesn't like classical music.
② If we didn't have homework, we could play baseball.
　= As we have homework, we can't play baseball.
③ I wish I were in Jeju-do.
　= I'm sorry that I'm not in Jeju-do.
④ Without you, I couldn't solve the puzzle.
　= If it were not for you, I couldn't solve the puzzle.
⑤ As I woke up early, I could catch the first train.
　= If I didn't wake up early, I couldn't catch the first train.

21 직설법 문장은 가정법 문장으로, 가정법 문장은 직설법 문장으로 바꿔 쓰시오.

(1) As she isn't tall enough, she can't ride the roller coaster.

→ If she _____,

she _____.

(2) If he had arrived in time, he could have had dinner.

→ As he _____,

he _____.

(3) As I didn't remember her birthday, she was disappointed.

→ If I _____,

she _____.

22 그림을 보고, 괄호 안의 말을 이용하여 가정법 문장을 완성하시오.

I wish I _____.

(know, his email address)

23 괄호 안의 말을 이용하여 문장을 완성하시오.

(1) He speaks English as if _____

_____. In fact, he isn't an American. (be)

(2) She talks as if _____.

In fact, she didn't hear the news. (hear)

(3) Alice didn't visit me last week. I wish she

_____ last week. (visit)

24 우리말과 일치하도록 괄호 안의 말을 배열하여 문장을 완성하시오. (필요하면 형태와 시제를 바꿀 것)

(1) 내가 시간이 더 있었다면, 나는 내 역사 숙제를 끝낼 수 있었을 텐데.

(my, can, history homework, I, finish)

→ If I had had more time, _____

_____.

(2) 네 골이 없었다면, 우리는 그 축구 경기를 이기지 못했을 텐데.

(your goal, we, win, won't, without)

→ _____,

_____

the soccer game.

고난도
25 조건 에 맞게 주어진 우리말을 영작하시오.

(1) 내가 너라면, 나는 그 컴퓨터를 사지 않을 텐데.

→ If _____,

I _____.

조건 1. 가정법 문장으로 쓸 것

2. would, buy, the computer를 이용할 것

(2) 내가 어제 일했었더라면, 나는 오늘 바쁘지 않을 텐데.

→ If I had worked yesterday, _____

_____

조건 busy와 today를 사용할 것

(3) 네가 일찍 왔었더라면, 너는 Aron을 만났을 텐데.

→ _____

_____

조건 1. If로 문장을 시작할 것

2. come, early, meet을 이용할 것

3. 10단어로 쓸 것

13

일치, 화법, 특수구문

직접화법은 다른 사람이 한 말을 인용 부호를 사용하여 그대로 전달하는 것이고,
간접화법은 다른 사람이 한 말을 전달자의 입장에 맞게 바꿔서 전달하는 것이다.

주어를 단수 취급하는 경우로, 단수 동사를 쓴다.

every+단수 명사 each+단수 명사	**Every** *child* **has** a different balloon. **Each** *class* **is** 40 minutes in length.	모든 아이는 다른 풍선을 가지고 있다. 각 수업은 40분 길이이다.
-thing, -one, -body	**Everything is** going well. **Everybody is** getting on the bus.	모든 일이 잘 되어가고 있다. 모두가 버스를 타고 있다.
동명사(구)	**Traveling** to Mars **is** my dream. **Shopping** online **is** not difficult.	화성으로 여행하는 것은 나의 꿈이다. 온라인 쇼핑을 하는 것은 어렵지 않다.
(복수 형태의) 국가명 과목명/학문명	**The Netherlands is** famous for its tulips. **Mathematics is** one of his favorite subjects.	네덜란드는 튤립으로 유명하다. 수학은 그가 가장 좋아하는 과목 중 하나이다.
the number of+복수 명사 (~의 수)	**The number of** *visitors* **is** less than 10.	방문객의 수는 10명 미만이다.

Tips 시간, 거리, 금액, 무게 등이 하나의 단위로 취급되면 단수 동사를 쓴다.
Five years is a long time for everyone. 5년은 모두에게 긴 시간이다.

개념확인 주어와 동사 찾기

1 Everything is possible. **2** Speaking Spanish is not easy. **3** The Philippines is in Asia.

기본연습 괄호 안에서 알맞은 것을 고르시오.

1 Everyone (is / are) enjoying the music festival.

2 Drinking soda (is / are) not good for your health.

3 Every child (have / has) the right to be educated.

4 Riding a bike (help / helps) to relieve stress.

5 Physics (is / are) an interesting subject to study.

6 The number of students in this school (is / are) about 600.

7 Everything (has / have) its strengths and weaknesses.

**틀리기 쉬운
내/신/포/인/트**

단수 동사를 쓸지, 복수 동사
를 쓸지 여부는 주어에 따라
결정돼요.

어법상 틀린 부분을 찾아 바르게 고쳐 쓰시오.

Each student have a different personality.

_____ → _____

POINT 2 수의 일치: 복수 취급

주어를 복수 취급하는 경우로, 복수 동사를 쓴다.

both A and B A and B	**Both** she **and** I **are** interested in sports. Mike **and** Sarah **are** playing tennis together.	그녀와 나 둘 다 스포츠에 흥미가 있다. Mike와 Sarah는 함께 테니스를 치고 있다.
복수 명사 (glasses, shoes, pants 등)	**My glasses are** round and light.	나의 안경은 둥글고 가볍다.
a number of+복수 명사 (많은 ~)	**A number of** children **are** playing in the park.	많은 아이들이 공원에서 놀고 있다.
the+형용사 (~한 사람들)	**The rich are** not always happy. (= rich people)	부유한 사람들이 항상 행복한 것은 아니다.

주의 a number of+복수 명사+복수 동사 *vs.* the number of+복수 명사+단수 동사

A number of *visitors* **are** taking pictures. 많은 방문객들이 사진을 찍고 있다.

The number of *visitors* **is** more than 50. 방문객의 수는 50명 이상이다.

개념확인 주어와 동사 찾기

1 Ann and I are good friends.　　**2** A number of people are dancing.　　**3** The young are lucky.

기본연습 괄호 안에서 알맞은 것을 고르시오.

1 My sister and I (walk / walks) the dog every morning.

2 Those pants (look / looks) good on you.

3 The number of students (is / are) getting smaller.

4 I think these sunglasses (is / are) too expensive.

5 A number of stones (was / were) used to build this house.

6 Both German and French (is / are) spoken in Switzerland.

7 The poor (need / needs) more help from other people.

**틀리기 쉬운
내/신/포/인/트**

주어가 a number of ~
일 때와 the number of
~일 때, 동사의 쓰임을 구분
할 수 있어야 해요.

빈칸에 들어갈 말이 순서대로 짝 지어진 것은?

• The number of cars _____ increasing.

• A number of cars _____ moving slowly.

① is – is　　　　　　② is – are

③ are – is　　　　　　④ are – are

POINT 3 주의해야 할 수 일치

「부분이나 전체를 나타내는 표현＋of＋명사」는 of 뒤의 명사에 수를 일치시킨다. ☆

all / most / half / some / 분수 ＋ of ＋ 단수 명사 → 단수 동사

All of *the soup* **was** spilled.	수프 전체가 쏟아졌다.
Most of *the work* **was** finished.	일의 대부분이 끝났다.
Half of *my money* **is** saved.	내 돈의 절반이 저축된다.
Some of *the information* **is** not true.	그 정보의 일부는 사실이 아니다.
Three-fourths of *the mountain* **is** covered with snow.	그 산의 4분의 3이 눈으로 덮여 있다.

all / most / half / some / 분수 ＋ of ＋ 복수 명사 → 복수 동사

All of *the apples* **are** fresh.	그 사과들 모두가 신선하다.
Most of *the children* **are** singing.	그 아이들 대부분이 노래를 부르고 있다.
Half of *the cats* **are** white.	그 고양이들의 절반이 흰색이다.
Some of *the books* **are** novels.	그 책들 중 일부는 소설이다.
Two-thirds of *the houses* **have** a large garden.	그 집들의 3분의 2가 큰 정원을 가지고 있다.

Tips B에 동사를 일치시키는 경우

either *A* or *B*: Either Judy or **you** **have** to do the work. Judy 또는 네가 그 일을 해야 한다.

neither *A* nor *B*: Neither Ava nor **Luna** **is** running. Ava도 Luna도 달리고 있지 않다.

not only *A* but also *B*: Not only Tim but also **Daisy** **comes** from Canada. Tim뿐만 아니라 Daisy도 캐나다 출신이다.

개념확인 주어와 동사 찾기

1 Most of the students are from London.

2 One-third of my money is in the bank.

기본연습 **A** 괄호 안에서 알맞은 것을 고르시오.

1 Half of the apple (is / are) rotten.

2 Most of her books (is / are) detective stories.

3 All of the information (is / are) useful for me.

4 Two-thirds of the bottles (is / are) empty.

5 Some of the pictures (is / are) hanging on the wall.

6 Half of my cousins (is / are) teenagers.

7 Either you or he (have to / has to) go there.

8 Some of us (doesn't / don't) know about the accident.

9 Four-fifths of the magazines (was / were) sold this month.

B 괄호 안의 동사를 이용하여 문장을 완성하시오. (현재시제로 쓸 것)

1 Half of his story _____ not true. (be)

2 Some of the girls _____ the same movie star. (like)

3 All of the windows in the house _____ closed. (be)

4 Two-fifths of the country _____ covered with forest. (be)

5 Most of the students _____ crying for joy. (be)

6 Some of the money _____ going to be donated. (be)

7 Half of the students _____ to join the school band. (want)

8 One-third of my friends _____ their own cups. (carry)

9 Most of the water _____ from the river in the town. (come)

C 밑줄 친 부분이 틀린 경우 바르게 고쳐 쓰시오. (옳은 경우 ○표 할 것)

1 Half of the tomatoes <u>is</u> green. → _____

2 Neither James nor Leo <u>are</u> good at playing the guitar. → _____

3 The number of balls in the box <u>are</u> 20. → _____

4 Some of the bands <u>was</u> invited to the rock festival. → _____

5 A number of cars <u>was</u> parked on the road. → _____

6 Not only Lisa but also you <u>is</u> able to solve the quiz. → _____

7 Two-thirds of the earth <u>is</u> covered with water. → _____

8 All of the TV programs <u>is</u> about the Olympic Games. → _____

9 Both Amy and Joe <u>wants</u> to go snowboarding this weekend. → _____

틀 리 기 쉬 운
내/신/포/인/트

of 뒤의 명사가 단수일 경우
단수 동사를 쓰고, 복수일 경우
복수 동사를 써요.

빈칸에 들어갈 말이 순서대로 짝 지어진 것은?

- Most of the milk _____ gone bad.
- Most of the children _____ playing games.

① have – enjoy 　　② have – enjoys
③ has – enjoy 　　④ has – enjoys

POINT 4 시제 일치

주절이 현재시제일 때, 종속절은 의미에 따라 모든 시제를 쓸 수 있다.

시제 일치: 종속절의 시제를 주절의 시제에 일치시키는 것

주절	종속절
I know <현재>	that my brother **was** honest. <과거> that my brother **is** honest. <현재> that my brother **has been** honest. <현재완료> that my brother **will** be honest. <미래>

나는 내 남동생이 정직했다는 것을 안다.
나는 내 남동생이 정직하다는 것을 안다.
나는 내 남동생이 정직해 왔다는 것을 안다.
나는 내 남동생이 정직할 거라는 것을 안다.

주절이 과거시제일 때, 종속절은 과거시제 또는 과거완료를 쓸 수 있다.

주절	종속절
I knew <과거>	that my brother **was** honest. <과거> that my brother **had been** honest. <과거완료>

나는 내 남동생이 정직했다는 것을 알았다.
나는 내 남동생이 정직했었다는 것을 알았다.

Tips 주절이 과거시제일 때 종속절에 조동사가 있는 경우, 조동사를 과거형으로 써야 한다.
He **told** us that the train **would be** late. 그는 기차가 늦을 거라고 우리에게 말했다.

시제 일치의 예외: 주절의 시제와 관계없이 종속절의 시제가 고정되어 쓰이는 경우가 있다.

종속절이 항상 현재시제	일반적·과학적 사실	I learned that the Mars **is** the fourth planet from the sun. 나는 화성이 태양으로부터 네 번째 행성이라는 것을 배웠다.
	현재의 습관	She said that she **goes** swimming every morning. 그녀는 매일 아침 수영하러 간다고 말했다.
	격언 및 속담	He said that no news **is** good news. 그는 무소식이 희소식이라고 말했다.
종속절이 항상 과거시제	역사적 사실	I heard that Franz Liszt **was** born in Hungary. 나는 Franz Liszt가 헝가리에서 태어났다고 들었다.

개념확인 빈칸에 들어갈 수 있는 시제 <u>모두</u> 고르기

1 I think that he _____ great work.

☐ did ☐ does ☐ will do

2 I knew that he _____ there.

☐ was ☐ is ☐ had been

기본연습 A 괄호 안에서 알맞은 것을 고르시오.

1 Everybody knows that the sun (rose / rises) in the east.

2 I know that Leonardo da Vinci (painted / has painted) *Mona Lisa*.

3 I hoped that I (can get / could get) there on time.

4 She heard that Tommy (has been / had been) to Jeju-do.

5 Clare told me that she (has exercised / exercises) three times a week.

6 He said that the treasure (is found / **was found**) in 2000.

7 We should remember that honesty (was / **is**) the best policy.

8 He promised that he (will come / **would come**) to my birthday party.

9 The teacher taught us that Jupiter (was / **is**) the biggest planet in the solar system.

B 밑줄 친 부분이 틀린 경우 바르게 고쳐 쓰시오. (옳은 경우 ○표 할 것)

1 I think that David <u>was</u> a good teacher. → _____

2 He said that he always <u>goes</u> to bed at 10 p.m. → _____

3 She told me that she <u>will stop</u> eating unhealthy food. → _____

4 I realized that I <u>had left</u> my umbrella on the bus. → _____

5 Peter said that his brother <u>goes</u> to the movies. → _____

C 우리말과 일치하도록 보기 에서 알맞은 말을 골라 시제에 유의하여 쓰시오.

| 보기 | invent | travel | see | eat | can come |

1 그들은 빛이 소리보다 더 빨리 이동한다는 것을 배웠다.

→ They learned that light _____ faster than sound.

2 우리 모두는 세종대왕이 한글을 창제했다는 것을 안다.

→ We all know that King Sejong _____ Hangeul.

3 Jeremy는 내가 매일 아침 사과 한 개를 먹는다는 것을 알지 못했다.

→ Jeremy didn't know that I _____ an apple every morning.

4 그는 그의 삼촌이 다음 주에 돌아올 수 있다는 것을 들었다.

→ He heard that his uncle _____ back next week.

5 수민이는 그녀가 이전에 시드니 오페라하우스를 본 적이 있다고 내게 말했다.

→ Sumin told me that she _____ the Sydney Opera House before.

틀 리 기   쉬 운
내/신/포/인/트

주절의 시제와 관계없이
항상 현재시제를 쓰는 경우
와 항상 과거시제를 쓰는
경우를 기억해야 해요.

빈칸에 들어갈 말이 순서대로 짝 지어진 것은?

- The child learned that Paris _____ the capital city of France.
- He discovered that the Wright brothers _____ the airplane in 1903.

① was − invent ② was − has invented

③ is − invented ④ is − has invented

POINT 5 화법 전환: 평서문

직접화법은 다른 사람이 한 말을 인용 부호를 사용하여 그대로 전달하는 것이고, 간접화법은 다른 사람이 한 말을 전달자의 입장에 맞게 바꿔서 전달하는 것이다.

〈평서문의 화법 전환〉

직접화법	He **said to** me, "**I have** math homework **today**."
간접화법	He **told** me (**that**) **he had** math homework **that day**.
	① ② ③ ④ ⑤

그는 내게 "나는 오늘 수학 숙제가 있어."라고 말했다.

그는 내게 그날 수학 숙제가 있다고 말했다.

① 전달동사를 바꾼다. (say → say, say to → tell)
② 콤마(,)와 큰따옴표를 없애고, 접속사 that을 쓴다. ↳ that은 생략 가능
③ 큰따옴표 안의 인칭대명사를 전달자에 맞춰 바꾼다.
④ 큰따옴표 안의 시제를 주절에 맞춰 바꾼다.
　　(주절이 과거일 때: 현재 → 과거, 과거 → 과거완료)
⑤ 지시대명사와 부사(구)를 바꾼다.

〈큰 따옴표 안의 인칭대명사 바꾸기〉
1인칭 → 주절의 주어로
2인칭 → 주절의 목적어로
3인칭 → 그대로 쓰기

↳ 〈화법 전환에 따른 지시대명사와 부사(구)의 변화〉
this → that　　these → those　　now → then
here → there　　ago → before　　today → that day
yesterday → the day before　　tomorrow → the next day

개념확인 간접화법으로 전환할 때 바뀌는 부분 <u>모두</u> 고르기

1 <u>She</u> <u>said</u> <u>to</u> <u>me</u>, "<u>I</u> <u>am</u> <u>happy</u>."
　　① ② ③ ④⑤ ⑥
　　☐ ☐ ☐ ☐ ☐

2 <u>He</u> <u>said</u>, "<u>I</u> <u>will</u> <u>meet</u> <u>her</u> <u>tomorrow</u>."
　　① ② ③④ ⑤ ⑥ ⑦
　　☐ ☐ ☐ ☐ ☐ ☐

기본연습 주어진 문장을 간접화법으로 바꿔 쓰시오.

1 She said, "I am really tired."
→ She said that _____ .

2 The man said, "I need to drink more water."
→ The man said that _____ .

3 He said to us, "I can stay here."
→ He told us that _____ .

4 The doctor said to me, "You have to lose weight."
→ The doctor told me that _____ .

5 She said to me, "I will see you tomorrow."
→ She told me that _____ .

6 The girl said to him, "I met Chris yesterday."
→ The girl told him that _____ .

POINT 6 화법 전환: 의문문

의문사가 있는 의문문: 의문사를 그대로 쓰고 「의문사＋주어＋동사」의 순서로 써서 간접화법으로 전환한다.

| 직접화법 | He said to me, "**What are you** doing?" | 그는 내게 "너는 무엇을 하고 있니?"라고 말했다. |

의문사 동사 주어

| 간접화법 | He **asked** me **what I was** doing. | 그는 내게 무엇을 하고 있는지 물었다. |

의문사＋주어＋동사

↳ said나 said to는 asked로 바뀌어요.

Tips 의문사가 주어인 경우에는 「의문사＋동사」의 순서로 쓴다.
She asked me **who painted** this picture. 그녀는 내게 누가 이 그림을 그렸는지 물었다.
의문사 동사

의문사가 없는 의문문: if나 whether를 추가하여 「if(whether)＋주어＋동사」의 순서로 써서 간접화법으로 전환한다.

| 직접화법 | He said to me, "**Do you have** a bike?" | 그는 내게 "너는 자전거를 가지고 있니?"라고 말했다. |

| 간접화법 | He **asked** me if(whether) **I had** a bike. | 그는 내게 자전거를 가지고 있는지 물었다. |

if(whether)＋주어＋동사

> 간접화법으로 전환할 때, 인칭대명사를 전달자에 맞춰 바꾸는 것을 잊지 마세요.

> 시제 또한 주절에 맞춰 바꿔야 해요. 주절이 과거일 때, 현재는 과거로, 과거는 과거완료로 바뀌어요.

개념확인 옳은 문장 고르기

1 그는 나에게 Ann이 어디에 있는지 물었다.
- ☐ He asked me where was Ann.
- ☐ He asked me where Ann was.

2 그는 나에게 피자를 좋아하는지 물었다.
- ☐ He asked me if I liked pizza.
- ☐ He asked me that I liked pizza.

기본연습 **A** 주어진 문장을 간접화법으로 바꿀 때 밑줄 친 부분을 바르게 고쳐 쓰시오.

1 He said to me, "Where is the bank?"
→ He asked me <u>where was the bank</u>. → _____

2 My friend said to me, "Why are you crying?"
→ My friend asked me <u>why I am</u> crying. → _____

3 She said to us, "Who will turn off the lights?"
→ She asked us <u>who will turn off</u> the lights. → _____

4 Jacob said to me, "Do you need a pen?"
→ Jacob asked me <u>I needed</u> a pen. → _____

5 Paul said to her, "Can you play tennis tomorrow?"
→ Paul asked her <u>she can play</u> tennis the next day. → _____

B 주어진 문장을 간접화법으로 바꿔 쓰시오.

1 She said to me, "Who is Mr. Brown?"

→ She asked me _____.

2 My uncle said to me, "Where do you want to go?"

→ My uncle asked me _____.

3 Helen said to me, "Do you like singing?"

→ Helen asked me _____.

4 He said to me, "Can you play the violin?"

→ He asked me _____.

5 I said to him, "What is your favorite food?"

→ I asked him _____.

6 My teacher said to me, "Will you do this project?"

→ My teacher asked me _____ that project.

7 Tom said to me, "Did you watch the movie yesterday?"

→ Tom asked me _____ the day before.

8 He said to her, "Where are you going?"

→ He asked her _____.

9 She said to him, "Are you going to meet Minji tomorrow?"

→ She asked him _____ the next day.

10 John said to his brother, "Will you buy some bread today?"

→ John asked his brother _____ that day.

11 She said to him, "Why are you looking at the sky?"

→ She asked him _____.

**틀리기 쉬운
내/신/포/인/트**

의문문을 간접화법으로 바꿀
때, 의문사가 있는 경우와
없는 경우를 구분해야 해요.

주어진 문장을 간접화법으로 바꿀 때 빈칸에 알맞은 말을 쓰시오.

He said to me, "Do you remember my name?"

→ He asked me _____.

긍정 명령문은 동사원형을 to부정사로 바꾼다. **Don't**로 시작하는 부정 명령문은 「**Don't**+동사원형」을 「**not**+to부정사」로 바꾼다.

긍정 명령문	직접화법	She **said to** me, "**Clean your** desk."	그녀는 내게 "네 책상을 정리해라."라고 말했다.
	간접화법	She **told** me **to clean my** desk.	그녀는 내게 내 책상을 정리하라고 말했다.
부정 명령문	직접화법	She **said to** me, "**Don't tell** a lie."	그녀는 내게 "거짓말을 하지 마."라고 말했다.
	간접화법	She **advised** me **not to tell** a lie.	그녀는 내게 거짓말을 하지 말라고 조언했다.

① 전달동사를 바꾼다. say to → tell(말하다), ask(요청하다), advise(조언하다), order(명령하다)
② 콤마(,)와 큰따옴표를 없애고, 명령문의 동사원형을 to부정사로 바꾼다. 부정 명령문의 「Don't+동사원형」→「not+to부정사」
③ 명령문의 인칭대명사와 부사(구)를 평서문을 간접화법으로 전환할 때와 동일한 방법으로 바꾼다.

개념확인 옳은 문장 고르기

1 그는 나에게 조용히 하라고 말했다.

☐ He told me be quiet.
☐ He told me to be quiet.

2 그는 나에게 걱정하지 말라고 말했다.

☐ He told me not to worry.
☐ He told me to not worry.

기본연습 주어진 문장을 간접화법으로 바꿔 쓰시오.

1 He said to me, "Feed the dogs."

→ He told me _____.

2 She said to me, "Do your best."

→ She told me _____.

3 The doctor said to him, "Don't drink cold water."

→ The doctor advised him _____.

4 My mom said to me, "Take out the garbage."

→ My mom asked me _____.

5 Patrick said to her, "Don't skip your meals."

→ Patrick advised her _____.

6 Ms. Green said to us, "Listen carefully to me."

→ Ms. Green told us _____.

7 The teacher said to the students, "Don't be late for school."

→ The teacher ordered the students _____.

POINT 8 강조

주어, 목적어, 부사(구)의 강조: 「It is/was ~ that ...」 강조 구문을 이용하며, 강조하고 싶은 말을 It is/was와 that 사이에 넣어 표현한다.

강조 대상	I planted a tree in the garden yesterday. 주어 / 목적어 / 장소 부사구 / 시간 부사구	나는 어제 정원에 나무 한 그루를 심었다.
주어	**It was I that** planted a tree in the garden yesterday.	어제 정원에 나무 한 그루를 심은 것은 바로 나였다.
목적어	**It was a tree that** I planted in the garden yesterday.	내가 어제 정원에 심은 것은 바로 나무 한 그루였다.
장소 부사(구)	**It was in the garden that** I planted a tree yesterday.	내가 어제 나무 한 그루를 심은 곳은 바로 정원이었다.
시간 부사(구)	**It was yesterday that** I planted a tree in the garden.	내가 정원에 나무 한 그루를 심은 것은 바로 어제였다.

주의 동사는 「It is/was ~ that ...」 강조 구문으로 강조할 수 없다.

동사의 강조: 동사를 강조하고 싶을 때는 「do/does/did+동사원형」의 형태로 쓰고, '정말 ~하다/했다'로 해석한다.

I **do like** eating spicy food.
She **does like** baking cookies.
He **did like** going to the movies alone.

나는 매운 음식을 먹는 것을 정말 좋아한다.
그녀는 쿠키를 굽는 것을 정말 좋아한다.
그는 혼자 영화 보러 가는 것을 정말 좋아했다.

does는 주어가 3인칭 단수이고 현재시제일 때 쓰고, did는 과거시제일 때 써요.

개념확인 문장에서 강조하고 있는 말 찾기

1 I do feel tired today.

2 It was a cat that ate the fish on the plate.

기본연습 **A** 우리말과 일치하도록 괄호 안에서 알맞은 것을 고르시오.

1 그는 그 문제를 푸는 법을 정말 알고 있다.
→ He (do / does / did) know how to solve the problem.

2 그가 정말로 먹고 싶어 하지 않는 것은 바로 썩은 감자이다.
→ It is a rotten potato (what / that) he really doesn't want to eat.

3 그녀는 나를 위한 생일 케이크를 정말로 만들었다.
→ She (does made / did make) a birthday cake for me.

4 아폴로 11호가 달에 착륙한 것은 바로 1969년이었다.
→ It (was / is) in 1969 that Apollo 11 landed on the moon.

5 내가 내 오랜 친구를 만난 곳은 바로 극장에서였다.
→ (That / It) was at the theater that I met my old friend.

B 밑줄 친 부분을 강조하는 문장이 되도록 바꿔 쓰시오.

1 My sister dropped <u>a vase</u> this morning.

→ _____

2 I <u>feel</u> happy when I play with my dogs.

→ _____

3 Rapunzel first saw the prince <u>from the tower</u>.

→ _____

4 I met a famous movie star on the street <u>last Sunday</u>.

→ _____

C 우리말과 일치하도록 괄호 안의 말을 바르게 배열하여 문장을 쓰시오.

1 그가 이상한 소리를 들은 것은 바로 어젯밤이었다.

(it, a strange sound, last night, he, that, heard, was)

→ _____

2 그녀가 그녀의 스마트폰을 잃어버린 곳은 바로 지하철에서였다.

(that, it, she, on the subway, lost, was, her smartphone)

→ _____

3 그 가수는 정말 아름다운 목소리를 가지고 있다.

(does, the singer, a beautiful voice, have)

→ _____

4 그 어린 소년은 어제 세계 퀴즈 대회에서 정말 우승했다.

(win, the little boy, the world quiz show, did, yesterday)

→ _____

5 Kevin이 오늘 아침 본 것은 바로 그의 이웃의 개였다.

(his neighbor's dog, that, was, saw, it, this morning, Kevin)

→ _____

틀 리 기 쉬 운
내/신/포/인/트

「It is/was ~ that ...」 강조
구문은 It is/was와 that 사이
에 강조하는 말을 넣어요.

주어진 문장을 괄호 안의 지시대로 바꿔 쓰시오.

The children had a good time in the park.

(in the park를 강조)

→ _____

POINT 9 부정

전체 부정: no, never, none, nothing, nobody, neither가 문장에 쓰여 '아무도(아무것도) ~ 않다'라는 의미를 나타낸다.

No one lives in that house. 「no + 명사」 형태로 쓰여요.	아무도 저 집에서 살지 않는다.
I'll **never** watch a horror movie alone.	나는 절대 혼자 공포 영화를 보지 않을 것이다.
Nobody knows the truth.	아무도 진실을 알지 못한다.
None of us like walking in the rain. 「none + of + 명사」 형태로 쓰여요.	우리 중 누구도 빗속에서 걷는 것을 좋아하지 않는다.
Neither of the books is thick. 둘(두 개) 다 부정할 때 써요.	그 두 책 다 두껍지 않다.

부분 부정: 「**not + all/always/every**」 형태가 '모두(항상) ~인 것은 아니다'라는 의미를 나타낸다.

Not all students are interested in games.	모든 학생들이 게임에 흥미가 있는 것은 아니다.
Rich people are **not always** happy.	부유한 사람들이 항상 행복한 것은 아니다.
Not every child likes sweet things.	모든 아이가 단것을 좋아하는 것은 아니다.

개념확인 올바른 의미 고르기

1 No one knows him.

　☐ 아무도 그를 모른다.　☐ 그를 아는 사람이 한 명 있다.

2 He is not always busy.

　☐ 그는 전혀 바쁘지 않다.　☐ 그가 항상 바쁜 것은 아니다.

기본연습 우리말과 일치하도록 괄호 안에서 알맞은 것을 고르시오.

1 아무도 그 바위를 들어 올릴 수 없다.

→ (Anybody / Nobody) can lift the rock.

2 나는 너의 친절을 절대 잊지 않을 것이다.

→ I will (ever / never) forget your kindness.

3 아무도 영원히 살지 않는다.

→ (Some / No) one lives forever.

4 모든 새가 하늘을 날 수 있는 것은 아니다.

→ (Not all / Not none) birds can fly.

5 이 두 답 중 어느 것도 옳지 않다.

→ (Both / Neither) of these answers is correct.

6 달이 항상 똑같아 보이는 것은 아니다.

→ The moon does (not always / not all) look the same.

7 모든 학생이 외국어를 말해야 하는 것은 아니다.

→ (Every / Not every) student has to speak a foreign language.

강조를 위해 부사(구)나 부정어(never, hardly, seldom, rarely 등)가 문장 맨 앞에 올 때 주어와 동사의 어순이
바뀌는 것을 도치라고 한다.

부사(구) 도치	부사구+동사+주어	**In the basket** is my dog.	바구니 안에 내 개가 있다.
	Here/There+동사+주어	**Here** comes our music teacher. * 주어가 대명사이면 주어와 동사가 도치되지 않아요. Here she comes.	여기 우리 음악 선생님이 온다.
부정어 도치	부정어+조동사/do동사+ 주어+동사원형	He **never** eats alone. → **Never** <u>does he eat</u> alone. She **hardly** expressed her feelings. → **Hardly** <u>did she express</u> her feelings.	그는 결코 혼자 밥을 먹지 않는다. 그녀는 감정을 거의 표현하지 않았다.
	부정어+be동사+주어	She was **seldom** late for school. → **Seldom** <u>was she</u> late for school.	그녀는 거의 학교에 늦지 않았다.

Tips so+동사+주어: ~도 또한 그렇다 / neither+동사+주어: ~도 또한 그렇지 않다
My sister likes dancing, and **so do I**. 내 여동생은 춤추는 것을 좋아하고, 나도 그렇다.
Mike doesn't play computer games, and **neither does Kelly**. Mike는 컴퓨터 게임을 하지 않고, Kelly도 하지 않는다.

개념확인 주어와 동사 찾기

1 On the hill stood a girl.　　**2** Never was he tired.　　**3** There goes the bus.

기본연습 **A** 괄호 안에서 알맞은 것을 고르시오.

1 On the bus (was / were) many students.

2 Rarely (he does / does he) ride a bicycle without a helmet.

3 David plays outside on weekends, and (so Andy does / so does Andy).

4 Kate doesn't drink coffee at night, and (so does her sister / neither does her sister).

B 밑줄 친 부분이 틀린 경우 바르게 고쳐 쓰시오. (옳은 경우 ○표 할 것)

1 <u>Here comes</u> my badminton coach.　→ _____

2 He enjoys jogging, and so <u>his brother does</u>.　→ _____

3 Hardly <u>he does</u> make a mistake.　→ _____

4 Under the tree <u>was</u> a little child.　→ _____

5 Minjae didn't hear me, and <u>neither Hana did</u>.　→ _____

6 Rarely <u>do I</u> swim in the sea.　→ _____

STEP 1 Map으로 개념 정리하기

수 일치	단수 취급 주어	• every/each+단수 명사, -thing, -one • 동명사(구), 국가명, 과목명/학문명 • the number of+복수 명사: ~의 수
	복수 취급 주어	• both A and B, A and B, 복수 명사 • a number of+복수 명사: 많은 ~ • the+형용사: ~한 사람들
		• all/most/half/some/분수+of+단수 명사+단수 동사 • all/most/half/some/분수+of+복수 명사+복수 동사

시제 일치	주절: 현재	종속절: 모든 시제 가능
	주절: 과거	종속절: 과거시제, 과거완료시제 가능
	예외	• 항상 현재시제: 일반적 사실, 습관, 격언 • 항상 과거시제: 역사적 사실

화법 전환	평서문	① say → say, say to → tell ② 콤마와 큰따옴표를 없애고 that 추가 ③ 인칭대명사와 시제 바꾸기
	의문문	의문사 있을 때: 의문사+주어+동사
		의문사 없을 때: if(whether)+주어+동사
	명령문	• tell/ask/advise/order+목적어+to부정사 • 부정 명령문: not+to부정사

강조	• 주어, 목적어, 부사(구) 강조: It is/was ~ that ... 강조 구문 • 동사 강조: do/does/did+동사원형

부정	전체 부정	no, never, none, nothing, neither
	부분 부정	not+all/always/every

도치	부사구	부사구+동사+주어
	부정어	• 부정어+조동사/do동사+주어+동사원형 • 부정어+be동사+주어

Quick Check

❶ The number of visitors (is / are) 100.

❷ Both Ann and Tim (knows / know) me.

❸ Most of his books (is / are) novels.

❹ I knew that he (was / is) busy.

❺ They learned that the Earth (moved / moves) around the sun.

❻ He said, "I am happy."
→ He said that (I was / he was) happy.

❼ He asked, "Do you know Dr. Ray?"
→ He asked (do / if) I knew Dr. Ray.

❽ He said to me, "Be quiet."
→ He told me (be / to be) quiet.

❾ It was a balloon (what / that) the child gave me.

❿ I don't like horror movies, and (either / neither) does my sister.

⓫ (All not / Not all) children like snacks.

⓬ Rarely (he does / does he) travel alone.

STEP 2 기본 다지기

빈칸완성

A 빈칸에 알맞은 be동사를 쓰시오. (현재시제로 쓸 것)

1 Physics _____ one of the most difficult subjects.

2 A number of children _____ interested in dinosaurs.

3 Listening to the radio _____ one of her hobbies.

4 The young _____ our hope for the future.

5 Two-thirds of the town _____ covered with snow.

6 Neither John nor I _____ able to solve the problem.

B 밑줄 친 부분이 어법상 틀린 경우 바르게 고쳐 쓰시오. (옳은 경우 ○표 할 것)

1 Half of the flights <u>was</u> delayed. → _____

2 On the stage <u>appeared the actor</u>. → _____

3 Jennifer likes eating snacks and so <u>I do</u>. → _____

4 Seldom <u>do</u> my brother enter my room. → _____

5 Kate <u>does want</u> to travel in space someday. → _____

6 It was a blue bird <u>what</u> she saw in a dream. → _____

7 She said that a fisherman <u>has found</u> some treasure in the sea last year. → _____

C 직접화법을 간접화법으로 바꿀 때 빈칸에 알맞은 말을 쓰시오.

1 My brother said to me, "I bought a new backpack."

→ My brother told me _____.

2 Emily said to me, "Where are you going?"

→ Emily asked me _____.

3 Olivia said to me, "Go to bed early."

→ Olivia advised me _____.

4 He said to us, "Do you need more food?"

→ He asked us _____.

5 Bob said to her, "Don't open the window."

→ Bob told her _____.

6 My friend said to me, "Will you join the school band?"

→ My friend asked me _____.

D 밑줄 친 부분을 강조하는 문장이 되도록 바꿔 쓰시오. (「It is/was ~ that ...」 강조 구문을 사용할 것)

1 I made <u>a paper flower</u> for my niece.

→ _____

2 She was born <u>on a small island</u>.

→ _____

3 Kevin started learning taekwondo <u>in 2020</u>.

→ _____

STEP 3 서술형 따라잡기

그림이해

A 학교 게시판의 내용과 일치하도록 강조의 표현으로 대화를 완성하시오.

1
> The school basketball team won in the final.

2
> The Sunny Band performed at our school last Friday.

1 A: Did the school baseball team win in the final?

B: No. It was _____.

2 A: Did the Sunny Band perform at our school last Thursday?

B: No. It was _____.

영작완성

B 우리말과 일치하도록 괄호 안의 말을 바르게 배열하여 문장을 쓰시오.

1 모든 학생이 교복 입는 것을 좋아하는 것은 아니다.

(likes, student, a school uniform, not, every, wearing)

→ _____

2 Joseph는 그가 경복궁을 본 적이 있다고 내게 말했다.

(Gyeongbok Palace, Joseph, me, he, had, told, that, seen)

→ _____

3 대부분의 학생들이 달이 지구 주위를 돈다는 것을 안다.

(moves around, the moon, the students, of, that, know, most, the Earth)

→ _____

문장영작

C 우리말과 일치하도록 괄호 안의 말을 이용하여 영작하시오.

1 그 공들의 3분의 2가 빨간색이다. (two-thirds, the balls)

→ _____

2 젊은 사람들이 항상 쾌활한 것은 아니다. (the young, always, cheerful)

→ _____

3 많은 학생들이 무대 위에서 춤을 추고 있다. (a number of, dance, on the stage)

→ _____

4 Linda는 절대 음식에 대해 불평하지 않는다. (complain about, the food)

→ Never _____.

[1-2] 빈칸에 들어갈 말로 알맞은 것을 고르시오.

1

Half of an apple _____ not enough for breakfast.

① is   ② are   ③ does

④ do   ⑤ did

2

He learned that oil _____ with water.

① hadn't mixed   ② hasn't mixed

③ isn't mixing   ④ doesn't mix

⑤ won't mix

[3-5] 빈칸에 들어갈 말이 순서대로 짝 지어진 것을 고르시오.

3

• Everybody in the park _____ watching the fireworks.

• Each student _____ a different talent.

① is – have   ② are – has

③ is – has   ④ are – have

⑤ is – have has

4

• Most of the information _____ not correct.

• A number of volunteers _____ working together.

① are – are   ② is – are

③ are – is   ④ is – is

⑤ are – be

5

• Traveling the world _____ my future dream.

• Some of the money _____ donated to children in Africa.

① is – were   ② are – were

③ is – was   ④ are – was

⑤ is – have been

6 빈칸에 공통으로 들어갈 말로 알맞은 것은?

• Jiho doesn't like playing games, and neither _____ I.

• I _____ know that Jane is a kind person.

① did   ② do   ③ does

④ was   ⑤ be

7 빈칸에 들어갈 be동사의 형태가 나머지와 다른 하나는?

① Every boy _____ good at swimming.

② Each question _____ 5 points.

③ The United States _____ a large country.

④ Taking pictures _____ my hobby.

⑤ Both he and I _____ interested in art.

직접화법을 간접화법으로 바꾼 문장의 밑줄 친 부분 중 틀린 것을 고르시오.

8

> He said to me, "What do you do in your free time?"

→ He ①asked me ②what ③I ④do in ⑤my free time.

9

> She said to me, "Take an umbrella with you."

→ ①She ②told ③me ④take an umbrella ⑤with me.

10 주어진 우리말을 영어로 가장 바르게 옮긴 것은?

> 내가 지난주에 가입한 것은 바로 마술 동아리였다.

① I joined that magic club last week.
② I did join the magic club last week.
③ It was I that joined the magic club last week.
④ It was the magic club that I joined last week.
⑤ It was last week that I joined the magic club.

11 밑줄 친 부분이 어법상 틀린 것은?

① Near the forest is an old farm.
② Rarely do she go to bed early.
③ No one eats food in the museum.
④ All of the products were sold in a day.
⑤ They didn't believe that he had seen a ghost.

12 밑줄 친 부분의 쓰임이 나머지 넷과 다른 것은?

① He does feel the pain.
② Nicole does help me a lot.
③ She does know where her wallet is.
④ Mike does remember his promise.
⑤ She does her homework after school.

13 다음 중 어법상 올바른 문장은?

① These shoes is too tight for me.
② He thought that Helen looks sad.
③ Half of the sandwich were eaten by her.
④ Neither Amelia nor Natalie are my classmate.
⑤ It was at the theater that I met my favorite singer.

14 주어진 문장을 간접화법으로 바꿀 때 빈칸에 들어갈 말로 알맞은 것은?

> He asked me, "Do you like learning about new cultures?"
> → He asked me _____ learning about new cultures.

① if you like　　　　② do I liked
③ if he likes　　　　④ do you liked
⑤ if I liked

15 주어진 문장을 간접화법으로 바르게 바꾼 것은?

> The librarian said to him, "Don't speak loudly."

① The librarian said to him to speak loudly.
② The librarian told him not speak loudly.
③ The librarian told him not speaking loudly.
④ The librarian told him not to speak loudly.
⑤ The librarian told him to not speak loudly.

고난도

16 다음 중 어법상 틀린 문장의 개수는?

> ⓐ Mathematics is an important subject to us.
> ⓑ The number of Internet users are growing.
> ⓒ I think that Benjamin will be the club president.
> ⓓ He said that the early bird caught the worm.

① 0개   ② 1개   ③ 2개
④ 3개   ⑤ 4개

17 주어진 문장을 간접화법으로 바꾼 문장에서 어법상 틀린 부분을 바르게 고친 것은?

> She said to me, "Can I borrow your book?"
> → She ①asked me ②if ③I ④can borrow ⑤your book.

① → told   ② → what
③ → 고칠 필요 없음   ④ → could borrow
⑤ → 고칠 필요 없음

18 우리말 해석이 틀린 것은?

① The customer is not always right.
  → 고객이 항상 옳은 것은 아니다.
② Not all strawberries in the basket are fresh.
  → 바구니 안의 모든 딸기가 신선하지 않다.
③ No one goes to school on Sundays.
  → 아무도 일요일에 학교에 가지 않는다.
④ Seldom do they watch movies these days.
  → 그들은 요즘에 거의 영화를 보지 않는다.
⑤ It was my hat that my dog hid under the sofa.
  → 내 개가 소파 아래에 숨긴 것은 바로 내 모자였다.

19 빈칸 (A)~(C)에 알맞은 말이 순서대로 짝 지어진 것은?

> · Either she or I ___(A)___ to call him.
> · Not only the teacher but also the students ___(B)___ about the news.
> · One-fourth of these people ___(C)___ Korean.

	(A)	(B)	(C)
①	have	knows	speaks
②	has	know	speak
③	have	know	speak
④	has	knows	speak
⑤	have	know	speaks

고난도

20 어법상 올바른 문장의 개수는?

> ⓐ Nothing is forever.
> ⓑ Teaching children is her job.
> ⓒ Under the table was a little cat.
> ⓓ Three miles is a long distance to walk.
> ⓔ Every child have the right to be educated.

① 1개   ② 2개   ③ 3개
④ 4개   ⑤ 5개

21 각 인물이 한 말을 전하는 간접화법 문장을 완성하시오.

  (1) **Amy:** When is the school field trip?

    → Amy asked me _____

    _____.

  (2) **the teacher:** Don't run in the classroom.

    → The teacher told us _____

    _____.

22 우리말과 일치하도록 괄호 안의 말을 배열하여 문장을 완성하시오.

  (1) 모든 구성원들이 그 제안에 동의한 것은 아니었다.

    (members, not, agreed, all)

    → _____

    on the suggestion.

  (2) 나는 도서관에서 절대 내 스마트폰을 사용하지 않았다.

    (use, did, in the library, I, my smartphone)

    → Never _____

    _____.

23 그림의 내용과 일치하도록 괄호 안의 말과 「It was ~ that ...」 강조 구문을 이용하여 대화를 완성하시오.

  A: Did you break the glass?

  B: No. It was _____

  _____. (my cat)

24 주어진 문장을 괄호 안의 지시대로 바꿔 쓰시오.

  (1) He said to me, "Do you have time for lunch?"

    (간접화법으로)

    → He asked me _____

    _____.

  (2) She said to me, "Where were you yesterday?"

    (간접화법으로)

    → She asked me _____

    _____.

  (3) An old lady stood under a tree.

    (under a tree로 시작하는 도치 문장으로)

    → Under a tree _____

    _____.

고난도

25 조건 에 맞게 빈칸에 알맞은 말을 쓰시오.

> A number of people (1)_____ walking down the street. Some of them (2)_____ middle school students. The number of the students (3)_____ 7. Every student (4)_____ wearing a school uniform. Nobody (5)_____ wearing a hat because it is not part of their school uniform.

> 조건   1. be동사를 알맞은 형태로 쓸 것
>   2. 현재시제로 쓸 것

3학년 교과서 문법 연계표

과	동아 (윤정미)	Chapter	Point	Page
1	접속사 whether/if	10	7	194
1	to부정사의 형용사적 용법 (명사 수식)	4	3	72
2	사역동사+목적어+동사원형	1	6	22
2	so that (목적)	10	4	188
3	관계대명사의 계속적 용법	11	6	215
3	가주어 It ~ that절	8	2	144
4	현재완료진행형	2	5	39
4	의문사+to부정사	4	2	70
5	명사를 뒤에서 꾸미는 현재분사	6	1,2	104,105
5	원급 비교: as+원급+as	9	5	166
6	과거완료	2	6	40
6	관계대명사 what	11	4	212
7	분사구문	6	4,5	108,110
7	접속사 as	10	5	190
8	to부정사의 의미상 주어	4	6	76
8	가정법 과거	12	1	228

과	동아 (이병민)	Chapter	Point	Page
1	to부정사의 의미상 주어	4	6	76
1	관계대명사 what	11	4	212
2	수 일치	13	3	248
2	조동사가 포함된 수동태	7	2	126
3	사역동사+목적어+동사원형	1	6	22
3	It ~ that 강조 구문	13	8	256
4	the+비교급, the+비교급	9	9	172
4	접속사 since (이유)	10	2	185
5	가정법 과거	12	1	228
5	의문사+to부정사	4	2	70
6	so that (목적)	10	4	188
6	형용사/부사+enough to+동사원형	4	7	78
7	소유격 관계대명사	11	3	211
7	시간 접속사 while, until, after	10	1	184
8	분사구문	6	4,5	108,110
8	과거완료	2	6	40

3학년 교과서 문법 연계표

과	천재 (이재영)	Chapter	Point	Page
1	관계대명사 what	11	4	212
	지각동사+목적어+동사원형	1	7	24
2	명사를 뒤에서 꾸미는 분사	6	1, 2	104, 105
	접속사 since (이유) 접속사 though (양보)	10	2, 3	185, 186
3	현재완료진행형	2	5	39
	so+형용사/부사+that ~	10	4	188
4	관계부사 when, where	11	7	216
	접속사 whether/if	10	7	194
5	과거완료	2	6	40
	It ~ that 강조 구문	13	8	256
6	to부정사의 의미상 주어	4	6	76
	가정법 과거	12	1	228
7	분사구문	6	4, 5	108, 110
	조동사가 포함된 수동태	7	2	126
8	조동사+have+과거분사	3	5	56
	관계대명사의 계속적 용법	11	6	215

과	천재 (정사열)	Chapter	Point	Page
1	간접의문문	10	9	197
	관계대명사의 계속적 용법	11	6	215
2	과거완료	2	6	40
	비교급 강조	9	6	168
3	형용사/부사+enough to+동사원형	4	7	78
	not only A but also B	10	6	192
4	분사구문	6	4, 5	108, 110
	관계대명사 what	11	4	212
5	가정법 과거	12	1	228
	소유격 관계대명사 whose	11	3	211
6	the+비교급, the+비교급	9	9	172
	It ~ that 강조 구문	13	8	256
7	간접화법 (평서문)	13	5	252
	접속사 if (~인지 (아닌지))	10	7	194
8	부정대명사	8	4, 5	148, 149
	5형식: to부정사가 목적격보어	1	5	20

과	능률 (김성곤)	Chapter	Point	Page
1	현재완료진행형	2	5	39
1	관계대명사 what	11	4	212
2	관계대명사의 계속적 용법	11	6	215
2	명사를 수식하는 분사	6	1, 2	104, 105
3	과거완료	2	6	40
3	부사절을 이끄는 접속사 (after, since, although)	10	1, 2, 3	184, 185, 186
4	접속사 if/whether	10	7	194
4	조동사가 포함된 수동태	7	2	126
5	to부정사의 의미상 주어	4	6	76
5	관계부사	11	7	216
6	the+비교급, the+비교급	9	9	172
6	분사구문	6	4, 5	108, 110
7	가정법 과거	12	1	228
7	so that (목적)	10	4	188

과	능률 (양현권)	Chapter	Point	Page
1	to부정사의 의미상 주어	4	6	76
1	관계대명사의 계속적 용법	11	6	215
2	It ~ that 강조 구문	13	8	256
2	5형식	1	5	20
3	관계대명사 what	11	4	212
3	사역동사 make	1	6	22
4	과거완료	2	6	40
4	분사구문	6	4, 5	108, 110
5	의문사+to부정사	4	2	70
5	the+비교급, the+비교급	9	9	172
6	간접 화법 (평서문)	13	5	252
6	지각동사+목적어+현재분사	1	7	24
7	가정법 과거	12	1	228
7	so+형용사/부사+that ~	10	4	188

3학년 교과서 문법 연계표

과	YBM (박준언)	Chapter	Point	Page
1	동사를 강조하는 do	13	8	256
	관계대명사 what	11	4	212
2	현재완료진행형	2	5	39
	명사를 수식하는 현재분사	6	1, 2	104, 105
3	It ~ that 강조 구문	13	8	256
	have+목적어+과거분사	1	6	22
4	to부정사의 의미상 주어	4	6	76
	가정법 과거	12	1	228
5	과거완료	2	6	40
	so that (목적)	10	4	188
6	관계대명사의 계속적 용법	11	6	215
	to부정사의 부사적 용법 (감정의 원인)	4	4	73
7	관계부사 how	11	7	216
	the+비교급, the+비교급	9	9	172
8	분사구문	6	4, 5	108, 110
	동명사의 관용 표현: be worth -ing	5	6	95
9	I wish 가정법 과거	12	4	233
	간접의문문	10	9	197

과	YBM (송미정)	Chapter	Point	Page
1	too ~ to부정사	4	7	78
	to부정사의 부정형	4	1	68
2	분사구문	6	4, 5	108, 110
	접속사 if (~인지 (아닌지))	10	7	194
3	the+비교급, the+비교급	9	9	172
	It ~ that 강조 구문	13	8	256
4	접속사 although	10	3	186
	seem to	4	5	75
5	관계대명사 what	11	4	212
	현재완료진행형	2	5	39
6	원급 비교: as+원급+as	9	5	166
	과거완료	2	6	40
7	가정법 과거	12	1	228
	so that (목적)	10	4	188
8	not only A but also B	10	6	192
	접속사 while (대조)	10	5	190

과	미래엔 (최연희)	Chapter	Point	Page
1	관계대명사 what	11	4	212
	접속사 although	10	3	186
2	It ~ that 강조 구문	13	8	256
	관계대명사의 계속적 용법	11	6	215
3	「주격 관계대명사+be동사」 생략	11	1	208
	동사를 강조하는 do	13	8	256
4	과거완료	2	6	40
	간접의문문	10	9	197
5	분사구문	6	4, 5	108, 110
	not only A but also B	10	6	192
6	관계부사	11	7	216
	접속부사 however, thus	10	8	196
7	소유격 관계대명사	11	3	211
	가정법 과거	12	1	228

과	비상 (김진완)	Chapter	Point	Page
1	관계대명사 what	11	4	212
	관계부사	11	7	216
2	to부정사의 의미상 주어	4	6	76
	현재완료진행형	2	5	39
3	접속사 if (~인지 (아닌지))	10	7	194
	과거완료	2	6	40
4	명사를 수식하는 분사	6	1, 2	104, 105
	가목적어 it	8	2	144
5	분사구문	6	4, 5	108, 110
	so that (목적)	10	4	188
6	It ~ that 강조 구문	13	8	256
	had+목적어+과거분사	1	6	22
7	접속사 as (~함에 따라, ~할수록)	10	5	190
	수 일치	13	3	248
8	가정법 과거	12	1	228
	with+명사+분사	6	8	114

3학년 교과서 문법 연계표

과	지학사 (민찬규)	Chapter	Point	Page
1	관계대명사 what	11	4	212
	지각동사＋목적어＋현재분사	1	7	24
2	to부정사의 의미상 주어	4	6	76
	명사를 수식하는 분사	6	1, 2	104, 105
3	not only A but also B	10	6	192
	간접의문문	10	9	197
4	과거완료	2	6	40
	to부정사의 부사적 용법 (감정의 원인)	4	4	73
5	부정대명사 one	8	4	148
	분사구문	6	4, 5	108, 110
6	It ~ that 강조 구문	13	8	256
	접속부사 however	10	8	196
7	가정법 과거	12	1	228
	keep/make＋목적어＋목적격보어(형용사)	1	5	20
8	too ~ to부정사	4	7	78
	No one ~	13	9	258

과	금성 (최인철)	Chapter	Point	Page
1	사역동사	1	6	22
	동명사의 관용 표현: be worth -ing, feel like -ing, couldn't help -ing	5	6	95
2	the＋비교급, the＋비교급	9	9	172
	to부정사의 의미상 주어	4	6	76
3	not only A but also B B as well as A	10	6	192
	I wish 가정법	12	4	233
4	과거완료	2	6	40
	원급 비교: as＋원급＋as	9	5	166
5	so＋형용사/부사＋that ~	10	4	188
	지각동사＋목적어＋목적격보어 (현재분사/동사원형)	1	7	24
6	It ~ that 강조 구문	13	8	256
	분사구문	6	4, 5	108, 110
7	to부정사의 부사적 용법 (형용사 수식)	4	4	73
	so＋동사＋주어	13	10	259
8	접속사 whether (~ or not)	10	7	194
	It's time 가정법	12	4	233

문제로 쉬워지는 중학영문법

그래머
클라우드

3000제

문제로 쉬워지는 중학영문법

그래머 클라우드

3000제

정답 및 해설

LEVEL 3

동아출판

문제로 쉬워지는 중학영문법

그래머 클라우드

3000제

정답 및 해설 LEVEL 3

7 entered **8** ○ **9** attended
10 ○

개념확인 **1** 주어: My family 동사: lives
2 주어: some books 동사: are

기본연습 **1** 동사, 수식어구   **2** 주어, 수식어구
3 동사, 주어, 수식어구   **4** 주어, 동사
5 주어, 수식어구   **6** 주어, 수식어구
7 주어, 수식어구   **8** 주어, 동사, 수식어구
9 동사, 수식어구

POINT **2** 2형식   p. 15

개념확인 **1** wise and brave   **2** strange
3 louder

기본연습
A **1** happy **2** soft **3** warm
4 quiet **5** beautiful **6** lonely
7 looks like **8** became **9** taste
10 a secret

B **1** tastes like **2** ○ **3** quiet
4 ○ **5** silent **6** difficult
7 sounded

C **1** These flowers are very pretty.
2 The dog looks very smart.
3 Leaves turn red in fall.
4 This shampoo smells like oranges.
5 The milk went bad.
6 Your plan sounds like a good idea.
7 The people stayed calm during the earthquake.

틀리기 쉬운 내신포인트

정답 ③

해설 감각동사(feel, taste, look, smell)의 주격보어로는 형용
사를 쓰고, 부사는 쓰지 않는다.
① tiredly → tired ② well → good ④ sweetly → sweet

POINT **3** 3형식   p. 17

개념확인 **1** the newspaper   **2** many friends
기본연습 **1** ○ **2** ○ **3** resemble
4 ○ **5** ○ **6** marry

POINT **4** 4형식   p. 18

개념확인 **1** 간접목적어: his children 직접목적어: spaghetti
2 간접목적어: my friend 직접목적어: some photos

기본연습
A **1** passed my dad the car key
2 sent me a sweater
3 asked me a question
4 gave me pocket money
5 showed the boy toy cars
6 lent Judy a blue dress
7 made me chicken soup

B **1** to **2** to **3** for
4 for **5** to **6** for
7 for

C **1** His grandfather made a kite for him.
2 She told her secret to us.
3 Mr. Green sent some flowers to his wife.
4 She bought a birthday present for him.
5 Rosa gave a big hug to her nephew.
6 The girl wrote a fan letter to the singer.
7 He brought some food and water to me.

틀리기 쉬운 내신포인트

정답 ②

해설 ② 4형식 문장을 3형식 문장으로 바꿀 때, 동사 make는
전치사 for를 사용한다. 나머지 빈칸에는 전치사 to가 들어
간다.

POINT **5** 5형식   p. 20

개념확인 **1** 목적격보어   **2** 직접목적어
기본연습
A **1** 목적어: her cat 목적격보어: Bob
2 목적어: me 목적격보어: to use his computer
3 목적어: the idea 목적격보어: pretty good
4 목적어: her room 목적격보어: clean
5 목적어: his boots 목적격보어: dirty
6 목적어: me 목적격보어: to go to bed early
on weekdays

B
1 warm   2 Spot   3 to sit
4 happy   5 brave   6 to win
7 to keep   8 them

C
1 told my sister to eat her breakfast
2 asked the students to be quiet
3 left the door open
4 elected Austin their leader
5 found the novel interesting
6 allowed us to play with her dogs
7 advised the patient to eat more vegetables

틀리기 쉬운 내신포인트

정답 ③

해설 빈칸에는 to부정사를 목적격보어로 쓰는 동사가 필요한데 keep은 목적격보어로 형용사를 쓰는 동사이므로 빈칸에 들 어갈 수 없다.

POINT 6 5형식: 사역동사   p. 22

개념확인 1 내가 요리하는 것을 도왔다
2 나의 시계가 고쳐지게 했다

기본연습

A
1 close   2 go   3 cut
4 to do   5 plant   6 read
7 to wash   8 painted   9 stay
10 to solve   11 drink   12 stolen

B
1 water   2 stop   3 cleaned
4 to finish   5 ride   6 repaired
7 (to) do   8 go

틀리기 쉬운 내신포인트

정답 ②, ④

해설 준사역동사 help는 목적격보어로 동사원형과 to부정사를 둘 다 쓸 수 있다.

POINT 7 5형식: 지각동사   p. 24

개념확인 1 I saw him laugh.
2 I heard her singing.

기본연습

A
1 waiting   2 play   3 touch
4 burning   5 taking   6 mentioned
7 playing

B
1 I heard someone knock(knocking) on the door.
2 He saw the students run(running) in the playground.
3 He felt someone touch(touching) his shoulder in the dark.

개념완성 TEST   p. 25

STEP 1 Quick Check

① entered   ② happy   ③ to take
④ us history   ⑤ for   ⑥ to clean
⑦ use   ⑧ repaired
⑨ saw the children playing soccer

STEP 2 기본 다지기

A
1 became   2 tastes   3 feed
4 to take   5 sing(singing)

B
1 are   2 interesting   3 ○
4 to wear   5 fresh   6 for
7 ○   8 to drink   9 ○
10 enter

C
1 teaches French to me
2 gave a birthday present to her brother
3 cooked Italian food for his family
4 told Ms. Han's email address to me
5 bought a baseball cap for me
6 made her grandson a scarf
7 showed his friends his new smartphone

D
1 makes me happy
2 had her go
3 wants me to go shopping
4 sounds beautiful
5 looks like
6 had his bike fixed
7 expect him to pass
8 made us clean
9 heard her name called
10 watched people take(taking)
11 call him the Walking Dictionary
12 felt her chair shake(shaking)
13 elected Steve class president

A 1 to eat his vegetables
  2 clean his desk
  3 to do his homework

B 1 The police made people leave the building.
  2 He had his eyes examined regularly.
  3 She heard the tourists talking in English.
  4 My parents allowed me to follow my dream.

C 1 The food tasted sweet.
  2 She showed her painting to us.
  3 Tom helped me (to) win the game.
  4 I saw my sister come(coming) into my room.

학교 시험 실전 문제
p. 29

1 ③ 2 ⑤ 3 ④ 4 ② 5 ④ 6 ② 7 ④
8 ④ 9 ④ 10 ①, ③ 11 ④ 12 ① 13 ② 14 ①, ③
15 ⑤ 16 ④ 17 ② 18 ④ 19 ④ 20 ④

서술형

21 (1) Yena lent a pencil to Sora yesterday.
  (2) Max sent a postcard to his family.
  (3) Lynn bought a pair of shoes for her brother.
22 (1) She let me ride her bike.
  (2) I found this machine useful.
23 (1) She asked me to fill out the form.
  (2) The cloud in the sky looks like a bear.
  (3) Mr. Jones made them stand up.
24 (1) my (little) sister play(playing) with sand
  (2) my dad (to) set up the tent
25 (1) the earth shake(shaking)
  (2) the people cry(crying) for help

1 ③ 감각동사(look) 뒤에는 주격보어로 형용사가 오며, 부사 (kindly)는 주격보어 자리에 올 수 없다. ④ friendly는 부사가 아니라 형용사이다.

2 reach는 3형식 동사로 동사와 목적어 사이에 전치사를 필요로 하지 않는다. (reached at → reached)

3 두 문장 모두 2형식 문장으로, 빈칸에 공통으로 알맞은 말은 ④ became(~이 되었다)이다.

4 첫 번째 빈칸에는 '(목적어)가 ~하게 하다'라는 의미의 사역동사가 알맞고, 두 번째 빈칸에는 '먹다'라는 의미의 동사가 알맞으므로, 공통으로 알맞은 말은 ② had이다.

5 ④는 「주어+동사+목적어(a present)」로 이루어진 3형식 문장이고, 나머지는 「주어+동사+주격보어」로 이루어진 2형식 문장이다.

6 ②는 「주어+동사+간접목적어(me)+직접목적어(a card)」로 이루어진 4형식 문장이고, 나머지는 「주어+동사+목적어+목적격보어」로 이루어진 5형식 문장이다.

7 ④의 빈칸에는 전치사 of가 들어가고, 나머지 빈칸에는 전치사 to가 들어간다.

8 빈칸에는 목적격보어로 to부정사(to come)를 쓰는 동사가 들어갈 수 있다. make는 사역동사로, 동사원형을 목적격보어로 쓰므로 빈칸에 들어갈 수 없다.

9 ④ 동사 cook은 4형식 문장을 3형식 문장으로 바꿀 때, 간접목적어(me) 앞에 전치사 for를 쓴다. (to → for)

10 지각동사(watch)는 목적격보어로 동사원형이나 현재분사를 쓴다.

11 ④의 make는 목적어를 두 개 갖는 수여동사로 '~에게 …을 만들어 주다'라는 뜻을 나타내고, 나머지 make는 5형식 문장에서 '~을 …하게 만들다/하다'라는 의미를 나타낸다.

12 let은 사역동사로, 목적격보어로 동사원형을 쓴다.

13 지각동사는 목적격보어로 동사원형이나 현재분사를 쓴다.
  ① → follow(following) ③ → sing(singing)
  ④ → burn(burning) ⑤ → eat(eating)

14 ⓐ 감각동사(look) 뒤 주격보어 자리에 부사는 올 수 없고 형용사가 와야 한다. (→ amazing)
  ⓒ marry(~와 결혼하다)는 3형식 동사로, 전치사를 필요로 하지 않는다. (→ married)

15 (A) 준사역동사 help는 목적격보어로 동사원형이나 to부정사를 쓴다.
  (B) 감각동사(sound) 뒤에는 형용사가 오며, 부사는 올 수 없다.
  (C) 지각동사(listen to)의 목적격보어로 쓸 수 있는 것은 현재분사이다.

16 목적어 it(= my car)과 목적격보어가 수동 관계이므로, 목적격보어로 과거분사 fixed가 알맞다.

17 tell은 5형식 문장에서 목적격보어로 to부정사를 쓰는 동사이다. 지각동사 hear는 목적격보어로 동사원형이나 현재분사를 쓴다.

18 우리말을 영어로 옮기면 They don't let their children watch TV at night.이므로 쓰이지 않는 단어는 to이다.

19 ④ 목적어(my eyes)와 목적격보어가 수동 관계이면 목적격보어로 과거분사를 쓴다. (check → checked)

20 ⓐ, ⓒ, ⓔ가 올바른 문장이다.
  ⓑ 사역동사(have)는 목적격보어로 동사원형을 쓴다.
  (to open → open)
  ⓓ 준사역동사 get은 목적격보어로 to부정사를 쓴다.
  (buy → to buy)

21 「주어＋동사＋간접목적어＋직접목적어」의 4형식 문장을 3형식 문장으로 바꾸면, 「주어＋동사＋직접목적어＋전치사(to, for)＋간접목적어」의 형태가 된다.

22 (1) 「주어＋사역동사(let)＋목적어＋목적격보어(동사원형)」의 문장을 완성한다.
(2) 「주어＋동사(found)＋목적어＋목적격보어(형용사)」의 문장을 완성한다.

23 (1) ask는 목적격보어로 to부정사를 쓰는 동사이다.
(fill → to fill)
(2) 감각동사(look) 뒤에 명사가 오는 경우, 「감각동사(look)＋like ＋명사」의 형태로 쓴다. (looks → looks like)
(3) 사역동사 make는 목적격보어로 동사원형을 쓴다.
(to stand → stand)

24 (1) 지각동사(watch)는 목적격보어로 동사원형이나 현재분사를 쓴다.
(2) 준사역동사 help는 목적격보어로 동사원형이나 to부정사를 쓴다.

25 목적어와 목적격보어가 능동 관계이므로, 지각동사의 목적격보어로 동사원형이나 현재분사를 쓴다.

CHAPTER **2**

시제

POINT 1 현재시제와 과거시제 p. 34

개념확인 1 went, 일찍 집에 갔다
2 walks, 걸어서 학교에 간다

기본연습

A 1 live 2 passed 3 had
4 fly 5 missed

B 1 fell 2 has 3 were
4 is 5 invented

POINT 2 미래시제 p. 35

개념확인 1 피자를 주문할 것이다 2 Cindy를 만날 것이다

기본연습 1 will visit
2 is going to write
3 will like
4 is not going to open
5 will not(won't) work
6 am going to buy
7 will attend
8 is visiting

POINT 3 현재완료 p. 36

개념확인 1 지금 지갑이 없다
2 뉴질랜드에 가 본 적이 있다

기본연습

A 1 have studied 2 has eaten
3 Have, listened 4 has had
5 hasn't(has not) replied
6 has lost 7 have just heard
8 have never been 9 has, been
10 has known

B 1 have lived 2 has gone
3 have used

틀리기 쉬운 내신포인트

정답 ②

해설 [보기]의 문장은 현재완료의 〈경험〉의 용법으로 쓰였다.
① 결과 ② 경험 ③ 완료 ④ 계속

개념확인 1 ⓑ   2 ⓐ

기본연습 1 visited   2 have helped
3 has traveled   4 were
5 left   6 have lived
7 did, receive   8 has gone
9 graduated   10 has played

틀리기 쉬운 내신포인트

정답 (1) saw (2) has visited

해설 (1) an hour ago가 명백한 과거를 나타내는 부사구이므로 과거시제 saw가 알맞다.
(2) twice(두 번)는 경험을 나타내는 현재완료와 주로 쓰이므로 현재완료 has visited가 알맞다.

POINT **5** 현재완료진행형   p. 39

개념확인 1 TV를 아직 보고 있다
2 공부를 하고 있다

기본연습

A 1 have been practicing
2 has been waiting
3 has been sleeping
4 has been reading
5 has been talking
6 have been playing

B 1 have been watching
2 has been raining

POINT **6** 과거완료   p. 40

개념확인 그가 아침에 일어나기 전에 비가 그쳤다.

기본연습

A 1 남동생이 잠자리에 든 것
2 연극이 시작된 것
3 미술 수업을 받은 것
4 그들이 피자를 다 먹은 것
5 집에 지갑을 두고 온 것

B 1 had, started   2 had, closed
3 had, left   4 had, passed
5 had, been   6 had met

C 1 The concert had just ended
2 She had lived in this house
3 I had left my umbrella
4 He had never seen snow

틀리기 쉬운 내신포인트

정답 ③

해설 그가 버스 정류장에 도착한 것보다 버스가 떠난 것이 먼저 일어난 일이므로 과거완료(had left)로 나타낸다. 부사 already(이미)는 had와 과거분사 사이에 위치한다.

POINT **7** 과거완료진행형   p. 42

개념확인 1 TV를 보고 있던 중이었다
2 공부하고 있던 중이었다

기본연습 1 had been watching   2 had been snowing
3 had been listening   4 had been reading
5 had been waiting   6 had been dancing
7 had been looking for   8 had been doing

개념완성 TEST   p. 43

STEP 1 Quick Check

① rises   ② invented   ③ to play
④ 나는 전에 그 영화를 본 적이 있다.
⑤ has been running   ⑥ had finished   ⑦ had

STEP 2 기본 다지기

A 1 eats   2 scored
3 won't believe   4 have never seen
5 has been raining   6 had, left
7 had been reading

B 1 walked   2 ○
3 has not traveled   4 had been drawing
5 had finished   6 catches
7 ○   8 is going to wear
9 ○   10 had already baked

C 1 Monica는 매일 밤 우유 한 잔을 마신다.
2 Alice와 나는 5분 전에 피자를 주문했다.
3 나는 이번 주 금요일에 동아리 모임에 참석하지 않을 것이다.
4 너는 지금까지 유명한 사람을 본 적이 있니?
5 Harry는 이번 주말에 공포 영화를 볼 예정이다.

6 우리는 두 시간째 벤치에 앉아 있는 중이다.

7 그는 이미 점심을 먹었다고 나에게 말했다.

8 내가 그녀를 방문했을 때 그녀는 한 시간 동안 노래를 부르고 있던 중이었다.

D 1 When did you meet Chris?

2 The basketball game hasn't started yet.

3 I haven't seen Paul since last week.

4 She hadn't seen a desert until she visited Egypt.

5 When he came home, the party had already finished.

E 1 have played **2** has gone

3 has used **4** have been discussing

5 has been practicing **6** has been snowing

STEP 3 서술형 따라잡기

A 1 has been reading

2 have been watching

B 1 I have donated my old clothes before.

2 Have you ever eaten French food?

3 I had been playing tennis for an hour

4 the musical had already ended

C 1 He is going to write a report

2 She has known Tom

3 I have been waiting for her

4 I had already eaten dinner

학교 시험 실전 문제
p. 47

1 ⑤ **2** ④ **3** ③ **4** ②, ⑤ **5** ⑤ **6** ④ **7** ①, ④

8 ⑤ **9** ⑤ **10** ② **11** ② **12** ③ **13** ④ **14** ③

15 ⑤ **16** ④ **17** ④ **18** ⑤ **19** ④ **20** ④

(서술형)

21 has been watching a movie

22 (1) has drawn a cartoon

(2) has eaten Spanish food

(3) have never won the lottery

23 (1) has gone to another city

(2) have used this lamp

(3) has been raining

24 (1) had already watered the plants

(2) had already finished her homework

(3) had already fed the dog

25 (1) He is going to clean the garden

(2) I had been talking on the phone

(3) the musical had already started

1 next week는 미래를 나타내는 부사구이므로 미래시제를 나타내는 표현인 are going to bake가 알맞다.

2 • 〈경험〉의 의미를 나타내는 현재완료(has+과거분사)가 알맞다.

• 역에 도착한 것보다 기차가 떠난 것이 먼저 일어난 일이므로 과거완료(had+과거분사)가 알맞다.

3 • last Monday는 명백한 과거를 나타내는 부사구이므로 과거시제가 알맞다.

• 오전 10시부터 기다리는 중이라는 것을 나타내도록 현재완료진행형(have been+-ing)이 알맞다.

4 ②, ⑤ 현재완료는 「for+기간」, 「since+과거 시점」 등과 함께 쓰이며, 명백한 과거를 나타내는 부사(구)와는 함께 쓰이지 않는다.

5 과거에 일어난 일들 중 먼저 일어난 일을 나타내므로 과거완료(had+과거분사)를 쓴다.

6 과거의 한 시점에 일어난 일은 과거시제로 쓰고, 그 이전부터 그 과거 시점까지 계속되고 있던 일은 과거완료진행형(had been+-ing)으로 쓴다.

7 ① 물이 0도에서 어는 것은 과학적 사실이므로 현재시제로 써야 한다. (has frozen → freezes)

④ 1879년에 일어난 역사적 사실이므로 동사를 과거시제로 써야 한다. (has invented → invented)

8 태블릿 PC를 잃어버려서 지금 가지고 있지 않으므로 〈결과〉를 나타내는 현재완료를 써야 하고, 주어(He)가 3인칭 단수이므로 has lost가 알맞다.

9 ⑤ 과거의 특정 시점 이전부터 그 시점까지 진행되고 있던 일이므로 과거완료진행형인 had been raining으로 고쳐야 한다.

10 우리말을 영어로 옮기면 The movie had already ended when I arrived there.이므로 쓰지 않는 단어는 have이다.

11 ⓓ '우리가 도착했을 때 James는 사진을 찍고 있던 중이었다.'라는 의미가 자연스러우므로, has been taking을 과거완료진행형인 had been taking으로 고쳐야 한다.

12 [보기]와 ③은 〈완료〉의 용법으로 쓰였다.

① 결과 ②, ④ 경험 ⑤ 계속

13 5시간 전에 산을 오르기 시작해서 현재도 오르고 있는 중이므로 현재완료진행형(has been+-ing)과 for(~ 동안)를 사용한다.

14 과거에 일어난 두 가지 일 중 피자를 다 먹은 것이 Peter가 도착한 것보다 먼저 일어난 일이므로, 먼저 일어난 일을 과거완료(had finished)로 쓰고, 나머지 일은 과거시제(arrived)로 쓴다.

15 괄호 안의 말을 배열하면 I had been playing the piano before she came.이 된다.

16 ⓒ 「be동사+going to+동사원형」의 be동사는 주어에 따라 달라지는데, 주어 Jake and Judy가 복수이므로 is를 are로 고쳐야 한다.

17 ④ Joan이 전화한 것은 과거의 특정 시점이므로 과거완료를 과거시제로 고쳐야 한다. (had called → called)

18 (A) in 2010에 있었던 명백한 과거의 일이므로 과거형 built가 알맞다.
(B) how long은 '얼마나 오래'라는 뜻으로 현재완료와 자주 쓰이는 표현이다. when으로 시작하는 의문문은 현재완료와 함께 쓰지 않는다.
(C) 아침에 깨어났을 때 비가 이미 그쳐 있는 상황이므로 과거완료(had+과거분사)가 되도록 had를 쓰는 것이 알맞다.

19 ⓓ TV를 켰을 때(과거) 코미디 쇼가 이미 시작된 상태이므로 과거완료(had+과거분사)를 써야 자연스럽다.
(→ had already begun)

20 ① 현재완료는 「have+과거분사」의 형태로 쓴다. (saw → seen)
② '한 시간 동안 스파게티를 요리하고 있는 중이다'가 자연스럽다. (since → for)
③ when으로 시작하는 의문문은 특정 시점을 묻는 말이므로 현재완료와 함께 쓸 수 없다. (→ When did the car accident happen?)
⑤ 과거에 밀라노로 이사 가기 전까지 로마에서 살았으므로 현재완료가 아니라 과거완료를 써야 한다. (has lived → had lived)

21 3시간째 영화를 보고 있는 중이므로 현재완료진행형(has been+-ing)으로 쓴다.

22 (1), (2) 경험해 본 것을 「has+과거분사」로 나타낸다.
(3) 경험해 보지 못한 것을 「have+never+과거분사」로 나타낸다.

23 (1) 현재완료(has+과거분사)가 〈결과〉의 의미를 나타낸다.
(2) 현재완료(have+과거분사)가 〈계속〉의 의미를 나타낸다.
(3) 현재완료진행형(has been+-ing)이 과거의 특정 시점부터 현재까지 진행 중인 일을 나타낸다.

24 그림을 보면 아빠는 화분에 물을 주는 것을 끝냈고, Amy는 숙제를 끝냈으며, Aron은 개에게 먹이를 주는 것을 끝낸 상황이다. 이 모든 상황은 할머니가 도착한 시점보다 먼저 일어났으므로 과거완료(had+과거분사)로 나타내며, already는 had와 과거분사 사이에 쓴다.

25 (1) 「be동사+going to+동사원형」으로 예정된 미래의 일을 표현한다.
(2) 과거의 특정 시점 이전부터 그 시점까지 진행되고 있던 일이므로 과거완료진행형(had been+-ing)으로 쓴다.
(3) 극장에 도착한 것보다 뮤지컬이 시작한 것이 먼저 일어난 일이므로 과거완료(had+과거분사)로 쓴다. already는 had와 과거분사 사이에 쓴다.

Chapter 3

C H A P T E R 3

조동사

POINT 1 can
p. 52

개념확인 1 추측 2 능력 3 요청

기본연습
1 She can solve
2 He is able to speak
3 Can I use
4 can't(cannot) be
5 Could you buy

POINT 2 may
p. 53

개념확인 1 허가 2 추측 3 허가

기본연습
1 데려와도 된다
2 사용해도 되나요
3 눈이 올지도 모른다
4 오지 않을지도 모른다
5 필요할지도 모른다

틀리기 쉬운 내신포인트

정답 ②

해설 ②는 '~해도 좋다'라는 〈허락〉의 의미이고, 나머지는 '~일지도 모른다'라는 〈추측〉의 의미이다.

POINT 3 must, should
p. 54

개념확인 1 ~임에 틀림없다 2 ~해야 한다

기본연습
1 must
2 must not
3 should
4 don't have to
5 shouldn't
6 have to
7 should
8 don't have to
9 must
10 shouldn't
11 had to

POINT 4 used to
p. 55

개념확인 1 살았었다 2 먹곤 했다

기본연습
1 My brother used to be short
2 I used to swim in this river.
3 There used to be a movie theater here.

4 He would walk his dog before breakfast.

5 Kate used to walk to school on Fridays.

6 I would play here as a child.

7 My family used to go camping in summer.

조동사＋have＋과거분사   p. 56

개념확인 1 도왔어야 했다

       2 배가 고팠음에 틀림없다

기본연습

A **1** cannot have cooked

    2 must have snowed

    3 should have taken

    4 may(might) have gone

    5 shouldn't have watched

    6 must have lost

    7 cannot have made

    8 should have kept

    9 shouldn't have bought

    10 must have been

    11 may(might) have called

    12 cannot have stolen

B **1** cannot   **2** must   **3** may

    4 should   **5** cannot   **6** must

    7 should   **8** must   **9** might

    10 should   **11** shouldn't

틀리기 쉬운 내신포인트

정답 ④

해설 「should have＋과거분사」는 '~했어야 했다'라는 의미로, 과거에 하지 않은 일에 대한 후회나 유감을 나타낸다.

조동사 관용 표현   p. 58

개념확인 1 떠나는 게 좋겠다   **2** 차라리 앉겠다

       3 산책하고 싶다

기본연습

A **1** have → had   **2** asked → ask

    3 take → to take

    4 had not better → had better not

    5 would not rather → would rather not

    6 learning → learn   **7** checking → check

    8 like to → like   **9** taken → take

    10 going → go

B **1** would like to have

    2 would rather read

    3 had better wash

    4 would like the recipe

    5 had better not drive

    6 would like to put

    7 would rather take

    8 had better not use

    9 would rather not go

    10 had better see

    11 would like to go

틀리기 쉬운 내신포인트

정답 ②

해설 had better은 '~하는 게 좋겠다'라는 의미로 충고를 나타낸다.

개념완성 **TEST**   p. 60

STEP 1 **Q**uick Check

① is able to   ② have to

③ 너는 여기서 수영하면 안 된다.

④ 너는 거기에 갈 필요가 없다.

⑤ should have helped

⑥ cannot have seen

⑦ be   ⑧ to have

STEP 2 기본 다지기

A **1** can stand

    2 don't have to worry

    3 had better save

    4 would like to watch

    5 must have practiced

    6 cannot have said

    7 used to go

    8 would rather drink

B **1** sleep   **2** will be able to

    3 shouldn't   **4** been

    5 taken   **6** ○

    7 known   **8** shouldn't have

    9 take

C **1** is able to imitate   **2** must be

    3 would like to take   **4** used to be

A **1** must have eaten the cookies
   2 should have brought his umbrella

B **1** We used to visit grandma on holidays.
   2 I would like to buy some cheese.
   3 I would rather stay home.
   4 He shouldn't have eaten pizza last night.

C **1** She had to clean the windows.
   2 He may have gotten up early yesterday.
   3 She must be very hungry.
   4 I should have remembered his birthday.

학교 시험 실전 문제
p. 63

1 ③ **2** ④ **3** ⑤ **4** ② **5** ② **6** ③ **7** ⑤
8 ④ **9** ⑤ **10** ② **11** ⑤ **12** ⑤ **13** ② **14** ③
15 ④ **16** ⑤ **17** ④ **18** ④ **19** ③ **20** ③

(서술형)
21 used to(would) like
22 (1) should have practiced
   (2) should have gotten up
23 (1) must be
   (2) cannot have forgotten
   (3) might have missed
24 (1) had better clean your room every day
   (2) had better not eat sweet things
   (3) had better go to bed early
25 (1) don't have to pay
   (2) had better not cancel
   (3) would rather borrow

1 must not과 should not은 '~하면 안 된다'라는 의미를 나타낸다.

2 과거의 상태를 나타낼 때 used to를 쓴다. used to는 '(과거에는) ~이었지만, 현재는 그렇지 않다'라는 의미를 포함한다.

3 '~했어야 했다'라는 의미로 과거에 하지 않은 일을 후회할 때 「should have+과거분사」로 표현한다.

4 첫 번째 빈칸은 '~해야 한다'라는 의미의 must가 들어가고, 두 번째 빈칸은 '~임에 틀림없다'라는 의미의 must가 들어간다.

5 첫 번째 빈칸은 '~해도 좋다'라는 의미의 can, 두 번째 빈칸은 '~할 수 있다'라는 의미의 can, 세 번째 빈칸은 '~해 줄래요?'라는 의미의 Can이 들어간다.

6 had better not: ~하지 않는 게 좋겠다

7 문맥상 '서두를 필요가 없다'라는 의미가 자연스러우므로, don't have to(~할 필요가 없다)를 사용한 표현이 알맞다.

8 ④ used to(~하곤 했다) 뒤에는 동사원형을 써야 한다.
(→ play)

9 ⑤는 '~해도 좋다'라는 허락의 의미를 나타내고, 나머지는 모두 '~일지도 모른다'라는 추측의 의미를 나타낸다.

10 ② should not은 '~하면 안 된다'라는 금지의 의미를 나타낸다. '~일 리가 없다'라는 부정적 추측을 나타내는 조동사는 cannot(can't)이다. (should not → cannot(can't))

11 ① may can → may be able to
② will must → will have to
③ hands → hand
④ have to → has to

12 「shouldn't have+과거분사」는 '~하지 말았어야 했다'라는 의미로, 과거에 한 일에 대한 후회나 유감을 나타낸다.

13 괄호 안의 말을 배열하면 You had better not have too many chocolates.이다.

14 ③의 「be used to+동명사」는 '~하는 데 익숙하다'라는 의미를 나타내는 표현이고, 나머지 used to는 과거의 습관이나 상태를 나타낸다.

15 ④ don't have to는 '~할 필요가 없다'라는 의미를 나타낸다. (→ 너는 혼자 저녁을 준비할 필요가 없다.)

16 [보기]와 ⑤는 '~해 줄래요?'라는 의미의 〈요청〉을 나타낸다.
①, ③ 허가: ~해도 좋다   ②, ④ 능력: ~할 수 있다

17 I'm sure ~는 '~을 확신한다'라는 의미이므로, '~했음에 틀림없다'라는 의미인 「must have+과거분사」를 써서 과거의 일에 대한 강한 추측을 나타낼 수 있다.

18 ④ 과거의 습관은 would로 나타낼 수 있지만, 과거의 상태는 used to로 써야 한다. (→ used to be)

19 I'd like to는 I would like to의 줄임말로, 「would like to+동사원형」은 '~하고 싶다(= want to)'라는 의미를 나타낸다.

20 ⓑ, ⓓ가 올바른 문장이다.
ⓐ '~하는 게 좋겠다'라는 충고의 표현은 「had better+동사원형」으로 쓴다. (has → had)
ⓒ '~했어야 했다'라는 의미로 과거에 하지 않은 일에 대한 후회를 나타내는 표현은 「should have+과거분사」이다. (keep → kept)
ⓔ 두 개의 조동사(will과 can)를 연이어 쓸 수 없으며, 앞에 조동사가 있는 경우 can 대신 be able to를 쓴다.
(can → be able to)

21 현재 지속되지 않는 과거의 습관을 나타낼 때 「used to(would)+동사원형」을 쓴다.

22 과거에 하지 않은 일에 대한 후회를 나타낼 때 「should have+과거분사」를 쓴다.

23 (1) must가 '~임에 틀림없다'라는 뜻의 강한 추측을 나타낸다.

(2) 「cannot have+과거분사」는 '~했을 리가 없다'라는 뜻으로 과거에 대한 부정적 추측을 나타낸다.

(3) 「might have+과거분사」는 '~했을지도 모른다'라는 뜻으로 과거에 대한 추측을 나타낸다.

24 (1), (3) 「had better+동사원형」은 '~하는 게 좋겠다'라는 의미를 나타낸다.

(2) 「had better not+동사원형」은 '~하지 않는 게 좋겠다'라는 의미를 나타낸다.

25 (1) don't have to: ~할 필요가 없다

(2) had better not+동사원형: ~하지 않는 게 좋겠다

(3) would rather A than B: B하느니 A하는 게 낫겠다

CHAPTER 4
to부정사

POINT 1 명사적 용법: 주어, 보어, 목적어 역할 p. 68

개념확인 1 to keep   2 to ride

기본연습

A 1 to take, 목적어   2 to come, 주어
3 to see, 목적어   4 to help, 보어
5 not to be, 목적어

B 1 to become   2 to understand
3 to help   4 to dance
5 to visit

C 1 It is impossible to live
2 I expect to pass
3 Kate's dream is to become
4 Tom agreed to go
5 Jane hopes to write
6 They decided not to buy
7 It is good to drink

D 1 It   2 to return
3 is   4 to go
5 to see

틀리기 쉬운 내신포인트

정답 ②

해설 [보기]와 ②는 to부정사가 목적어로 쓰였다.
①, ③ 주어(진주어)로 쓰인 to부정사
④ 보어로 쓰인 to부정사

POINT 2 명사적 용법: 의문사+to부정사 p. 70

개념확인 1 어느 것을 선택할지   2 언제 올지

기본연습

A 1 what to say   2 where to put
3 when to leave   4 how to make
5 whom to follow

B 1 how to use this oven
2 when to go shopping
3 what to bring for the picnic
4 where to put this box
5 whom to meet tomorrow

C 1 where to visit   2 when to leave
3 how to solve   4 whom to ask
5 what to wear

D
1 what to draw
2 where to go for lunch
3 how she should write a poem
4 whom to trust in the group
5 when I should press the button
6 which shoes to buy

틀리기 쉬운 내신포인트

정답 ①

해설 why는 「의문사+to부정사」로 쓰지 않는다.

POINT 3 형용사적 용법   p. 72

개념확인 1 something   2 somebody

기본연습

A
1 to do   2 to read
3 to live   4 to wear

B
1 time to do the project
2 a pen to write with
3 something hot to drink

틀리기 쉬운 내신포인트

정답 ①

해설 sit on은 '~에 앉다'라는 의미이므로 전치사 on이 알맞다.

POINT 4 부사적 용법   p. 73

개념확인 1 봐서   2 도와주기 위해

기본연습

A
1 결과   2 감정의 원인   3 판단의 근거
4 목적   5 형용사 수식   6 감정의 원인
7 목적   8 결과   9 판단의 근거
10 형용사 수식

B
1 happy to meet   2 easy to remember
3 smart to answer   4 sorry to hear
5 (in order) to catch a fish
6 grew up to become
7 stupid to make
8 difficult to take care of

C
1 부사   2 부사   3 명사
4 형용사   5 명사

틀리기 쉬운 내신포인트

정답 ②

해설 [보기]와 ②는 감정의 원인을 나타내는 부사적 용법으로 쓰였다.
① 형용사를 수식하는 부사적 용법
③ 명사적 용법(진주어)
④ 목적을 나타내는 부사적 용법

POINT 5 to부정사의 시제   p. 75

개념확인 1 아픈 것 같다   2 아팠던 것 같다

기본연습

A
1 to work   2 to have watched
3 to have met

B
1 to have been   2 cried
3 to be

POINT 6 to부정사의 의미상 주어   p. 76

개념확인 1 me   2 you

기본연습

A
1 of   2 for   3 for
4 of   5 for   6 him

B
1 for him   2 for you   3 of you
4 for me   5 of her   6 for her

C
1 of him to break   2 for her to give
3 of him to praise   4 for me to ride
5 of you to ask   6 of her to tell
7 for him to catch   8 of him to treat
9 of them to invite   10 for them to choose

틀리기 쉬운 내신포인트

정답 ④

해설 [보기]와 ④의 빈칸에는 for가 들어가고, 나머지 빈칸에는 of가 들어간다.

POINT 7 too ~ to, enough to   p. 78

개념확인 1 너무 무거워서 들 수 없다
2 그를 도와줄 만큼 충분히 친절했다

A **1** too **2** enough
3 too scary **4** large enough
5 to work **6** cheap enough for him

B **1** tall enough to reach **2** too young to get
3 rich enough to buy **4** too big to catch
5 too heavy for me to move
6 cold enough for them to cool off
7 sweet enough to attract

C **1** so tired that we couldn't walk
2 large enough to hold 10,000 people
3 too expensive for me to buy
4 so strong that he can carry the box
5 easy enough for me to remember

틀리기 쉬운 내신포인트

정답 ③

해설 「형용사+enough+to부정사」는 '…할 만큼(하기에) 충분히 ~하다'의 뜻으로, 「so+형용사+that+주어+can」으로 바꿔 쓸 수 있다.

개념완성 **TEST**
p. 80

STEP 1 Quick Check

① to meet ② to have ③ to talk to
④ 나는 나의 오랜 친구를 만나서 기뻤다.
⑤ 그들은 친구인 것 같다. ⑥ 그들은 전에 만났었던 것 같다.
⑦ for ⑧ of ⑨ too ⑩ to help

STEP 2 기본 다지기

A **1** to help **2** for me to move
3 how to play **4** what to wear
5 too tired to run **6** of you to keep
7 tall enough to reach

B **1** where to put **2** to sit on
3 when to leave **4** too tired
5 of him **6** brave enough
7 to check **8** for him
9 to complete

C **1** I can't decide what to write about.
2 She grew up to become a great astronaut.
3 You seem to know a lot about the accident.
4 He seems to have studied hard for the exam.
5 My aunt is too weak to walk for a long time.
6 The box is big enough to hold all the balls.

STEP 3 서술형 따라잡기

A **1** how to use **2** what to eat

B **1** Don't miss your chance to watch the show.
2 I have something important to tell you.
3 She is strong enough to carry the heavy box.
4 Ben left early to avoid the heavy traffic.

C **1** It is exciting for her to dance on the stage.
2 He was too sleepy to watch the movie.
3 Monica seems to have known the answer.
4 It was careless of him to spill the milk.

학교 시험 실전 문제
p. 83

1 ④ **2** ⑤ **3** ② **4** ⑤ **5** ⑤ **6** ④ **7** ③
8 ② **9** ⑤ **10** ② **11** ⑤ **12** ② **13** ③ **14** ③
15 ③ **16** ② **17** ①, ④ **18** ②, ④ **19** ④ **20** ④

서술형

21 (1) It is impossible to live without air.
(2) It was kind of him to help me.
(3) It is difficult for me to grow flowers.
22 (1) what to drink
(2) where to buy
(3) how to open
23 (1) 그는 자라서 유명한 피아니스트가 되었다.
(2) 나는 나의 친구를 만나기 위해 공원에 갔다.
24 (1) a lot of books to read
(2) a bench to sit on
(3) some cookies to eat
(4) a pen to write with
25 (1) She is too sleepy to drive her car.
(2) She is strong enough to move the bookshelf.

1 가주어 It이 주어 자리에 왔으므로 진주어인 to부정사구가 뒤에 오는 것이 알맞다.

2 '어디로 ~할지'라는 의미가 되는 것이 자연스러우므로 「where +to부정사」가 되는 것이 알맞다.

3 to부정사의 부정은 to부정사 앞에 not을 써서 나타낸다.

4 to부정사의 의미상 주어는 일반적인 형용사와 함께 쓰일 때 to부정사 앞에 「for+목적격」의 형태로 쓴다.

5 to부정사의 의미상 주어로 「of+목적격」의 형태가 왔으므로 빈칸에는 사람의 성격이나 태도를 나타내는 형용사가 와야 한다.
⑤ hard를 제외한 나머지는 모두 사람의 성격이나 태도를 나타내는 형용사이다.

6 [보기]와 ④의 to부정사는 앞의 명사(구)를 수식하는 형용사적 용법으로 쓰였다. 나머지는 모두 명사적 용법으로 쓰였다.
① 목적어 역할 ②, ⑤ 진주어 ③ 보어 역할

7 [보기]와 ③의 to부정사는 부사적 용법으로 쓰였다. (감정의 원인)
①, ④ 형용사적 용법 (앞의 명사구 수식)
②, ⑤ 명사적 용법 (② 진주어 ⑤ 목적어 역할)

8 「so+형용사+that+주어+can't」는 「too+형용사+to부정사」로 바꿔 쓸 수 있다.

9 that절의 시제가 과거(bought)이고 주절의 시제는 현재(seems) 이므로, to부정사로 바꿀 때 주절의 시제보다 이전에 발생한 일을 나타내는 완료부정사(to have+과거분사)로 쓰는 것이 알맞다.

10 괄호 안의 말을 배열하면 She jumped high enough to touch the ceiling.이 되므로 네 번째로 오는 단어는 enough 이다.

11 to부정사의 수식을 받는 명사가 전치사의 목적어일 경우, to부정 사 뒤에 전치사를 써야 한다. 각각 play with a toy, write on a piece of paper가 되어야 하므로 알맞은 것은 with와 on이다.

12 ② '~해서'라는 뜻으로 감정의 원인을 나타내는 to부정사를 쓰 는 것이 알맞다. (to passing → to pass)

13 why는 「why+to부정사」 형태로 쓰지 않는다.

14 ③ -thing으로 끝나는 대명사를 형용사와 to부정사가 동시에 수 식할 때 「-thing+형용사+to부정사」의 순서로 쓴다.
(something to give special → something special to give)

15 ③ to부정사의 의미상 주어는 kind와 같이 사람의 성격을 나타 내는 형용사와 함께 쓰일 경우에는 「of+목적격」으로 쓰고, 그 외 에는 「for+목적격」으로 쓴다.

16 ⓒ 「의문사(what)+to부정사」가 되어야 한다. (→ what to buy)

17 ① 명사 a dog를 수식하는 형용사적 용법의 to부정사를 써야 하 므로 「to+동사원형」의 형태로 쓴다. (→ to take care of)
④ '어떻게 ~하는지, ~하는 방법'의 의미는 「how+to부정사」 의 형태로 쓴다. (→ how to open)

18 주어진 문장은 '그들은 그 아름다운 집을 살 만큼 충분히 부유하 다.'라는 의미로, '그들은 매우 부유해서 그 아름다운 집을 살 수 있다.'와 같은 의미이다.

19 Mary seems to be angry with me.로 써야 하므로 have는 쓰이지 않는다.

20 ⓑ to부정사의 의미상 주어가 사람의 성격을 나타내는 형용사 (wise)와 함께 쓰일 경우 「of+목적격」으로 쓴다.
(for you → of you)

21 주어 자리에 가주어 It을 쓰고, 진주어인 to부정사구는 뒤로 보내 어 문장을 쓴다. (2)는 kind가 성격을 나타내는 형용사이므로, to 부정사의 의미상 주어는 「of+목적격」 형태로 쓴다.

22 (1) '무엇을 ~할지'는 「what+to부정사」로 쓴다.
(2) '어디서 ~할지'는 「where+to부정사」로 쓴다.
(3) '어떻게 ~할지'는 「how+to부정사」로 쓴다.

23 (1) to부정사가 '~해서 …하다'라는 결과의 의미를 나타낸다.
(2) to부정사가 '~하기 위해'라는 의미의 목적을 나타낸다.

24 '~할'이라는 의미로 명사(구)를 꾸며주는 형용사적 용법의 to부 정사를 명사(구) 뒤에 써서 문장을 완성한다.

25 (1) '너무 ~해서 …할 수 없다'는 「too+형용사+to부정사」로 쓴다.
(2) '~할 만큼 충분히 …하다'는 「형용사+enough+to부정사」 로 쓴다.

CHAPTER 5

동명사

POINT 1 동명사의 형태와 쓰임 p. 88

개념확인 1 목적어   2 주어   3 보어

기본연습
1 Finishing, 주어
2 traveling, 보어
3 singing, 목적어
4 growing, 목적어
5 riding, 보어
6 Speaking, 주어
7 not arriving, 목적어
8 Not getting, 주어

틀리기 쉬운 내신포인트

정답 are → is

해설 주어는 friends가 아니라 동명사구인 Making good friends 전체로, 주어로 쓰인 동명사(구)는 항상 단수 취급한다.

POINT 2 동명사의 의미상 주어 p. 89

개념확인 1 him   2 my friend's

기본연습
1 them(their) arriving
2 Tina(Tina's) being
3 my friend(my friend's) talking
4 me(my) turning on
5 ×
6 her not coming
7 my sister(my sister's) playing
8 him(his) being

POINT 3 동명사의 시제와 수동태 p. 90

개념확인
1 사진을 찍히는 것
2 거짓말을 했던 것
3 도움을 요청 받는 것

기본연습
1 Sending
2 having passed
3 Being stressed
4 being treated
5 winning
6 not being invited

POINT 4 동명사나 to부정사만을 목적어로 쓰는 동사 p. 91

개념확인 1 to buy   2 singing   3 learning

기본연습

A
1 flying
2 traveling
3 talking
4 to wake
5 exercising
6 entering
7 to win
8 to prepare

B
1 avoids driving
2 considering buying
3 keep smiling
4 promised to go
5 put off going
6 agreed to vote
7 finished cleaning

C
1 eating
2 to throw
3 ○
4 climbing
5 ○
6 to answer
7 to use
8 meeting

틀리기 쉬운 내신포인트

정답 ③

해설 promise는 to부정사를 목적어로 쓰는 동사이다.

POINT 5 동명사와 to부정사 둘 다 목적어로 쓰는 동사 p. 93

개념확인
1 전화할 것을 잊다
2 읽은 것을 기억한다
3 늦은 것을 후회한다

기본연습

A
1 wearing, to wear
2 to tell
3 writing, to write
4 relaxing, to relax
5 to meet
6 explaining, to explain
7 to find
8 staying, to stay
9 going
10 working, to work

B
1 forget to turn off
2 tried to find
3 regret staying up
4 remembers meeting
5 stopped playing
6 tried calling
7 forget seeing
8 regret to inform

틀리기 쉬운 내신포인트

정답 ②

해설 '～한 것을 기억하다'라는 의미는 「remember＋동명사」로 나타낸다.

POINT 6 동명사의 관용 표현 p. 95

개념확인
1 말하지 않을 수 없다
2 쉬고 싶다
3 읽을 가치가 있다

기본연습
1 looking forward to seeing
2 feel like eating
3 spent all day cleaning
4 couldn't help admiring
5 has trouble making
6 is busy practicing
7 keep, from running

STEP 1 Quick Check

① having passed   ② being accepted
③ his   ④ to move
⑤ 그는 운전 시험에 통과하려고 노력했다.
⑥ 나는 저녁을 먹은 것을 잊었다.
⑦ keeps, from   ⑧ worth watching

STEP 2 기본 다지기

A 1 give up learning   2 Drinking milk
   3 having waited   4 not telling
   5 me(my) being

B 1 to go   2 him(his)
   3 to stay   4 having stolen
   5 leaving   6 ○
   7 ○   8 being given
   9 ○   10 walking
   11 not being invited

C 1 to turn off the light
   2 having made
   3 dancing on the stage
   4 driving in the rain at night
   5 remember meeting John
   6 throwing away his old books

STEP 3 서술형 따라잡기

A 1 forget to take
   2 me(my) sitting

B 1 Not having meal isn't helpful for losing weight.
   2 Are you worried about her being late?
   3 He denies having fallen asleep in the theater.
   4 Traffic jams kept me from arriving on time.

C 1 I remember visiting my aunt
   2 They are used to being called
   3 I tried to use the machine
   4 not worth answering

1 ②	2 ③	3 ⑤	4 ③	5 ⑤	6 ①	7 ④
8 ④	9 ④	10 ③	11 ③	12 ③	13 ③	14 ③, ④
15 ②	16 ④	17 ②	18 ④	19 ①	20 ④	

서술형

21 kept me from going out
22 (1) remembers getting flowers
   (2) forget to return the books
23 (1) was sorry for his son(his son's) making a noise
   (2) have difficulty remembering people's names
24 (1) She wanted to be a pianist.
   (2) she stopped playing the piano
25 (1) finishing the marathon
   (2) Danny(Danny's) climbing
   (3) to learn French

1 be worth -ing는 '~할 가치가 있다'라는 뜻의 표현이다.

2 '~한 것을 후회하다'라는 의미는 「regret+동명사」로 쓴다. 동명사의 부정은 동명사 앞에 not을 쓴다.

3 빈칸 다음에 to부정사(to go)가 왔으므로 동명사를 목적어로 쓰는 동사 consider는 알맞지 않다.

4 빈칸은 동명사의 의미상 주어가 들어갈 자리로, 동명사의 의미상 주어는 목적격이나 소유격으로 쓴다.

5 plan은 to부정사를 목적어로 쓰는 동사이고, look forward to -ing는 '~하는 것을 기대하다'라는 뜻의 표현이다.

6 ① 전치사(at)의 목적어로 동명사가 알맞다. (→ drawing)

7 [보기]와 ④는 보어로 쓰인 동명사이다.
   ① 주어로 쓰인 동명사
   ② 동사의 목적어로 쓰인 동명사
   ③ 진행형으로 쓰인 현재분사
   ⑤ 전치사의 목적어로 쓰인 동명사

8 ④ 동명사의 의미상 주어는 동명사 바로 앞에 쓴다.

9 • 전치사 for 뒤에 동명사를 써야 하므로 being이 알맞다.
   • 동명사의 수동태는 「being+과거분사」로 나타내므로 being이 알맞다.

10 • spend+시간+-ing: ~하는 데 시간을 보내다
   • put off(미루다)는 동명사를 목적어로 쓴다.

11 「forget+to부정사」는 '~할 것을 잊다'라는 뜻이다.

12 ③ '~하지 않을 수 없다'라는 뜻의 표현은 cannot help -ing 이다. (→ We cannot help starting early in the morning.)

13 ⓐ 동명사의 의미상 주어는 목적격이나 소유격으로 쓴다.
   (he → him/his)
   ⓓ 동명사의 부정은 동명사 앞에 not을 쓴다.
   (→ not telling)

14 ③ '~하는 것을 멈추다'라는 의미는 「stop+동명사」로 쓴다.
   (to use → using)
   ④ be tired of -ing는 '~하는 것에 싫증이 나다'라는 뜻의 표현이다. (to read → reading)

15 ②는 진행형으로 쓰인 현재분사이고, 나머지는 모두 동명사이다.

16 ④ 「regret+to부정사」는 '~하게 되어 유감이다'라는 뜻이고, 「regret+동명사」는 '~한 것을 후회하다'라는 뜻이다.

17 ② postpone은 동명사를 목적어로 쓰는 동사이므로, meeting으로 고쳐야 한다.

18 문자에 답하지 않은 시점이 미안함을 느끼는 시점보다 이전이므로 동명사의 완료형인 「having+과거분사」가 알맞다.

19 (A) be busy -ing: ~하느라 바쁘다
(B) consider는 동명사를 목적어로 쓰는 동사이다.
(C) 조동사(will) 뒤에는 동사원형을 쓴다.

20 ⓐ, ⓑ, ⓓ가 올바른 문장이다.
ⓒ 동명사의 수동형은 「being+과거분사」로 쓴다.
(being treat → being treated)
ⓔ promise는 to부정사를 목적어로 쓰는 동사이다.
(buying → to buy)

21 'A가 ~하는 것을 막다'는 keep A from -ing로 쓴다.

22 (1) 「remember+동명사」는 '~한 것을 기억하다'라는 뜻이다.
(2) 「forget+to부정사」는 '~할 것을 잊다'라는 뜻이다.

23 (1) 동명사의 의미상 주어는 동명사 앞에 목적격이나 소유격으로 쓴다.
(2) '~하는 데 어려움을 겪다'는 have difficulty -ing를 쓴다.

24 (1) want는 to부정사를 목적어로 쓰는 동사이다.
(2) stop은 동명사를 목적어로 쓰는 동사로, 「stop+동명사」는 '~하는 것을 멈추다(그만두다)'라는 뜻이다.

25 (1) consider은 동명사를 목적어로 쓰는 동사이다.
(2) 전치사(about) 뒤에 동사가 올 경우 동명사로 써야 하며, 동명사의 의미상 주어는 목적격이나 소유격으로 쓴다.
(3) plan은 to부정사를 목적어로 쓰는 동사이다.

POINT **1** 분사의 형태와 쓰임 p. 104

개념확인 1 rising 2 broken

기본연습
1 ⓐ	2 ⓐ	3 ⓑ
4 ⓐ	5 ⓐ	6 ⓐ
7 ⓑ	8 ⓐ	

POINT **2** 현재분사와 과거분사 p. 105

개념확인 1 the boy standing by the window
2 a ring made of silver

기본연습

A
1 given	2 playing	3 taken
4 shining	5 broken	6 sitting
7 made	8 singing	9 stolen
10 wearing	11 written	12 walking

B
1 fried	2 barking	3 drinking
4 painted	5 hidden	6 practicing
7 called	8 waiting	9 fallen

틀리기 쉬운 내신포인트

정답 ④

해설 '잠긴 문'이라는 수동의 의미를 나타내므로 과거분사 locked가 알맞다.

POINT **3** 감정을 나타내는 분사 p. 107

개념확인 1 The game was very exciting.
2 I was confused at the news.

기본연습 1 (1) tiring (2) tired
2 (1) satisfying (2) satisfied
3 (1) disappointed (2) disappointing
4 (1) boring (2) bored
5 (1) moving (2) moved

개념확인 **1** Arriving late   **2** Watching TV

기본연습

A **1** Calling my name
    2 Studying English
    3 Leaving the house
    4 Living near my house
    5 Being very tired
    6 Staying in Chicago
    7 Not knowing what to do

B **1** Walking   **2** Arriving
    3 Watching   **4** Being sleepy
    5 Turning off   **6** Cleaning
    7 Not being hungry   **8** Listening to
    9 Not receiving

틀리기 쉬운 내신포인트

정답 ②

해설 부사절의 접속사(While)를 생략하고, 부사절과 주절의 주어 (we)가 같으므로 부사절의 주어를 생략한다. 부사절의 동사 (listened)는 현재분사(동사원형-ing) 형태로 바꾼다.

개념확인 **1** 피곤했기 때문에   **2** 길을 걷고 있었을 때

기본연습

A **1** Climbing the mountain
    2 Being scared
    3 Calling her name
    4 Feeling tired
    5 Listening to the radio
    6 Opening the door
    7 Turning to the left
    8 Not having enough money
    9 Running to the bus stop
    10 Seeing me on the bus
    11 Living in a big city

B **1** While they played the guitar
    2 Because she was kind
    3 When I went out for a walk
    4 Since she is an honest person

틀리기 쉬운 내신포인트

정답 ④

해설 '답을 알았기 때문에, 그는 손을 들었다.'라는 의미가 자연스 러우므로, 이유를 나타내는 Because가 알맞다.

개념확인 **1** ①   **2** ①

기본연습 **1** Having lost
    2 Having been
    3 Having forgotten
    4 Having studied hard
    5 Having eaten
    6 Having grown up
    7 Having watched
    8 Not having heard

개념확인 **1** Being lost   **2** Being raised

기본연습 **1** (Being) Located
    2 (Being) Shocked
    3 (Being) Surrounded
    4 (Having been) Built

틀리기 쉬운 내신포인트

정답 ②

해설 ② 주절의 주어인 Ann과 분사구문의 관계가 수동이므로 Inviting을 Invited로 고쳐야 한다.

개념확인 **1** turned   **2** pointing

기본연습 **1** with his arms folded
    2 with the windows opened
    3 with their eyes shining
    4 with the light turned on
    5 with his hair blowing
    6 with her eyes closed
    7 with his dog following

개념확인 1 솔직히 말해서   2 엄밀히 말해서

기본연습 1 Strictly speaking   2 Generally speaking
3 Considering   4 Speaking of
5 Judging from   6 Frankly speaking
7 Generally speaking   8 Judging from

개념완성 TEST   p. 116

STEP 1 Quick Check

① broken   ② standing   ③ Saying
④ Not knowing   ⑤ Having been   ⑥ Left
⑦ 솔직히 말해서

STEP 2 기본 다지기

A   1 rising   2 painted
3 disappointed   4 Having
5 Strictly speaking

B   1 ○   2 talking
3 ○   4 Living
5 Not hearing   6 moving
7 crossed   8 Known

C   1 Feeling hungry   2 Smiling at me
3 Being nervous   4 Listening to music
5 Not having enough time
6 Having eaten too much
7 Having missed the bus
8 (Being) Invited to the party

STEP 3 서술형 따라잡기

A   with her eyes closed

B   1 Opening the door, we found a new sofa.
2 Annoyed by the noise, he closed the window.
3 Not knowing what to say, they sat quietly.
4 Having been to Sydney, she knows it well.

C   1 Frankly speaking, I am not interested in cooking.
2 Being sick, I stayed home all day.
3 Coming down the stairs, I fell down.
4 Not having any food, she was very hungry.

학교 시험 실전 문제   p. 119

1 ③   **2** ③   **3** ④   **4** ⑤   **5** ③   **6** ③   **7** ④
8 ②   **9** ③   **10** ①, ③, ④   **11** ③   **12** ①   **13** ⑤
14 ③   **15** ③, ⑤   **16** ③   **17** ④   **18** ③   **19** ⑤   **20** ⑤

서술형

21 (1) Feeling hungry
(2) Talking on the phone
(3) Not being tall enough
22 (1) with her phone ringing
(2) with his arms folded
23 (1) amusing → amused
(2) amazed → amazing
24 (1) Strictly speaking
(2) Considering
(3) Judging from
25 (1) When she played basketball
(2) Because he didn't feel well
(3) Since she studied in Paris

1 '튀겨진'이라는 수동의 의미가 자연스러우므로 과거분사 fried가 알맞다.

2 she(= Sarah)가 감정을 느끼는 주체이므로, 빈칸에는 과거분사 형이 들어간다.

3 명사를 수식하는 분사구는 명사 뒤에 위치하며, The man과 play가 능동의 관계이므로 현재분사 playing이 알맞다.

4 ⑤ them을 보충 설명하는 목적격보어로, them과 call이 능동의 관계이므로 현재분사 calling을 써야 한다.
① 주격보어로 쓰인 현재분사이다.
② 목적격보어로 쓰인 현재분사이다.
③ '다친'이라는 수동의 의미를 나타내는 과거분사이다.
④ She가 감정을 느끼는 주체이므로 과거분사 pleased는 알맞다.

5 ③의 parking lot은 '주차장(주차하는 용도의 장소)'이라는 의미로 parking이 동명사로 쓰였고, 나머지는 모두 뒤의 명사를 수식하는 형용사 역할을 하는 현재분사로 쓰였다.

6 • '벤치에 앉아 있는 소년'의 의미가 되도록 현재분사 sitting이 알맞다.
• '원숭이에 의해 그려진 그림'의 의미가 되도록 과거분사 painted가 알맞다.

7 부사절의 접속사를 생략하고 주절과 일치하는 부사절의 주어를 생략한 뒤 동사를 현재분사(동사원형-ing) 형태로 바꿔 분사구문을 만들어야 하므로, Knowing이 알맞다.

8 ② She가 감정을 느끼는 주체이므로 현재분사 interesting을 과거분사 interested로 고쳐야 한다.

9 현재분사로 시작하는 분사구문이므로, 주절과 부사절의 주어가 같고 시제도 같아야 한다. 또한 문맥상 '~ 때문에'라는 이유의 접속사 because를 쓰는 것이 자연스럽다.

10 ② 'TV가 켜져 있는 채로'라는 의미를 나타내므로 과거분사 turned로 고쳐야 한다.
⑤ '쓰여진 책'이라는 의미를 나타내므로 과거분사 written으로 고쳐야 한다.

11 부사절의 접속사(When)를 생략하고, 주절의 주어와 같으므로 부사절의 주어(he)도 생략한 후, 동사를 현재분사 Walking으로 바꾼다.

12 ⓐ his car와 wash는 수동의 관계이므로 과거분사의 쓰임은 알맞다.
ⓑ They가 감정을 느끼는 주체이므로 과거분사 surprised의 쓰임은 알맞다.
ⓒ hidden(숨겨진)은 수동의 의미로 message를 수식하는 과거분사이다.
ⓓ broken(깨진)은 수동의 의미로 mirror를 수식하는 과거분사이다.

13 부사절의 시제가 주절의 시제보다 이전이고 수동의 의미이기 때문에, 완료 수동형 분사구문인 「having been+과거분사(written)」를 사용한다.

14 '둘러싸여 있다'는 것은 수동적인 동작을 나타내므로, 빈칸에는 수동형 분사구문이 들어가야 한다.

15 '돈을 써 버렸기 때문에'는 주절의 시제(can't buy)보다 이전의 일이므로, 부사절로 나타낼 때는 과거시제(spent)와 이유의 접속사(since)를 써야 하고(⑤), 분사구문으로 나타낼 때는 주절의 시제보다 이전임을 나타내는 완료형 분사구문 「having+과거분사」로 써야 한다(③).

16 ③ 분사구문의 부정은 분사 앞에 not을 쓴다.

17 ⓑ '~을 고려하면'이라는 의미의 관용 표현은 considering이다. (Considered → Considering)

18 (A) his legs와 cross가 수동의 관계이므로 과거분사 crossed가 알맞다.
(B) them이 행위를 하는 주체이므로 능동의 의미를 나타내도록 현재분사 crossing이 알맞다.
(C) 분사구문을 만들 때 주어 she가 행위의 주체이므로 능동의 의미를 나타내는 현재분사 Crossing이 알맞다.

19 주어진 문장과 ⑤는 이유를 나타내는 분사구문으로, 이유를 나타내는 접속사(because/since/as)가 생략되었다.

20 부사절의 시제(과거완료)가 주절의 시제(과거)보다 이전이므로 완료형 분사구문 「having+과거분사」로 나타내야 한다. 부정어 never는 having 앞에 쓴다.

21 (1) 주절과 부사절의 시제가 같고 주어도 같으므로, 접속사와 부사절의 주어를 생략한 후, 동사(felt)를 현재분사(동사원형-ing)

로 고친다.
(2) 진행형은 being을 생략한다.
(3) 분사구문의 부정은 분사 앞에 not을 쓰는 것에 유의한다.

22 (1) 「with+명사+분사」로 쓰며, 명사(her phone)와 분사가 능동의 관계이므로 현재분사 ringing을 쓴다.
(2) 「with+명사+분사」로 쓰며, 명사(his arms)와 분사가 수동의 관계이므로 과거분사 folded를 쓴다.

23 (1) I가 감정을 느끼는 주체이므로, amusing을 과거분사 amused(재미있어 하는)로 고친다.
(2) The performance가 감정을 느끼게 하는 원인이므로, amazed를 현재분사 amazing(놀라운)으로 고친다.

24 (1) strictly speaking: 엄밀히 말해서
(2) considering: ~을 고려하면
(3) judging from: ~으로 판단하건대

25 (1) '~할 때'라는 의미의 시간의 접속사 when을 사용하여 부사절로 쓴다.
(2) 분사구문의 부정(not)을 나타내는 문장이므로, 부사절의 동사도 부정형으로 쓴다.
(3) 완료형 분사구문인 「having+과거분사」가 사용된 문장이므로, 부사절의 시제를 주절의 시제(현재)보다 이전인 과거시제로 써야 하는 것에 유의한다.

CHAPTER **7**

수동태

POINT **1** 수동태의 형태   p. 124

개념확인 **1** 말해진다   **2** 지어졌다

기본연습

A **1** *Romeo and Juliet* was written
    2 This picture was taken
    3 English is taught by Ms. White
    4 A tree is planted by my grandfather
    5 The package was delivered by the postman
    6 Cookies are baked by them
    7 The walls of the school were painted by the students

B **1** The food was not cooked
    2 Was the picture painted
    3 This magazine is not read
    4 Is the song sung
    5 Why was the meeting delayed
    6 Mark was not raised
    7 When was the bridge built

틀리기 쉬운 내신포인트

정답 ③

해설 수동태 문장이므로 「be동사+과거분사」의 형태로 써야 한다. 주어(the thief)가 3인칭 단수이고 과거시제이므로 be동사는 was가 알맞고, 행위자(the police)는 「by+행위자」로 쓴다.

POINT **2** 조동사가 있는 수동태   p. 126

개념확인 **1** It must be recycled.
      2 It cannot be fixed.
      3 Will he be invited?

기본연습

A **1** must be protected
    2 A little sugar can be added
    3 The story may be made
    4 This sweater should be washed
    5 The doors will be painted
    6 This camera can be used
    7 This book should be returned
    8 Your dish will be served

B **1** should be published
    2 may not be solved
    3 Can, be booked
    4 must be kept
    5 Will, be held
    6 Where should, be sent
    7 cannot be answered
    8 When will, be built

틀리기 쉬운 내신포인트

정답 ②

해설 문장을 수동태로 바꾸면 The rules must be followed by her.이다. 따라서 쓰이지 않는 단어는 are이다.

POINT **3** 진행형 수동태   p. 128

개념확인 **1** 집이 지어지는 중이다.
      2 파스타가 요리되는 중이었다.
      3 새 영화들이 만들어지는 중이다.

기본연습 **1** is being delivered
      2 was being cleaned
      3 are being hung
      4 was being held
      5 were being watered
      6 is being repaired

POINT **4** 완료형 수동태   p. 129

개념확인 **1** My homework has just been finished.
      2 His bike has been stolen.

기본연습 **1** have been read
      2 has been opened
      3 have been grown
      4 has been kept

틀리기 쉬운 내신포인트

정답 ④

해설 부사구 since ~는 '~ 이후로'라는 의미로 완료시제와 주로 쓰이므로, 완료형 수동태 「have/has been+과거분사」 형태가 알맞다.

POINT 5 4형식 문장의 수동태　　p. 130

개념확인 1 ③, ④　　2 ④　　3 ③, ④

기본연습

A 1 to　　2 for　　3 for
4 to　　5 to　　6 to
7 to

B 1 are taught math, is taught to the students
2 was bought for me
3 was asked a few questions, were asked of her
4 are given a lot of information, is given to us
5 were cooked for his brother
6 will be shown the pictures, will be shown to you
7 was told an interesting story, was told to me

틀리기 쉬운 내신포인트

정답 ④

해설 buy는 직접목적어(a book)를 주어로 하는 수동태만 쓰며, 이때 간접목적어(me) 앞에 전치사 for를 쓴다.

POINT 6 동사구의 수동태　　p. 132

개념확인 1 was turned off　　2 were picked up

기본연습 1 was turned down　　2 was put off
3 was run over　　4 was picked up
5 was looked down on　　6 were taken care of
7 were turned on　　8 was looked up to

POINT 7 by 이외의 전치사를 쓰는 수동태　　p. 133

개념확인 1 with　　2 of

기본연습 1 at　　2 with　　3 about
4 of　　5 with　　6 with
7 for　　8 of　　9 to
10 with　　11 about　　12 in

개념완성 TEST　　p. 134

① will be published　　② is being cooked
③ has been invited　　④ to　　⑤ for
⑥ Was, painted by　　⑦ were taken care of

A 1 are made by
2 must(should) be finished
3 is being cleaned by
4 has been loved
5 is satisfied with

B 1 Was when → When was
2 in → with
3 is → are
4 didn't take → was not(wasn't) taken
5 will is made → will be made
6 has visited → has been visited
7 to → for
8 for → by

C 1 The letter must be sent to this address by Brian.
2 Was Hangeul created by King Sejong?
3 Her car was not found near the park.
4 I was given a used computer by my uncle.
5 This problem can be solved easily by Mina.
6 My little brother will be looked after by her.
7 Beautiful music is being played by the band now.
8 A dress will be made for me by my friend.

A Is, read, should be returned

B 1 Your meal will be served soon.
2 A new library is being built in the city.
3 The email has been sent to the wrong person.
4 The scientist was looked up to by the villagers.

C 1 The postcard was sent to me by him.
2 The seats were not booked on the Internet.
3 When will the film festival be held?
4 Everything in the room was covered with dust.

학교 시험 실전 문제　　p. 137

1 ④　　2 ⑤　　3 ③　　4 ④　　5 ②　　6 ②, ④　7 ⑤
8 ③　　9 ④　　10 ②, ④, ⑤　　11 ④　　12 ④　　13 ④
14 ②　　15 ③　　16 ⑤　17 ②, ③　18 ⑤　　19 ②　　20 ④

서술형

21 (1) is taught to my friends by Julien
(2) was bought for me by my uncle

22 (1) The TV was turned off by my brother.
　　(2) Was the TV turned off by my brother?
23 cannot be used
24 (1) The street is crowded with people.
　　(2) The girl is scared of spiders.
25 (1) has been visited by many tourists
　　(2) was being cooked by my parents

1 주어(Cookies)가 '구워지는' 것이므로 수동태(be동사+과거분사)가 되어야 하고, Cookies가 복수이고 현재시제를 써야 하므로 be동사는 are를 쓴다.

2 주어(Noodles)가 '요리되는' 것이므로 수동태 문장이 되어야 한다. 조동사(can)가 있는 수동태는 「조동사+be+과거분사」의 형태로 쓴다.

3 능동태 문장의 목적어(us)를 수동태 문장의 주어로 쓰고, 동사는 「be동사+과거분사」의 형태로 쓴다. 능동태 문장의 주어(Mark)는 「by+목적격」으로 바꿔 수동태 문장의 뒤에 쓴다.

4 괄호 안의 말을 배열하면 The meeting was put off by Sam.이므로 다섯 번째로 오는 단어는 off이다.

5 ② 주어(The machine)가 '현재 수리되고 있는' 것이므로 진행형 수동태가 되어야 한다. (→ is being repaired)

6 4형식 문장은 간접목적어(the singer)와 직접목적어(a gift)를 주어로 하는 두 개의 수동태를 만들 수 있다. 직접목적어를 주어로 할 경우 간접목적어 앞에 전치사를 써야 하며, give는 전치사 to를 쓰는 동사이다.

7 ・be made up of: ~으로 구성되다
　・be concerned about: ~을 염려하다[걱정하다]

8 ③ 주어 The project가 '끝마쳐진' 것이고, 능동태 문장이 완료시제이므로 완료형 수동태 「have/has+been+과거분사」의 형태로 바꿔야 한다. (has just finished → has just been finished)

9 ④는 수동태 문장의 「by+행위자」로 by가 들어가고, 나머지는 by 이외의 전치사가 쓰이는 경우로 with가 들어간다.
① be covered with: ~으로 덮여 있다
② be satisfied with: ~에 만족하다
③ be pleased with: ~에 기뻐하다
⑤ be filled with: ~으로 가득 차 있다

10 ① 조동사가 있는 수동태는 「조동사+be+과거분사」의 형태로 써야 한다. (must are told → must be told)
③ 수동태 문장의 행위자는 「by+행위자」로 써야 한다.
(with her students → by her students)

11 능동태 문장이 진행형이므로, 진행형 수동태 문장으로 바꿔야 한다. 진행형 수동태는 「be동사+being+과거분사」의 형태로 쓴다.

12 능동태 문장이 완료시제이므로, 완료형 수동태 문장으로 바꿔야 한다. 완료형 수동태는 「have/has been+과거분사」의 형태로 쓴다.

13 동사 make의 직접목적어(this hat)를 주어로 하는 수동태 문장에서 간접목적어(me) 앞에 전치사 for를 쓴다.

14 ② 동사구 take care of의 수동태는 be taken care of이다. (took → taken)

15 The island cannot be seen from here.이므로 has는 쓰이지 않는다.

16 ⑤ tomorrow(내일)가 미래를 나타내므로, 수동태의 미래시제인 「will be+과거분사」의 형태로 고쳐야 한다.
(→ will be painted)

17 ① ~을 염려하다: be concerned about (in → about)
④ ~으로 구성되다: be made up of (with → of)
⑤ ~으로 유명하다: be known for (to → for)

18 ⑤ 동사 cook은 직접목적어를 주어로 하는 수동태 문장으로만 쓸 수 있으며, 이때 간접목적어(us) 앞에 전치사 for를 쓴다.

19 ⓐ, ⓒ, ⓓ 조동사(should, will, must)가 있는 수동태는 「조동사+be+과거분사」의 형태이므로 빈칸에는 공통적으로 be가 들어간다.
ⓑ 진행형 수동태 문장으로 빈칸에는 being이 들어간다.
ⓔ 완료형 수동태 문장으로 빈칸에는 been이 들어간다.

20 ⓐ, ⓑ, ⓔ가 올바른 문장이다.
ⓒ 조동사(should)가 있는 수동태의 부정은 「조동사+not+be+과거분사」의 형태로 쓴다. (should be not → should not be)
ⓓ 주어인 My aunt가 꽃가게를 연 주체이므로 능동태 문장이 되어야 한다. (has been opened → has opened)

21 (1) 동사 teach의 직접목적어 French를 주어로 하는 수동태 문장으로, 간접목적어인 my friends 앞에 전치사 to를 써야 한다.
(2) 동사 buy의 직접목적어 a new watch를 주어로 하는 수동태 문장으로, 간접목적어 me 앞에 전치사 for를 써야 한다.

22 (1) 동사구(turn off)의 수동태는 동사구를 하나의 동사처럼 취급하여 동사는 「be동사+과거분사」의 형태로 쓰고, 뒤에 나머지 전치사나 부사를 쓴다.
(2) 수동태 문장의 의문문은 「Be동사+주어+과거분사 ~?」의 형태로 쓴다.

23 조동사 can이 있는 수동태의 부정문(조동사+not+be+과거분사)이 되어야 한다.

24 (1) be crowded with: ~으로 붐비다
(2) be scared of: ~을 두려워하다

25 (1) 완료형 수동태는 「have/has been+과거분사」의 형태로 쓴다.
(2) 진행형 수동태는 「be동사+being+과거분사」의 형태로 쓴다.

CHAPTER 8
명사와 대명사

POINT 1 셀 수 있는 명사와 셀 수 없는 명사 p. 142

개념확인 1 ⓐ, ⓑ, ⓔ, ⓗ 2 ⓒ, ⓓ, ⓕ, ⓖ

기본연습

A 1 bank 2 aunt 3 peace
4 picture 5 people 6 baby

B 1 classes 2 fun 3 paintings
4 cake 5 money 6 happiness
7 love 8 a daughter, sons
9 slices, cheese

C 1 glass 2 loaves 3 pairs
4 carton 5 bottles 6 bowl
7 spoonfuls

틀리기 쉬운 내신포인트

정답 ②

해설 juice는 셀 수 없는 명사로 a bottle of, a glass of, a carton of와 같은 단위명사를 사용해 수량을 나타낸다. 복수를 나타낼 때는 단위명사를 복수형으로 쓴다.

POINT 2 it의 다양한 쓰임 p. 144

개념확인 1 6시 30분이다. 2 화살을 쏘는 것은
3 그가 정직하다는 것은

기본연습

A 1 가목적어 2 비인칭 주어 3 가주어
4 가목적어 5 가주어 6 가주어
7 비인칭 주어

B 1 It 2 ○ 3 it
4 ○ 5 It 6 it
7 that 8 ○ 9 it
10 ○

C 1 It, to ride a roller coaster
2 It, to read many books
3 It, that she passed the audition
4 It, to exercise regularly
5 It, that John will come back next week
6 It, to see my favorite singer in person

틀리기 쉬운 내신포인트

정답 ①

해설 ①은 비인칭 주어 it이고, 나머지는 모두 가주어 it이다.

POINT 3 재귀대명사 p. 146

개념확인 1 즐겁게 시간을 보냈다 2 혼자 힘으로

기본연습

A 1 himself 2 yourself 3 itself
4 himself 5 herself 6 herself
7 themselves 8 ourselves 9 yourselves

B 1 myself 2 himself 3 ourselves
4 himself 5 myself 6 herself
7 herself 8 yourself 9 himself

C 1 help yourself 2 by myself
3 enjoyed myself 4 cut myself

틀리기 쉬운 내신포인트

정답 ①

해설 [보기]와 나머지는 모두 목적어 역할을 하는 재귀 용법으로 쓰였고, ①은 주어(You)를 강조하는 강조 용법으로 쓰였다.

POINT 4 부정대명사 one, another p. 148

개념확인 1 불특정한 가방 2 놓친 버스

기본연습 1 it 2 one 3 it
4 another 5 them 6 ones
7 it 8 ones 9 one

틀리기 쉬운 내신포인트

정답 ②

해설 앞에서 언급한 것과 같은 종류의 불특정한 하나를 가리키는 대명사는 one이다.

POINT 5 부정대명사의 관용 표현 p. 149

개념확인 1 another, the other 2 some, the others

기본연습

A 1 the other 2 others 3 another
4 One 5 Some 6 the others
7 the other

B 1 One, the other 2 the others
3 another

C 1 One, the other 2 One, the others
3 Some, the others 4 One, the others
5 One, another, the other

틀리기 쉬운 내신포인트

정답 Some, the others

해설 여럿 중 일부는 some, 나머지는 the others로 나타낸다.

개념확인 **1** each sentence   **2** all the books
3 both of my uncles

기본연습

A **1** are   **2** is   **3** person
4 like   **5** want   **6** has
7 are   **8** needs

B **1** Every   **2** Each   **3** Both
4 All   **5** All   **6** Every
7 Both   **8** All

C **1** is   **2** is   **3** are
4 is   **5** are

틀리기 쉬운 내신포인트

정답 ②

해설 all은 뒤에 오는 명사의 수에 따라 동사의 수가 달라지는데,
셀 수 없는 명사인 money가 쓰였으므로 단수 취급하여 동
사 are를 단수 동사 is로 고쳐야 한다.

개념확인 **1** 누가   **2** 어느 것   **3** 무엇

기본연습

A **1** Who   **2** whom   **3** What
4 Which   **5** Whose

B **1** What did you eat for dinner yesterday?
2 Who is your favorite writer?
3 Whom will you meet after school?

개념완성 TEST   p. 154

STEP 1 Quick Check

① a book, happiness   ② cups   ③ It   ④ It   ⑤ myself
⑥ One, another, the other   ⑦ are   ⑧ Which

STEP 2 기본 다지기

A **1** himself   **2** What
3 whom   **4** Some, the others
5 three bottles of, a slice of
6 make yourself   **7** One, the other
8 One, another, the other

B **1** was   **2** salt
3 themselves   **4** It
5 ones   **6** himself
7 has   **8** it

C **1** by myself
2 to eat a lot of vegetables
3 that David made the pizza
4 it impossible to climb

STEP 3 서술형 따라잡기

A **1** a glass of water
2 two loaves of bread
3 three pieces of cake

B **1** It is very dangerous to run near a swimming pool.
2 Her parents themselves built this house. 또는
Her parents built this house themselves.
3 I found it important to recycle empty bottles.
4 Some students played basketball, and the others
sat on the bench.

C **1** Each sentence is difficult to understand.
2 One is a student, and the other is a singer.
3 One is swimming, another is reading, and the
other is hiking.

학교 시험 실전 문제   p. 157

1 ③   **2** ③   **3** ④   **4** ②, ④   **5** ⑤   **6** ③   **7** ②
8 ②   **9** ⑤   **10** ②   **11** ⑤   **12** ④   **13** ④   **14** ③
15 ②   **16** ④   **17** ⑤   **18** ①   **19** ③   **20** ④

서술형

21 All, One, the others, Both
22 (1) Which do you prefer, a cheese pizza or a
pepperoni pizza?
(2) By whom was the jet plane invented?
23 Some, others
24 (1) Each of the girls is good at swimming.
(2) It is not easy to live in the South Pole.
(3) Kate considered it fun to watch the play.
25 (1) He was proud of himself.
(2) Help yourself to this dish.
(3) Every student has a nickname.
(4) It is true that he is waiting for you.

1 '치즈 한 장'은 a slice of cheese로 표현한다.

2 ③ 지호가 자기 자신을 소개하는 상황이므로 재귀대명사 myself가 알맞다.

3 ④ 문장의 동사가 복수 동사 are이므로, '둘 다'를 의미하는 Both가 알맞다.

4 ② a glass/bottle of milk(우유 한 잔/병)가 자연스럽다.
④ a spoonful of sugar(설탕 한 스푼)가 자연스럽다.

5 ⑤는 명암을 나타내는 비인칭 주어 it이고, 나머지는 모두 진주어(to부정사구, that절)를 대신하는 가주어 it이다.

6 Dylan과 함께 가겠다고 말하는 것으로 보아 누구와 함께 갈지 물어보는 질문이 적절하다.

7 둘 중 하나는 one, 다른 하나는 the other로 나타낸다.

8 • 같은 종류의 불특정한 하나를 가리킬 때는 one을 쓴다.
• 앞에 언급된 a chair를 가리키는 말이어야 하므로 It이 알맞다.

9 • 또 다른 하나를 가리킬 때는 another를 쓴다.
• 여럿 중 나머지 전부를 가리킬 때는 the others를 쓴다.

10 ②의 재귀대명사는 주어를 강조하는 강조 용법으로 쓰였다.
[보기]와 나머지 재귀대명사는 모두 목적어 역할을 하는 재귀 용법으로 쓰였다.

11 ⑤ shoes를 가리키는 것이므로 복수형 ones로 고쳐야 한다.

12 ④의 빈칸에는 둘 중 하나를 선택하는 것이므로 의문대명사 Which가 들어가고, 나머지 빈칸에는 모두 What이 들어간다.

13 긴 목적어(to부정사구)는 문장의 뒤로 보내고, 목적어 자리에는 가목적어 it을 사용하여 문장을 쓴다.

14 ⓐ health는 추상명사로 셀 수 없는 명사이므로 앞에 관사 a를 쓸 수 없다. (a health → health)
ⓓ 「each+단수 명사(classmate)」 뒤에는 단수 동사를 쓴다.
(have → has)

15 ② 의문대명사 which로 선택을 물었는데 여가 시간에 주로 영화를 본다는 대답은 어색하다.

16 괄호 안의 말을 배열하면 It is strange that Jim forgot his homework.가 된다.

17 ⑤ to부정사구(to think about new ideas)가 진주어이므로, That을 가주어 It으로 고쳐야 한다.

18 ① talk to oneself: 혼잣말하다

19 ③ 앞에 언급된 my computer를 가리키므로, one을 it으로 고쳐야 한다.

20 ⓑ, ⓒ, ⓓ가 올바른 문장이다.
ⓐ that을 가목적어 it으로 고쳐야 한다.

21 사진 속 모두가 행복해 보이므로 첫 번째 빈칸에는 All이 알맞다. 한 명의 학생만 안경을 쓰고 있고 나머지 모두는 쓰고 있지 않으므로, 두 번째와 세 번째 빈칸에는 각각 One과 the others를 쓰는 것이 알맞다. 마지막 문장에서 '둘 다'를 가리킬 때는 Both

를 쓰는 것이 알맞다.

22 (1) '어느 것'이라는 의미로 정해진 범위 안에서의 선택을 물을 때는 의문대명사 which를 쓴다.
(2) 의문대명사가 전치사(By) 뒤에 올 때는 목적격인 whom을 쓴다.

23 운동하기, 영화 보기 외에 자전거 타기도 있으므로, some과 others가 알맞다. the others는 '나머지 전부'를 가리킬 때 쓰므로 others와 혼동하지 않도록 유의한다.

24 (1) 「each of+복수 명사+단수 동사」의 순서로 쓴다.
(2) 가주어 It을 문장의 주어로 쓰고, 진주어인 to부정사구(to live in the South Pole)를 문장 뒤로 보내야 한다.
(3) 긴 목적어인 to부정사구(to watch the play)를 문장의 뒤로 보내고 목적어 자리에 가목적어 it을 쓴다.

25 (1) 목적어가 주어(He)와 동일한 대상이므로 재귀대명사 himself를 쓴다.
(2) '~을 마음껏 먹다'는 help oneself to로 쓴다.
(3) every는 「every+단수 명사+단수 동사」로 쓴다.
(4) 가주어 It을 주어 자리에 쓰고, 진주어인 that절(that he is waiting for you)을 문장 뒤로 보낸다.

CHAPTER 9

형용사, 부사, 비교 구문

POINT 1 형용사의 쓰임
p. 162

개념확인 1 small 2 honest 3 cold

기본연습

A 1 ⓑ 2 ⓑ 3 ⓐ 4 ⓑ

B 1 alike 2 anything special
3 someone creative 4 nothing interesting

POINT 2 수량형용사
p. 163

개념확인 1 some 2 much

기본연습 1 little 2 few 3 any
4 a little 5 many 6 a few
7 plenty of

틀리기 쉬운 내신포인트

정답 ③

해설 ③ time은 셀 수 없는 명사로, 셀 수 있는 명사와 함께 쓰이는 수량형용사 a number of와는 같이 쓸 수 없다.

POINT 3 부사의 쓰임
p. 164

개념확인 1 truly 2 widely

기본연습

A 1 clearly
2 we found the treasure on the island
3 asked 4 sang 5 different
6 cheap

B 1 fully 2 terribly 3 truly
4 rudely 5 seriously 6 basically
7 easily 8 angrily

POINT 4 주의해야 할 부사
p. 165

개념확인 1 멀리 2 충분히

기본연습 1 late 2 hard 3 pretty
4 nearly 5 close 6 enough
7 hardly

POINT 5 원급 비교
p. 166

개념확인 1 He is as diligent as Jack.
2 This bag is not as big as mine.

기본연습

A 1 as useful as 2 not as(so) bright as
3 as long as 4 as hard as
5 as regularly as 6 not as(so) difficult as

B 1 as tall as 2 not as(so) colorful as
3 as heavy as 4 as early as
5 as slowly as 6 not as(so) cheap as
7 not as(so) close as 8 as fast as
9 not as(so) hot as

틀리기 쉬운 내신포인트

정답 ④

해설 ④ 원급 비교의 부정은 「not as+원급+as」의 형태로 써야 하는데, slower는 slow의 비교급이다. (slower → slow)

POINT 6 비교급 비교
p. 168

개념확인 1 less important than
2 far more exciting than

기본연습

A 1 more 2 funnier
3 much 4 new
5 much more 6 less
7 more helpful 8 a lot
9 less

B 1 more slowly than
2 less strict than
3 far cheaper than
4 less popular than
5 much more comfortable than

C 1 more diligent 2 less heavy
3 longer 4 older
5 less often

틀리기 쉬운 내신포인트

정답 ③

해설 비교급 앞에 부사 much, even, far 등을 써서 비교급을 강조할 수 있다. very는 원급을 수식하는 부사이고, less 뒤에는 비교급이 아닌 원급이 온다.

개념확인 **1** the coldest day
2 one of the funniest books

기본연습 **1** the tallest
2 the most important
3 the smallest
4 one of the most serious
5 the highest

개념확인 **1** four times   **2** three times
기본연습
A **1** old   **2** as tall as
3 higher   **4** as fast as
5 farther than

B **1** three times, than
2 four times as, as

틀리기 쉬운 내신포인트

정답 twice faster than

해설 「배수사+as+원급+as」는 「배수사+비교급+than」으로 바꿔 쓸 수 있다.

개념확인 **1** hotter and hotter
2 as quietly as you can
3 more and more slowly

기본연습
A **1** as exactly as possible
2 The older, the wiser
3 farther and farther
4 the most famous, I have ever met
5 more and more exciting
6 as quickly as I could

B **1** more skillful   **2** she could
3 the saddest   **4** stronger and stronger
5 ○   **6** the most beautiful
7 More and more

C **1** The fresher, the better
2 The longer, the more nervous
3 The higher, the colder
4 The later, the more expensive

틀리기 쉬운 내신포인트

정답 The deeper, the darker

해설 '~하면 할수록 더 …한'은 「the+비교급, the+비교급」의 형태로 쓴다.

개념확인 Russia is the biggest country in the world.
Russia is bigger than any other country in the world.
No country in the world is as big as Russia.

기본연습
A **1** taller than   **2** the cheapest
3 short as   **4** any other island

B **1** smarter than
2 as fast as
3 more precious than any other
4 the biggest
5 more creative than

C **1** popular than any other book, as popular as, more popular than
2 than any other planet, as big as, bigger than
3 than any other country, as small as, smaller than
4 than any other person, as old as, older than

틀리기 쉬운 내신포인트

정답 ②

해설 ②의 「as+원급+as」는 '~만큼 …한'의 의미로 두 대상의 정도가 같음을 나타낸다. ②를 제외한 나머지는 모두 Jane 의 키가 가장 크다는 최상급의 의미를 나타낸다.

개 념 완 성 **TEST** p. 176

STEP 1 *Quick Check*

① something fresh   ② highly
③ important   ④ more important than
⑤ the most important   ⑥ twice as often as
⑦ The more, the healthier   ⑧ more important than

STEP 2 기본 다지기

A
1 quietly
2 less spicy than
3 The higher, the colder
4 anything wrong
5 a few balloons
6 the most important

B
1 someone creative
2 a few
3 as clearly as possible
4 less hot than
5 nearly
6 more and more exciting
7 much
8 the more tired
9 students

C
1 Soccer is not as popular as baseball
2 The telephone is one of the most important inventions
3 Tom got up as early as he could
4 This horror movie is less scary than
5 The museum is five times larger than
6 The South Pole is colder than any other place

STEP 3 서술형 따라잡기

A
1 less
2 twice as expensive
3 three times more expensive

B
1 I will complete the project as quickly as possible.
2 Seoul is more crowded than any other city in Korea.
3 I had few chances to communicate with foreigners.

C
1 is getting warmer and warmer
2 as important as exercising regularly
3 even more difficult than we expected
4 the most beautiful island (that) I have ever visited

학교 시험 실전 문제
p. 179

1 ⑤	2 ②	3 ③	4 ①, ⑤	5 ④	6 ④	7 ③
8 ③	9 ②	10 ②	11 ①	12 ④	13 ②	14 ④
15 ⑤	16 ②	17 ⑤	18 ④	19 ④	20 ①, ②	

서술형

21 (1) as(so) tall as (2) taller than (3) the shortest
22 (1) the better (2) the farther (3) the happier
23 (1) closer and closer
   (2) the most popular subject

24 (1) as tall as
   (2) as heavy as
   (3) four times older than
25 (1) Tony is one of the fastest runners in his class.
   (2) His new album is becoming more and more popular.
   (3) The more Pinocchio lied, the longer his nose grew.

1 ⑤ enough는 형용사와 부사의 형태가 같다.

2 • 「as+원급(early)+as」 형태가 되어야 하므로 as가 알맞다.
   • 「less+원급(friendly)+than」 형태가 되어야 하므로 than이 알맞다.

3 • 비교급(taller)을 수식할 수 있는 부사는 much, still, even, far, a lot이다.
   • 원급(slowly)을 수식하는 부사는 very이다.

4 time은 셀 수 없는 명사이므로 셀 수 있는 복수 명사와 함께 쓰는 many와 a number of는 빈칸에 들어갈 수 없다.

5 '~하면 할수록 더 …한'은 「the+비교급, the+비교급」의 형태로 나타내므로 the better가 알맞다.

6 ④ something과 같이 -thing으로 끝나는 대명사는 형용사가 뒤에서 수식한다. (→ something delicious)

7 「as+원급+as possible」은 「as+원급+as+주어+can」으로 바꿔 쓸 수 있다. 이때 문장의 시제가 과거이면 can 대신 could를 쓴다.

8 Bill이 Danny보다 더 일찍 자러 간다는 뜻이 되어야 하므로 「비교급+than」이 알맞다.

9 ① few(거의 없는)는 셀 수 없는 명사(time)와 함께 쓰지 않는다. (→ little)
   ③ much(많은)는 셀 수 있는 명사(ways)와 함께 쓰지 않는다. (→ many, a number of)
   ④ a number of(많은)는 셀 수 없는 명사(trash)와 함께 쓰지 않는다. (→ lots of)
   ⑤ a little(약간의, 조금 있는)은 셀 수 있는 명사(students)와 함께 쓰지 않는다. (→ A few)

10 ② 두 문장 모두 '늦게'라는 뜻의 부사로 쓰였다.
   ① 부사(오래) / 형용사(긴) ③ 부사(가까이) / 형용사(가까운)
   ④ 부사(꽤) / 형용사(예쁜) ⑤ 형용사(충분한) / 부사(충분히)

11 ⓐ near(가까이) → nearly(거의)
   ⓑ a little은 셀 수 없는 명사와 쓰인다. (A little → A few)
   ⓒ 「less+원급+than」 형태가 되어야 한다. (busier → busy)
   ⓓ very는 원급을 수식하는 부사로, 비교급(longer)을 수식하지 않는다.

12 ①, ②, ③, ⑤의 much는 '훨씬'이라는 뜻의 비교급을 강조하는 부사이고, ④의 much는 '많은'이라는 뜻의 수량형용사로 쓰였다.

13 (A) 비교 대상이 장소나 범위를 나타내는 명사(the shop)이면 명사 앞에 전치사 in을 쓴다.
(B) 「one of the+최상급」 뒤에는 복수 명사를 쓴다.
(C) 최상급의 의미를 나타낼 때, 「비교급+than any other」 뒤에는 단수 명사를 쓴다.

14 ④ 「배수사+as+원급+as」는 「배수사+비교급+than」으로 바꿔 쓸 수 있다.

15 ⑤ 주어진 문장은 '농구는 수영만큼 인기 있지 않다.'라는 의미인데, 그래프에 따르면 농구가 수영보다 더 인기가 있다.

16 ②를 제외한 나머지는 Venus(금성)가 태양계에서 가장 밝다는 최상급의 의미를 나타내고, ②의 「as+원급+as」는 '~만큼 … 한'이라는 의미를 나타낸다.

17 「the+최상급+명사+(that)+주어+have (ever)+과거분사」: 지금껏 ~한 것 중에서 가장 …한

18 ④ 「the+최상급+in+장소/범위」 형태의 문장으로, 빈칸에는 most가 들어간다.

19 ④ 「one of the+최상급+복수 명사」는 '가장 ~한 …중의 하나' 라는 의미이고, 「부정주어 ~ 비교급+than」은 '어떤 ~도 −보다 더 …하지 않은'이라는 의미이다. 첫 번째 문장은 Tom이 반에서 가장 큰 학생들 중 하나라는 의미이고, 두 번째 문장은 Tom이 반에서 가장 작다는 의미로 서로 의미가 다르다.

20 ① 「비교급+and+비교급」 형태가 되어야 한다.
(more long and long → longer and longer)
② '~하면 할수록 더 …한'은 「the+비교급, the+비교급」 형태로 쓴다. (sooner → the sooner)

21 (1) not as(so)+원급+as: ~만큼 …하지 않은
(2) 비교급+than: ~보다 더 …한
(3) the+최상급: 가장 ~한

22 the+비교급, the+비교급: ~하면 할수록 더 …한

23 (1) 비교급+and+비교급: 점점 더 …한/하게
(2) the+최상급: 가장 …한

24 (1) as+원급+as: ~만큼 …한
(2) not as+원급+as: ~만큼 …하지 않은
(3) 배수사+비교급+than: ~보다 …배 더 ~한

25 (1) '가장 ~한 … 중의 하나'는 「one of the+최상급+복수 명사」로 쓴다.
(2) '점점 더 …한'은 「비교급+and+비교급」으로 쓴다.
(3) '~하면 할수록 더 …하게'는 「the+비교급, the+비교급」 형태로 쓴다.

접속사

POINT 1 시간의 접속사   p. 184

개념확인 **1** 그가 도착할 때까지
      2 그녀가 아이였을 때

기본연습
1 before	**2** until	**3** since
4 When	**5** After	**6** As
7 while	**8** comes	**9** since
10 before		

POINT 2 이유의 접속사   p. 185

개념확인 **1** ~ 때문에   **2** ~ 때문에

기본연습
A
1 ⓐ	**2** ⓑ	**3** ⓑ
4 ⓑ	**5** ⓐ	**6** ⓑ

B
1 because of	**2** because	**3** because
4 because of	**5** Because	

POINT 3 조건 · 양보의 접속사   p. 186

개념확인 **1** 그것이 진실이 아니라면
      2 그는 일찍 떠났지만

기본연습
A
1 as long as	**2** If
3 Even though	**4** If
5 though	**6** In spite of

B
1 as long as	**2** If
3 Unless	
4 Although(Though/Even though)	
5 If	**6** as long as
7 unless	
8 Although(Though/Even though)	

C
1 If	**2** as long as
3 Unless	**4** Although

틀리기 쉬운 내신포인트

정답 ②

해설 조건의 부사절에서는 미래의 일을 현재시제로 나타내며, 주어(he)가 3인칭 단수이므로 invites가 알맞다.

POINT 4 목적 · 결과의 접속사 p. 188

개념확인
1 그는 늦지 않도록
2 너무 아파서 그녀는 일하러 갈 수 없다

기본연습

A
1 so cold that I wore my jacket
2 so that they could get good seats
3 so bright that I can't open my eyes
4 so that she could focus on reading
5 so difficult that nobody could solve it

B
1 that　　2 that　　3 so
4 nice　　5 so that

C
1 so angry that
2 tall enough to reach
3 in order to donate(so as to donate)
4 too young to drive
5 so that, get
6 hard enough to pass
7 so that, catch

틀리기 쉬운 내신포인트

정답 ④

해설 so that은 목적을 나타내는 절을 이끄는데, ④의 빈칸에는 의미상 이유를 나타내는 접속사(because, as 등)가 알맞다.

POINT 5 다양한 의미를 나타내는 접속사 p. 190

개념확인
1 ~ 때문에　　2 ~할 때

기본연습

A
1 as　　2 while　　3 while
4 As　　5 Since　　6 as
7 since

B
1 As　　2 While　　3 since(as)
4 While　　5 since

C
1 as his teacher ordered
2 while I stayed(was staying) in Canada
3 since he entered college
4 since(as) he is smart
5 As she grew up
6 While he has dark hair

틀리기 쉬운 내신포인트

정답 ②

해설 ②는 '~한 이후로'라는 시간의 의미를 나타내고, 나머지는 모두 '~ 때문에'라는 이유의 의미를 나타낸다.

POINT 6 상관접속사 p. 192

개념확인
1 그 또는 그녀 둘 중 하나
2 차도 자전거도 없는

기본연습

A
1 either, or　　2 Neither, nor
3 not only, but also　　4 both, and
5 as well as

B
1 or　　2 but　　3 and
4 nor　　5 but also　　6 either
7 both　　8 neither　　9 as
10 not only　　11 as

C
1 are　　2 have　　3 comes
4 have　　5 has　　6 am
7 want　　8 is　　9 were

틀리기 쉬운 내신포인트

정답 ①

해설 ① both A and B가 주어로 오면 복수 취급한다. (→ are)

POINT 7 명사절을 이끄는 접속사 whether/if p. 194

개념확인
1 그가 올지
2 그가 수영을 할 수 있는지

기본연습

A
1 ⓑ　　2 ⓐ　　3 ⓒ
4 ⓐ　　5 ⓒ　　6 ⓑ
7 ⓒ

B
1 Whether　　2 ○　　3 whether
4 whether　　5 that　　6 whether
7 is　　8 whether

C
1 whether(if) my dog will catch
2 whether(if) she can help me
3 whether(if) she likes flowers
4 whether(if) she is telling the truth
5 whether(if) this is the right answer
6 whether(if) you can come to the party

틀리기 쉬운 내신포인트

정답 ②

해설 ②는 '(만약) ~하면'이라는 의미를 나타내는 접속사이고, 나머지는 '~인지 (아닌지)'라는 의미를 나타내는 접속사이다.

개념확인 **1** However   **2** Therefore

기본연습 **1** Instead   **2** However
3 In addition   **4** In fact

POINT **9** 간접의문문 p. 197

개념확인 **1** why he is crying
2 if I can buy the ticket
3 who paid for this
4 whether she can help me

기본연습

A **1** why   **2** whether(if)
3 who   **4** when
5 whether(if)

B **1** when the summer vacation starts
2 whether he is good at skating
3 who painted this picture
4 where you got the information
5 if he could play computer games

C **1** I wonder where they will go after school.
2 He wants to know why the cat is following him.
3 Can you tell me who found your wallet?
4 Ask Laura whether(if) she wants to go to the concert.
5 Do you know when the train for Busan leaves?
6 I'd like to know whether(if) I can make a reservation for the group tour.

틀리기 쉬운 내신포인트

정답 ②

해설 ② 의문사(where)가 있는 간접의문문은 「의문사+주어+동사」의 순서로 쓴다. (→ where our seats are)

개 념 완 성 **TEST** p. 199

STEP 1 Quick Check

① Although   ② long   ③ neither   ④ whether
⑤ where the umbrella is   ⑥ However
⑦ 나는 건강을 유지할 수 있도록 매일 운동한다.
⑧ 너무 더워서 나는 창문을 열었다.

STEP 2 기본 다지기

A **1** since   **2** because of
3 Although   **4** Not only
5 Thus   **6** so that

B **1** after   **2** As
3 until(till)   **4** Since(As/Because)
5 Although(Though/Even though)
6 Unless   **7** so that
8 whether(if)   **9** so, that
10 In addition   **11** Therefore
12 Either, or   **13** Neither, nor
14 However

C **1** ○   **2** ○   **3** like
4 ○   **5** so cold that   **6** ○
7 or   **8** but   **9** because
10 If

D **1** Although this car is very old, it still runs well.
2 Do you know where I can take a taxi?
3 I wonder whether(if) the boy is a student of this school.
4 He can't drive because he doesn't have a driver's license. 또는 Because he doesn't have a driver's license, he can't drive.
5 He fed my goldfish while I was in Hawaii for a week.
6 Andrew likes both singing and dancing.
7 The pizza was so big that she couldn't eat it all.

STEP 3 서술형 따라잡기

A **1** while he cleans his room
2 While Amy is short

B **1** when he came to Seoul
2 As long as you don't give up
3 Both he and his wife have never been
4 whether this robot can make him laugh

C **1** Although(Though/Even though) the sun is shining
2 since he left this town
3 Unless you get enough sleep 또는 If you don't get enough sleep
4 so that her team could win

1 ①	**2** ⑤	**3** ①, ④	**4** ②	**5** ④	**6** ②, ④	**7** ②
8 ②	**9** ②	**10** ④	**11** ③	**12** ④	**13** ④	**14** ③
15 ⑤	**16** ③	**17** ②	**18** ③	**19** ①	**20** ②	

[서술형]

21 (1) so high that they can't climb it
　　(2) whether(if) Ben enjoys spicy food

22 (1) Although(Though/Even though) he ran to the train station
　　(2) Unless you walk slowly 또는 If you don't walk slowly

23 (1) Do you know who took this picture?
　　(2) I wonder whether my letter made my grandmother happy.

24 (1) so that she could buy a new hat
　　(2) so that he could take a cooking class

25 (1) Both Betty and Paul
　　(2) Neither Betty nor Monica
　　(3) not only play the guitar but also go swimming

---

1 '네가 펜이 필요하면'이라는 의미가 적절하므로 빈칸에는 접속사 if((만약) ~하면)가 알맞다.

2 '~인지 궁금하다'라는 의미가 자연스러우므로 접속사 whether (~인지)가 알맞다.

3 '늦게 떠났지만 제시간에 도착했다'라는 의미가 자연스러우므로, 빈칸에는 양보의 접속사(Though, Although, Even though) 가 알맞다.

4 첫 번째 빈칸에는 '~ 때문에'라는 의미의 이유를 나타내는 접속사 as가 들어가고, 두 번째 빈칸에는 '~함에 따라'라는 의미의 접속사 as가 들어간다.

5 첫 번째 빈칸은 '성공할 때까지 계속 시도했다'라는 의미가 자연스러우므로, 시간의 접속사 until(~할 때까지)이 알맞다.
두 번째 빈칸은 '건강을 유지할 수 있도록 패스트푸드를 먹지 않으려고 노력하고 있다'라는 의미가 자연스러우므로, 목적의 접속사 so that(~하도록)이 알맞다.

6 because는 이유를 나타내는 접속사로, 이와 바꿔 쓸 수 있는 접속사는 as와 since이다.

7 ② if는 앞의 동사 know의 목적어 역할을 하는 명사절을 이끄는 접속사로 '~인지 (아닌지)'라는 뜻을 나타낸다. 따라서 '그녀가 한국어를 말할 수 있는지'가 알맞은 뜻이다.

8 ② 뒤에 명사구(a cold)가 이어지므로 because를 because of 로 고쳐야 한다.

9 ②는 '~인 반면에'라는 대조의 의미를 나타내고, 나머지는 '~하는 동안'이라는 시간의 의미를 나타낸다.

10 ④는 '~ 대로'라는 의미를 나타내고, 나머지는 모두 '~ 때문에' 라는 의미를 나타낸다.

11 ③에는 Unless((만약) ~하지 않으면)가 들어가는 것이 자연스럽고, 나머지 빈칸에는 If((만약) ~하면)가 자연스럽다.

12 ④는 '(만약) ~하면'이라는 의미의 조건을 나타내는 접속사이고, [보기]와 나머지 if는 '~인지 (아닌지)'라는 의미의 명사절을 이끄는 접속사이다.

13 'A도 B도 아닌'은 「neither A nor B」로 나타낸다.

14 wonder의 목적어 역할을 하는 간접의문문이 들어가며, 의문사 what(무엇)이 있으므로 「의문사+주어+동사」의 순서로 써야 한다.

15 괄호 안의 말을 배열하면 He saved his money so that he could buy a new smartphone.이다.

16 ⓐ tell의 목적어 역할을 하는 간접의문문이므로 「의문사+주어 +동사」 순서인 why Jenny is shouting으로 고쳐야 한다.
ⓑ 「either A or B」가 주어일 때 동사는 B(James)의 수에 일치시키므로, are를 is로 고쳐야 한다.
ⓔ in spite of(~에도 불구하고) 뒤에는 명사(구)가 오는데, 「주어+동사」로 이루어진 절이 왔으므로 in spite of를 although 또는 even though로 고쳐야 한다.

17 「so ~ that+주어+can」은 「enough+to부정사」로 바꿔 쓸 수 있다.

18 ③ 날이 어두워지고 있는 것에 바람이 불기 시작하는 것이 첨가되는 내용이므로, '게다가'를 뜻하는 In addition으로 고치는 것이 자연스럽다.

19 (A) 「neither A nor B」가 주어일 때 동사는 B(his sons)의 수에 일치시키므로, 복수 동사 like가 알맞다.
(B) Whether가 이끄는 명사절이 주어로 쓰이면 단수 취급하므로 동사는 is가 알맞다.
(C) '내가 8살이었을 때부터 일기를 써 왔다'라는 의미가 되므로, 과거형 was가 알맞다.

20 ⓒ '너무 ~해서 …하다'라는 의미를 나타내는 「so ~ that …」 형태가 되어야 한다. (which → that)
ⓔ 「both A and B」가 주어로 쓰이면 복수 취급한다.
(enjoys → enjoy)

21 (1) '산이 너무 높아서(원인) 오를 수 없다(결과)'로 내용이 연결되므로 「so ~ that …」을 이용하여 문장을 연결한다.
(2) 의문사가 없는 의문문을 간접의문문으로 나타낼 때, 「whether (if)+주어+동사」의 순서로 쓴다.

22 (1) '비록 ~이지만'은 양보의 접속사 although, though, even though로 나타낼 수 있다.
(2) '~하지 않으면'은 조건의 접속사 unless나 if ~ not으로 나타낼 수 있다.

23 (1) 의문사(who)가 주어 역할을 하는 경우 「의문사(주어)+동사」

의 순서로 간접의문문을 쓴다.

(2) 「whether+주어+동사」의 순서로 쓴다.

24 목적을 나타내는 부사절을 「so that+주어+could+동사」를 이용하여 쓴다.

25 (1) 「both *A* and *B*(A와 B 둘 다)」를 사용하여 문장을 완성한다.

(2) 「neither *A* nor *B*(A도 B도 아닌)」를 사용하여 문장을 완성한다.

(3) 「not only *A* but also *B*(A뿐만 아니라 B도)」를 사용하여 문장을 완성한다.

POINT 1 주격 관계대명사 p. 208

개념확인 1 주격 관계대명사: who 선행사: the boy
2 주격 관계대명사: which 선행사: a house

기본연습

A 1 which 2 who 3 wants
4 have 5 who 6 is
7 which

B 1 who was 2 which are 3 ×
4 which was 5 who are 6 ×
7 which were

C 1 which(that) are in danger
2 who(that) are really generous to me
3 which(that) has many beautiful places
4 which(that) is located next to the bank
5 who(that) reports news on TV
6 which(that) is written by Agatha Christie
7 which(that) are playing with a ball

틀리기 쉬운 내신포인트

정답 ③

해설 ③ 선행사 the picture가 단수 명사이므로, 관계대명사절의 동사도 단수 동사를 써야 한다. (were → was)

POINT 2 목적격 관계대명사 p. 210

개념확인 1 목적격 관계대명사: whom 선행사: an inventor
2 목적격 관계대명사: which 선행사: the radio

기본연습 1 who(whom/that) I can trust
2 which(that) my neighbor was looking for
3 which(that) Andy sent us
4 who(whom/that) I often see on TV
5 which(that) I take every day
6 who(whom/that) Dr. Kim treated

POINT 3 소유격 관계대명사 p. 211

개념확인 1 소유격 관계대명사: whose 선행사: The kid
2 소유격 관계대명사: whose 선행사: the dog

기본연습

A 1 whose 2 is
3 whose arms 4 ○

B **1** whose birthday is tomorrow
　2 whose buttons are very big

정답 ④

해설 ①~③ 빈칸 앞의 명사에 대한 부가 설명이 나오고 빈칸 뒤에 명사가 나오므로 소유격 관계대명사 whose가 알맞다.
④ 빈칸 뒤에 동사의 목적어가 없으므로 목적격 관계대명사 who(whom/that)가 알맞다.

POINT 4 관계대명사 what   p. 212

개념확인 **1** 네가 내게 준 것   **2** 내가 사고 싶은 것

기본연습

A **1** 주어, 그들이 지금 필요한 것
　2 보어, 그가 기대한 것
　3 목적어, 우리가 학교에서 배운 것
　4 보어, 내가 말하고 싶은 것
　5 주어, 그녀가 여름에 즐기는 것
　6 목적어, 네가 오늘 할 수 있는 것

B **1** what　　**2** ○　　**3** what
　4 ○　　**5** which(that)　　**6** ○
　7 what　　**8** which(that)

C **1** What he needs
　2 what I baked for Amy
　3 what you want to do
　4 What she bought yesterday
　5 what I need to buy
　6 what you want to eat

정답 ③

해설 ③ 선행사 the house가 있으므로, what을 목적격 관계대명사 which나 that으로 고쳐야 한다.
①, ②, ④ 선행사를 포함한 관계대명사 what의 쓰임은 알맞다.

POINT 5 전치사+관계대명사   p. 214

개념확인 **1** whom 앞   **2** born 뒤

기본연습 **1** whom　　**2** in which　　**3** whom
　　4 which　　**5** on whom　　**6** at which
　　7 which

정답 ②, ③

해설 ① → She is the woman who I worked with. 또는
She is the woman with whom I worked.
④ → The chair that he is sitting on is mine. 또는
The chair on which he is sitting is mine.

POINT 6 관계대명사의 계속적 용법   p. 215

개념확인 **1** who   **2** which

기본연습

A **1** which   **2** which   **3** which

B **1** who invented Hangeul
　2 which I visited last year
　3 which has many works of art

POINT 7 관계부사   p. 216

개념확인 **1** 관계부사: where   선행사: the store
　　　　2 관계부사: when   선행사: the day

기본연습

A **1** where　　**2** when　　**3** the reason
　4 how　　**5** on which　　**6** why

B **1** where　　**2** when　　**3** why
　4 how　　**5** where　　**6** why
　7 how　　**8** when　　**9** which

C **1** when we enjoy skiing
　2 where my grandparents live
　3 why Jina is absent
　4 how she made her blog
　5 where Chopin was born

정답 ②

해설 ②의 빈칸에는 목적격 관계대명사 which나 that이 들어가고, 나머지 빈칸에는 관계부사 where가 들어간다.

POINT 8 복합관계대명사   p. 218

개념확인 **1** 네가 원하는 무엇이든지
　　　　2 누가 오더라도

기본연습 **1** whatever　　**2** Whoever　　**3** whichever
　　4 Whatever　　**5** Whoever

개념확인 1 네가 원할 때는 언제나
2 네가 어디에 가든지

기본연습

A 1 whenever   2 wherever   3 However
4 Whenever   5 hot it is   6 whenever
7 Wherever

B 1 wherever   2 whenever   3 However

개 념 완 성 TEST
p. 220

STEP 1 Quick Check

① who   ② whose   ③ what   ④ whom
⑤ which   ⑥ when   ⑦ Whoever   ⑧ However

STEP 2 기본 다지기

A 1 who(that)   2 ○
3 ○   4 was
5 which(that)   6 ○
7 when   8 for whom
9 tall you are

B 1 whose name is Daisy
2 whom everybody likes
3 what Helen wants to buy
4 why he gave up the race
5 whatever you want
6 whenever I choose a book
7 which is in Jeju-do

C 1 David knows a restaurant which(that) sells delicious noodles.
2 I read about a professor whose ideas are new and creative.
3 He can't forget the song which(that) the band played yesterday.
4 This is the road where the bike accident happened.
5 This is the flower shop which(that) I told you about.
This is the flower shop about which I told you.

STEP 3 서술형 따라잡기

A 1 what I bought yesterday
2 What I want to eat

B 1 Rob is a friendly robot whose body is made of metal.
2 I couldn't sleep well last night, which made me feel tired.
3 However busy he is, he should finish the work by tomorrow.

C 1 Show me the picture which(that) you painted yesterday.
2 He will tell us whatever he knows.
3 She remembers the day when she won the school election.

학교 시험 실전 문제
p. 223

1 ③   2 ④   3 ④   4 ②   5 ②   6 ③   7 ②
8 ④   9 ③   10 ④   11 ②   12 ④   13 ①, ⑤
14 ③   15 ②   16 ②   17 ③   18 ③   19 ②   20 ③

(서술형)

21 (1) Where is the cheesecake which(that) was in the refrigerator?
(2) Lisa is my friend whose hobby is taking pictures.
(3) Choose the baseball cap which(that) you want to buy.
22 where I walk my dog
23 (1) what you said
(2) what you bought
24 (1) The sofa on which I'm sitting is comfortable.
(2) This book is about Van Gogh, who was a famous painter.
(3) However tired you are, you have to finish your work.
25 (1) She takes care of a cat whose name is Bell.
(2) We can choose whatever we want.
(3) He is the movie star I saw in the festival.

1 선행사(the day)가 시간을 나타내므로 관계부사 when이 알맞다.

2 · 선행사(a competent doctor(능숙한 의사))가 사람이고 관계대명사절에 목적어가 없으므로, 목적격 관계대명사 whom이 알맞다.
· 소유격 관계대명사는 whose를 쓴다.

3 · 빈칸 앞에 선행사가 없으므로, 선행사를 포함하는 관계대명사 what이 알맞다.

• 빈칸 앞에 콤마(,)가 있으므로 계속적 용법이고, 선행사(Hojun)가 사람이고 빈칸이 주어 역할을 하므로 주격 관계대명사 who가 알맞다.

4 • 선행사(the bakery)가 장소를 나타내고 관계사가 부사 역할을 하므로 관계부사 where가 알맞다.
　• 선행사가 the park이고 목적어 역할을 하는 관계대명사가 필요하므로 목적격 관계대명사 which가 알맞다.

5 • 선행사(the door)가 사물이므로 주격 관계대명사 which나 that이 알맞다. attic: 다락방
　• 앞에 콤마(,)가 있는 계속적 용법으로, 앞에 나온 내용 전체가 선행사인 경우이므로 관계대명사 which가 알맞다.

6 ①, ②, ④, ⑤의 what은 선행사를 포함하는 관계대명사로 쓰였고, ③의 what은 '무엇'이라는 뜻의 의문사로 쓰였다.

7 괄호 안의 말을 배열하면 However hard I tried, I couldn't open the door.가 된다.

8 ④ 선행사가 사물(the hat)일 때 목적격 관계대명사는 which나 that을 쓰지만, 바로 앞에 전치사(for)가 있는 경우 목적격 관계대명사 that은 쓸 수 없다. (→ for which)

9 ⓐ 목적격 관계대명사는 생략할 수 있다.
　ⓑ, ⓓ 「주격 관계대명사＋be동사」는 생략할 수 있다.
　ⓒ 목적격 관계대명사 바로 앞에 전치사(of)가 있으면 목적격 관계대명사는 생략할 수 없다.

10 선행사는 공통되는 부분인 the scarf이고, 목적격 관계대명사 which 또는 that을 이용하여 연결할 수 있다. 이때 목적격 관계대명사가 관계대명사절에서 목적어 역할을 하므로 목적어 it은 생략해야 하는 것에 유의한다.

11 no matter what은 '무엇이 ～할지라도'라는 의미로, 양보의 부사절을 이끄는 whatever로 바꿔 쓸 수 있다.

12 소유격 관계대명사 whose가 이끄는 절(whose pocket is very big)이 선행사 a backpack을 뒤에서 수식하도록 영작한다.

13 ② 주격 관계대명사(which) 뒤에 나오는 동사는 선행사의 인칭과 수에 일치시키는데, 선행사 a house가 단수 명사이므로 동사도 단수 동사를 써야 한다. (→ has)
　③ 선행사 the way와 관계부사 how는 함께 쓰지 않고 둘 중 하나만 쓰므로, 둘 중 하나를 삭제해야 한다.
　④ 문장의 주어 The guitar가 단수 명사이므로, 문장의 동사도 단수 동사를 써야 한다. (→ is)

14 ⓐ와 ⓓ가 올바른 문장이다.
　ⓑ 관계대명사 whom 앞에 전치사 on이 있는데 문장 끝에도 on이 있으므로 둘 중 하나를 삭제해야 한다.
　ⓒ 선행사 the reason이 이유를 나타내므로 관계부사는 why를 써야 한다. (when → why)

15 주어진 문장에 동사(is)가 이미 있기 때문에 동사 plays로 시작하는 ②는 빈칸에 들어갈 수 없다.
　① 목적격 관계대명사 whom이 이끄는 절이 The girl을 수식한다.
　③, ④ 「주격 관계대명사＋be동사」인 who(that) is가 생략된 형태이다.
　⑤ 소유격 관계대명사 whose가 이끄는 절이 The girl을 수식한다.

16 ⓒ 주격 관계대명사(which) 뒤에 나오는 동사는 선행사의 인칭과 수에 일치시키는데, 선행사 the bananas가 복수 명사이므로 동사도 복수 동사를 써야 한다. (is → are)

17 ⓑ의 빈칸은 목적격 관계대명사가 들어갈 자리이다. 선행사(the person)가 사람이고 빈칸 앞에 전치사(for)가 있으므로 관계대명사 whom을 써야 하며, 전치사 뒤에 나오는 목적격 관계대명사는 생략할 수 없다.

18 ③ 관계대명사의 계속적 용법에서는 which를 쓴다.
　①, ④ 주격 관계대명사 ②, ⑤ 목적격 관계대명사

19 (A) 선행사가 장소(the drawer)를 나타내고 관계사가 부사구 역할을 하므로, 장소의 관계부사 where가 알맞다.
　(B) 관계대명사 앞에 콤마(,)가 있으므로 계속적 용법의 관계대명사 which가 알맞다.
　(C) 문맥상 방법을 나타내는 관계부사 how가 알맞다. however는 '아무리 ～하더라도'라는 양보의 의미를 나타낸다.

20 ③ '～하는 곳은 어디든지'는 복합관계부사 wherever로 쓴다. (where → wherever)

21 (1) 선행사(the cheesecake)가 사물이므로, 주격 관계대명사 which나 that을 사용하여 문장을 완성한다.
　(2) 소유격 관계대명사 whose를 사용하여 문장을 완성한다.
　(3) 선행사(the baseball cap)가 사물이므로, 목적격 관계대명사 which나 that을 사용하여 문장을 완성한다.

22 선행사(the park)가 장소를 나타내므로 관계부사 where를 사용한다.

23 선행사를 포함하는 관계대명사 what이 이끄는 절이 목적어 역할을 하도록 문장을 완성한다.

24 (1) 「전치사＋관계대명사」의 형태가 되도록 on which를 쓴다.
　(2) 선행사가 Van Gogh이므로 관계대명사 who를 사용하며, 계속적 용법일 때 선행사 뒤에 콤마(,)를 넣는 것에 유의한다.
　(3) '아무리 ～하더라도'라는 의미의 however는 「however＋형용사(tired)＋주어(you)＋동사(are)」의 순서로 쓴다.

25 (1) 소유격 관계대명사 whose를 사용하여 문장을 쓴다.
　(2) '～하는 무엇이든지'는 복합관계대명사 whatever로 쓴다.
　(3) He is the movie star who(whom/that) I saw in the festival.에서 목적격 관계대명사(who/whom/that)를 생략한 문장으로 쓴다.

CHAPTER 12 가정법

POINT 1 가정법 과거   p. 228

개념확인 나는 그의 전화번호를 모른다.

기본연습

A   **1** could fly   **2** were not
    3 will visit   **4** had
    5 were   **6** would be

B   **1** were, wouldn't eat   **2** knew, would send
    3 had, could go   **4** weren't, would climb
    5 were, could buy   **6** won, would travel
    7 didn't have, would eat

C   **1** didn't live, could visit   **2** had, could get
    3 drove, could pick   **4** didn't have, could go

틀리기 쉬운 내신포인트

정답 had, would go

해설 가정법 과거는 「If+주어(I)+동사의 과거형(had) ~, 주어(I)+조동사의 과거형(would)+동사원형(go) ....」의 형태로 쓴다.

POINT 2 가정법 과거완료   p. 230

개념확인 **1** 그 소식을 알지 못해서 그에게 말하지 못했다.
    2 시간이 없어서 여행을 떠나지 못했다.

기본연습

A   **1** had come   **2** hadn't been
    3 would have arrived   **4** were
    5 would have played   **6** would ask
    7 had stayed
    8 could have answered

B   **1** had practiced, would have won
    2 had seen, would have been
    3 had gone, could have built
    4 had studied, would have passed
    5 had been, wouldn't have broken
    6 hadn't hurt, could have played

C   **1** had had, would have gone
    2 hadn't helped, couldn't have finished
    3 hadn't been, could have sent
    4 had had, could have bought

틀리기 쉬운 내신포인트

정답 ④

해설 ④ 주절의 동사가 「조동사의 과거형(could)+have+과거분사(seen)」인 것으로 보아 가정법 과거완료 문장이므로, if 절의 동사는 「had+과거분사」인 had bought로 고쳐 써야 한다.

POINT 3 혼합 가정법   p. 232

개념확인 어제 일을 하지 않아서 지금 바쁘다.

기본연습 **1** had gone, wouldn't be
    2 had finished, could watch
    3 had bought, could see
    4 hadn't missed, would be
    5 had skipped, would be
    6 hadn't moved, could see
    7 had brought, wouldn't be
    8 had read, could lend

POINT 4 I wish 가정법   p. 233

개념확인 **1** 시간이 충분하지 않다.
    2 그녀가 나를 방문하지 않았다.

기본연습

A   **1** were   **2** had passed
    3 could meet

B   **1** lived   **2** were
    3 had brought   **4** had caught
    5 hadn't eaten   **6** could come
    7 had done

C   **1** I wish Anna knew   **2** I wish you had told
    3 I wish I had   **4** I wish you could see

틀리기 쉬운 내신포인트

정답 ④

해설 우리말의 '샀었더라면'의 시제가 과거이므로, 「I wish+주어(I)+had+과거분사(bought) ~.」의 형태로 영작한다.

POINT 5 as if 가정법   p. 235

개념확인 **1** 그녀는 Bill을 모른다.
    2 그는 경기를 이기지 못했다.

A 1 had been 　　　　2 were
　　3 had lived 　　　　4 were
　　5 had won 　　　　　6 knew

B 1 were 　　　　　　2 had won
　　3 knew 　　　　　　4 had watched
　　5 hadn't been 　　　6 were

C 1 as if she were
　　2 as if he had visited
　　3 as if she liked
　　4 as if she had finished
　　5 as if he had written

정답 ④

해설 talks가 현재시제이고 우리말의 '알았던 것처럼'의 시제가 과거이므로 과거 사실에 대한 가정임을 알 수 있다. 따라서 빈칸에는 「had+과거분사」 형태인 had known이 알맞다.

POINT 6　without 가정법 　　　　　p. 237

개념확인 지도가 있어서 길을 찾을 수 있었다.

기본연습

A 1 Without, would be
　　2 But for, would have felt
　　3 If it were not for, couldn't do

B 1 could survive
　　2 couldn't have passed
　　3 wouldn't have gotten up

개념완성TEST 　　　　　p. 238

STEP 1 Quick Check

① knew 　　② had known 　　③ had read
④ knew 　　⑤ had known 　　⑥ knew
⑦ had known 　　⑧ Without

STEP 2 기본 다지기

A 1 were, would invent
　　2 hadn't lost, could take
　　3 had 　　　　4 didn't know
　　5 would be

B 1 will → would 　　2 had had → had
　　3 could meet → could have met 4 win → had won
　　5 didn't hear → hadn't heard
　　6 could have used → could use
　　7 wouldn't finish → wouldn't have finished

C 1 had been, wouldn't have lost
　　2 were, could get
　　3 ate 　　　　　4 hadn't lied
　　5 had lived 　　6 were not for

STEP 3 서술형 따라잡기

A 1 would(could) play soccer
　　2 I could buy the blue hat

B 1 I knew James, I could introduce him to you
　　2 Alice hadn't moved to another city
　　3 he had seen the accident

C 1 had gone to the concert, I would have seen my favorite band
　　2 If you had finished the work, could take a rest
　　3 I couldn't have won the school election
　　4 I wish I would pass the dance audition.
　　5 She talks as if she were my coach.

학교 시험 실전 문제 　　　　　p. 241

1 ② 　2 ⑤ 　3 ② 　4 ④ 　5 ⑤ 　6 ③ 　7 ⑤
8 ④, ⑤ 9 ④ 　10 ⑤ 　11 ② 　12 ① 　13 ⑤ 　14 ②
15 ②, ④ 　　16 ② 　17 ④ 　18 ③ 　19 ① 　20 ⑤

(서술형)

21 (1) were tall enough, could ride the roller coaster
　　(2) didn't arrive in time, couldn't have dinner
　　(3) had remembered her birthday, wouldn't have been disappointed

22 knew his email address

23 (1) he were an American
　　(2) she had heard the news
　　(3) had visited me

24 (1) I could have finished my history homework
　　(2) Without your goal, we wouldn't have won

25 (1) I were you, wouldn't buy the computer
　　(2) I wouldn't be busy today
　　(3) If you had come early, you would have met Aron.

1 주절의 「조동사의 과거형(would)+동사원형(send)」의 형태로 보아 가정법 과거 문장이므로, if절의 동사는 과거형인 knew가 알맞다.

2 if절의 「had(hadn't)+과거분사(left)」의 형태로 보아 가정법 과거완료 문장이므로, 빈칸에는 「조동사의 과거형(would)+have+과거분사(missed)」 형태가 알맞다.

3 · 조건문이므로 조동사 will이 알맞다.
· 가정법 과거 문장이므로 조동사의 과거형 would가 알맞다.

4 ④는 가정법 과거완료 문장이므로 빈칸에 had been이 들어가고, 나머지는 가정법 과거 문장이므로 빈칸에 were가 들어간다.

5 ⑤는 가정법 과거완료 문장이므로 빈칸에 「had+과거분사」 형태인 had had가 들어가고, 나머지 빈칸에는 had가 들어간다.

6 if절이 가정법 과거완료이고 주절에 now가 있는 것으로 보아 혼합 가정법 문장이므로, 빈칸에는 「조동사의 과거형+동사원형」의 형태가 알맞다.

7 ⑤ '(현재) 마치 ~인 것처럼'은 〈as if+가정법 과거〉이므로 주어 뒤에 동사의 과거형을 써야 한다. 따라서 knows를 knew로 고쳐 써야 한다.

8 Without은 가정법 과거에서 '~이 없다면'의 의미를 나타내며, But for 또는 If it were not for로 바꿔 쓸 수 있다.

9 주어진 문장은 직설법 현재이므로, 가정법 과거 문장(If+주어+동사의 과거형 ~, 주어+조동사의 과거형+동사원형 ....)으로 바꿀 수 있다. 이때 긍정은 부정으로, 부정은 긍정으로 바뀌는 것에 유의한다.

10 ⑤ if절이 가정법 과거완료이고 주절에 now가 있는 것으로 보아 혼합 가정법 문장이므로, 「조동사의 과거형+동사원형」 형태인 could watch로 고쳐 써야 한다.

11 현재 사실과 반대되는 상황을 가정할 때는 「I wish+가정법 과거(주어+동사의 과거형)」를 사용한다.

12 ⓐ as if+가정법 과거(주어+동사의 과거형)
ⓑ 가정법 과거완료
ⓒ I wish+가정법 과거완료(주어+had+과거분사)
ⓓ 가정법 과거

13 (A) 가정법 과거 문장이므로 if절의 동사는 과거형인 were가 알맞다.
(B) yesterday가 있는 것으로 보아 과거 사실의 반대를 나타내야 하므로 had met이 알맞다.
(C) if절이 주절 뒤에 쓰인 가정법 과거 문장이므로, 주절의 조동사는 과거형 would가 알맞다.

14 ② 「as if+가정법 과거(주어+동사의 과거형)」는 주절의 시점(acts)인 현재 사실과 반대되는 상황인 것처럼 행동한다는 내용이므로, 실제로는 과학자가 아니라는 것을 알 수 있다.

15 If I were you로 보아 가정법 과거 문장이 되어야 하므로, 빈칸에는 「주어+조동사의 과거형+동사원형 ~」의 형태가 들어갈 수

있다. 조동사 will과 won't(= will not)는 조건문에 쓰이므로, 빈칸에는 알맞지 않다.

16 ② 가정법 과거완료 문장으로 나타내야 하므로 if절의 동사는 「had+과거분사」 형태로 고치고, 주절은 「조동사의 과거형+have+과거분사」 형태로 고쳐야 한다. (were not → hadn't been / would have → would have had)

17 ⓐ, ⓒ, ⓓ가 올바른 문장이다.
ⓑ 현재 사실의 반대를 가정하는 가정법 과거 문장이므로, if절의 be동사는 과거형이 쓰여야 한다. (am → were)
ⓐ 가정법 과거완료 문장 ⓒ 가정법 과거 문장
ⓓ 「without+명사구(the map)」 뒤에 과거 사실의 반대를 가정하는 가정법 과거완료가 쓰인 문장

18 주어진 문장은 가정법 과거완료 문장(If+주어+had+과거분사 ~, 주어+조동사의 과거형+have+과거분사 ....)이므로 직설법 과거 문장으로 바꿀 수 있다. 이때 긍정은 부정으로, 부정은 긍정으로 바뀌는 것에 유의한다.

19 괄호 안의 말을 배열하면 I wish he could see my performance.가 된다.

20 ⑤ 직설법 과거 문장은 가정법 과거완료로 나타낼 수 있으므로, If I hadn't woken up early, I couldn't have caught the first train.으로 고쳐야 같은 의미가 된다.

21 (1) 직설법 현재 문장은 가정법 과거 문장으로 바꿀 수 있다. 이때 긍정은 부정으로, 부정은 긍정으로 바뀌는 것에 유의한다.
(2) 가정법 과거완료 문장은 직설법 과거 문장으로 바꿀 수 있다.
(3) 직설법 과거 문장은 가정법 과거완료 문장으로 바꿀 수 있다.

22 현재 사실(그의 이메일 주소를 알지 못함)의 반대를 소망할 때는 I wish 뒤에 가정법 과거(주어+동사의 과거형)를 쓴다.

23 (1) '(현재에) 마치 ~인 것처럼'의 의미를 나타내야 하므로, 「as if+가정법 과거(주어+동사의 과거형)」의 형태로 쓴다.
(2) '(과거에) 마치 ~했던 것처럼'의 의미를 나타내야 하므로, 「as if+가정법 과거완료(주어+had+과거분사)」의 형태로 쓴다.
(3) 과거 사실(Alice가 나를 방문하지 않았음)의 반대를 가정할 때는 I wish 뒤에 가정법 과거완료(주어+had+과거분사)를 쓴다.

24 (1) 가정법 과거완료 문장의 주절에 해당하므로, 「주어+조동사의 과거형+have+과거분사 ~」의 순서가 되어야 한다. finish를 have finished의 형태로 바꾸는 것에 유의한다.
(2) without 가정법 문장으로, if절의 위치에 '~이 없었다면'이라는 뜻의 「without+명사(구)」를 쓰고, 뒤에 「주어+조동사의 과거형+have+과거분사 ~」의 형태를 쓴다.

25 (1) 가정법 과거 문장은 「If+주어+동사의 과거형 ~, 주어+조동사의 과거형+동사원형 ....」으로 쓰고, be동사는 were를 쓴다.
(2) 혼합 가정법 문장의 주절은 「주어+조동사의 과거형+동사원형 ~」의 형태로 쓴다.
(3) 가정법 과거완료 문장은 「If+주어+had+과거분사 ~, 주어+조동사의 과거형+have+과거분사 ....」 형태로 쓴다.

CHAPTER 13

일치, 화법, 특수구문

POINT **1** 수의 일치: 단수 취급   p. 246

개념확인 1 주어: Everything   동사: is
         2 주어: Speaking Spanish   동사: is
         3 주어: The Philippines   동사: is

기본연습 1 is   2 is   3 has
         4 helps   5 is   6 is
         7 has

틀리기 쉬운 내신포인트

정답 have → has

해설 「each+단수 명사(student)」가 주어로 쓰이면 단수 취급하여 단수 동사가 와야 한다.

POINT **2** 수의 일치: 복수 취급   p. 247

개념확인 1 주어: Ann and I   동사: are
         2 주어: A number of people   동사: are
         3 주어: The young   동사: are

기본연습 1 walk   2 look   3 is
         4 are   5 were   6 are
         7 need

틀리기 쉬운 내신포인트

정답 ②

해설 「the number of+복수 명사」는 '~의 수'라는 의미로, 주어로 쓰일 때 단수 동사가 온다. 「a number of+복수 명사」는 '많은 ~'이라는 의미로, 주어로 쓰일 때 복수 동사가 온다.

POINT **3** 주의해야 할 수 일치   p. 248

개념확인 1 주어: Most of the students   동사: are
         2 주어: One-third of my money   동사: is

기본연습

A 1 is   2 are   3 is
     4 are   5 are   6 are
     7 has to   8 don't   9 were

B 1 is   2 like   3 are
     4 is   5 are   6 is
     7 want   8 carry   9 comes

C 1 are   2 is   3 is
     4 were   5 were   6 are
     7 ○   8 are   9 want

틀리기 쉬운 내신포인트

정답 ③

해설 of 뒤의 the milk는 셀 수 없는 명사로 단수 취급하므로 단수 동사 has가 알맞고, of 뒤의 the children은 복수 명사이므로 복수 동사 enjoy가 알맞다.

POINT **4** 시제 일치   p. 250

개념확인 1 did, does, will do   2 was, had been

기본연습

A 1 rises   2 painted
     3 could get   4 had been
     5 exercises   6 was found
     7 is   8 would come
     9 is

B 1 ○   2 ○
     3 would stop   4 ○
     5 went(had gone)

C 1 travels   2 invented
     3 eat   4 could come
     5 had seen

틀리기 쉬운 내신포인트

정답 ③

해설 '파리는 프랑스의 수도이다'와 같은 일반적인 사실은 항상 현재시제를 쓴다.
과거에 일어난 역사적 사실은 항상 과거시제를 쓴다.

POINT **5** 화법 전환: 평서문   p. 252

개념확인 1 ②, ④, ⑤   2 ③, ④, ⑦

기본연습 1 she was really tired
         2 he needed to drink more water
         3 he could stay there
         4 I had to lose weight
         5 she would see me the next day
         6 she had met Chris the day before

개념확인 **1** He asked me where Ann was.

      2 He asked me if I liked pizza.

기본연습

A **1** where the bank was

    2 why I was

    3 who would turn off

    4 if(whether) I needed

    5 if(whether) she could play

B **1** who Mr. Brown was

    2 where I wanted to go

    3 if(whether) I liked singing

    4 if(whether) I could play the violin

    5 what his favorite food was

    6 if(whether) I would do

    7 if(whether) I had watched the movie

    8 where she was going

    9 if(whether) he was going to meet Minji

    10 if(whether) he would buy some bread

    11 why he was looking at the sky

틀리기 쉬운 내신포인트

정답 if(whether) I remembered his name

해설 의문사가 없는 의문문을 간접화법으로 바꿀 경우, if(whether)를 추가하여 「if(whether)+주어+동사」의 순서로 쓴다. 이 때 인칭대명사를 전달자(I)에 맞춰 바꾸고, 주절의 시제가 과거(asked)이므로, 동사를 과거시제(remembered)로 바꾸는 것에 유의한다.

POINT **7** 화법 전환: 명령문   p. 255

개념확인 **1** He told me to be quiet.

      2 He told me not to worry.

기본연습 **1** to feed the dogs

    2 to do my best

    3 not to drink cold water

    4 to take out the garbage

    5 not to skip her meals

    6 to listen carefully to her

    7 not to be late for school

POINT **8** 강조   p. 256

개념확인 **1** feel   **2** a cat

기본연습

A **1** does   **2** that   **3** did make

    4 was   **5** It

B **1** It was a vase that my sister dropped this morning.

    2 I do feel happy when I play with my dogs.

    3 It was from the tower that Rapunzel first saw the prince.

    4 It was last Sunday that I met a famous movie star on the street.

C **1** It was last night that he heard a strange sound.

    2 It was on the subway that she lost her smartphone.

    3 The singer does have a beautiful voice.

    4 The little boy did win the world quiz show yesterday.

    5 It was his neighbor's dog that Kevin saw this morning.

틀리기 쉬운 내신포인트

정답 It was in the park that the children had a good time.

해설 It was와 that 사이에 강조하는 말(in the park)을 넣고, 나머지 부분을 that 뒤에 써서 문장을 완성한다.

POINT **9** 부정   p. 258

개념확인 **1** 아무도 그를 모른다.

      2 그가 항상 바쁜 것은 아니다.

기본연습 **1** Nobody   **2** never

    3 No   **4** Not all

    5 Neither   **6** not always

    7 Not every

POINT **10** 도치   p. 259

개념확인 **1** 주어: a girl   동사: stood

      2 주어: he   동사: was

      3 주어: the bus   동사: goes

A 1 were   **2** does he

    3 so does Andy   **4** neither does her sister

B 1 ○   **2** does his brother

    3 does he   **4** ○

    5 neither did Hana   **6** ○

개념완성 TEST
p. 260

STEP 1 Quick Check

① is   ② know   ③ are   ④ was

⑤ moves   ⑥ he was   ⑦ if   ⑧ to be

⑨ that   ⑩ neither   ⑪ Not all   ⑫ does he

STEP 2 기본 다지기

A 1 is   **2** are   **3** is

    4 are   **5** is   **6** am

B 1 were   **2** ○   **3** do I

    4 does   **5** ○   **6** that

    7 found(had found)

C 1 (that) he had bought a new backpack

    2 where I was going

    3 to go to bed early

    4 if(whether) we needed more food

    5 not to open the window

    6 if(whether) I would join the school band

D 1 It was a paper flower that I made for my niece.

    2 It was on a small island that she was born.

    3 It was in 2020 that Kevin started learning taekwondo.

STEP 3 서술형 따라잡기

A 1 the school basketball team that won in the final

    2 last Friday that the Sunny Band performed at our school

B 1 Not every student likes wearing a school uniform.

    2 Joseph told me that he had seen Gyeongbok Palace.

    3 Most of the students know that the moon moves around the Earth.

C 1 Two-thirds of the balls are red.

    2 The young are not always cheerful.

    3 A number of students are dancing on the stage.

    4 does Linda complain about the food

학교 시험 실전 문제
p. 263

1 ①   **2** ④   **3** ③   **4** ②   **5** ③   **6** ②   **7** ⑤

8 ④   **9** ④   **10** ④   **11** ②   **12** ⑤   **13** ⑤   **14** ⑤

15 ④   **16** ③   **17** ④   **18** ②   **19** ③   **20** ④

서술형

21 (1) when the school field trip was

     (2) not to run in the classroom

22 (1) Not all members agreed

     (2) did I use my smartphone in the library

23 my cat that broke the glass

24 (1) if(whether) I had time for lunch

     (2) where I had been the day before

     (3) stood an old lady

25 (1) are (2) are (3) is (4) is (5) is

1 「half of+단수 명사(an apple)」 뒤에는 단수 동사가 오고, 문맥상 be동사가 들어가야 하므로 is가 알맞다.

2 일반적인 사실(기름은 물과 섞이지 않는다)은 항상 현재시제를 쓴다.

3 • everybody와 같이 -body로 끝나는 대명사는 단수 취급하여 단수 동사를 쓴다.

   • 「each+단수 명사(student)」 뒤에는 단수 동사를 쓴다.

4 • most of 뒤에 단수 명사가 오면 단수 동사를 쓴다.

   • 「a number of+복수 명사」는 '많은 ~'이라는 의미로, 주어로 쓰일 때 복수 동사가 온다.

5 • 주어로 쓰인 동명사구는 단수 취급하므로 단수 동사 is가 알맞다.

   • some of ~는 of 뒤의 명사에 따라 동사가 결정되는데, of 뒤의 the money가 셀 수 없는 명사로 단수 취급하므로 단수 동사 was가 알맞다.

6 • 「neither+동사+주어」는 '~도 또한 그렇지 않다'라는 의미로, 앞의 like가 일반동사이므로 I에 맞는 동사는 do이다.

   • 동사(know)를 강조할 때 동사 앞에 do를 쓴다.

7 ⑤ both A and B가 주어로 쓰이면 복수 취급하므로 are가 들어간다.

   「every+단수 명사」와 「Each+단수 명사」 뒤에는 단수 동사를 쓰고, 국가명과 동명사구 주어도 단수 취급하므로 나머지 빈칸에는 모두 is가 들어간다.

8 ④ 간접화법으로 바꿀 때 주절의 시제가 과거(asked)이면 동사의 시제를 과거로 바꿔야 한다. (do → did)

9 ④ 간접화법으로 바꿀 때 명령문의 동사원형을 to부정사로 바꿔야 한다. (take → to take)

10 「It was ~ that ...」 강조 구문을 이용하는 문장으로, 강조하는 말 '마술 동아리(the magic club)'가 It was와 that 사이에 오

고 that 뒤에 나머지 말이 온다.

11 ② 강조를 위해 부정어(rarely)가 문장의 맨 앞에 올 때 「부정어(rarely)+do동사+주어+동사원형」의 형태로 쓴다. 이때 주어가 3인칭 단수이고 현재시제이면 do가 아닌 does를 써야 한다. (do → does)

12 ⑤는 '하다'라는 의미의 일반동사이고, 나머지는 모두 바로 뒤에 나오는 동사를 강조하기 위해 쓰였다.

13 ① shoes는 복수 명사로 항상 복수 취급한다. (is → are)
② 주절의 시제가 과거(thought)일 때 종속절에 현재시제를 쓸 수 없다. (looks → looked)
③ 「half of+단수 명사+단수 동사」 또는 「half of+복수 명사+복수 동사」로 쓰므로, of 뒤의 명사에 동사의 수를 일치시켜야 한다. (were → was 또는 the sandwich → the sandwiches)
④ neither A nor B가 주어일 때, 동사의 수는 B(Natalie)에 일치시킨다. (are → is)

14 의문사가 없는 의문문을 간접화법으로 바꿀 경우, if(whether)를 추가하여 「if(whether)+주어+동사」의 순서로 쓴다. 이때 인칭대명사는 전달자(I)에 맞춰 바꾸고, 주절의 시제가 과거(asked)이므로 동사를 과거시제(liked)로 바꿔야 한다.

15 간접화법으로 바꿀 때, Don't로 시작하는 부정 명령문은 「not+to부정사」로 바꿔야 한다.

16 ⓑ 「the number of+복수 명사」는 '~의 수'라는 의미로, 주어로 쓰일 때 단수 동사가 온다. (are → is)
ⓓ 격언이나 속담은 항상 현재시제를 쓴다. (caught → catches)
ⓐ 과목명(mathematics)은 단수 취급하므로 올바른 문장이다.
ⓒ 주절이 현재일 때 종속절에 미래시제가 올 수 있으므로 올바른 문장이다.

17 주어진 문장을 간접화법으로 바꾸면 She ①asked me ②if ③she ④could borrow ⑤my book.이다.

18 ② 「not all+복수 명사」는 '모든 …이 ~인 것은 아니다'라는 부분 부정의 의미를 나타낸다. (→ 바구니 안의 모든 딸기가 신선한 것은 아니다.)

19 (A) either A or B가 주어일 때, 동사의 수는 B(I)에 일치시킨다.
(B) not only A but also B가 주어일 때, 동사의 수는 B(the students)에 일치시킨다.
(C) 「분수+of+복수 명사」 뒤에는 복수 동사가 온다.

20 ⓐ, ⓑ, ⓒ, ⓓ는 올바른 문장이다.
ⓔ 「every+단수 명사(child)」 뒤에는 단수 동사를 쓴다.
(have → has)

21 (1) 의문사(when)가 있는 의문문은 간접화법으로 바꿀 때 「의문사(when)+주어+동사」의 순서로 쓰고, 주절의 시제가 과거(asked)이므로 동사도 과거형으로 바꾼다.
(2) 부정 명령문은 「Don't+동사원형」을 「not+to부정사」로 바꾼다.

22 (1) 「not all+복수 명사」는 '모든 …이 ~인 것은 아니다'라는 부분 부정의 의미를 나타낸다.
(2) 부정어(never)가 문장의 맨 앞에 올 때 「부정어(never)+do동사+주어+동사원형」의 형태로 쓴다.

23 「It was ~ that …」 강조 구문을 이용하여 문장을 완성한다. 강조하는 말(my cat)이 It was와 that 사이에 위치하는 것에 유의한다.

24 (1) 의문사가 없는 의문문은 「if(whether)+주어+동사」의 순서로 쓰고, 인칭대명사와 동사의 시제를 바꾼다.
(2) 의문사가 있는 의문문은 「의문사(where)+주어+동사」의 순서로 쓰고, 동사의 과거형은 과거완료(had been)로, 부사 yesterday는 the day before로 각각 바꿔 준다.
(3) 부사구(under a tree)가 문장의 맨 앞으로 오면 「부사구+동사+주어」의 순서로 도치된다.

25 (1) 「a number of+복수 명사」는 '많은 ~'이라는 의미로, 주어로 쓰일 때 복수 동사를 쓴다.
(2) 「some of+복수 명사」 뒤에는 복수 동사를 쓴다.
(3) 「the number of+복수 명사」는 '~의 수'라는 의미로, 주어로 쓰일 때 단수 동사를 쓴다.
(4) 「every+단수 명사(student)」 뒤에는 단수 동사를 쓴다.
(5) Nobody와 같이 -body로 끝나는 대명사는 단수 취급하므로 단수 동사를 쓴다.

영어 실력과 내신 점수를 함께 높이는

중학 영어 클리어, 빠르게 통하는 시리즈

동아출판

 문법 **영문법 클리어 | LEVEL 1~3**

 최신 개정판

문법 개념과 내신을 한 번에 끝내다!

- 중등에서 꼭 필요한 핵심 문법만 담아 시각적으로 정리
- 시험에 꼭 나오는 출제 포인트부터 서술형 문제까지 내신 완벽 대비

 쓰기 **문법+쓰기 클리어 | LEVEL 1~3**

영작과 서술형을 한 번에 끝내다!

- 기초 형태 학습부터 문장 영작까지 단계별로 영작 집중 훈련
- 최신 서술형 유형과 오류 클리닉으로 서술형 실전 준비 완료

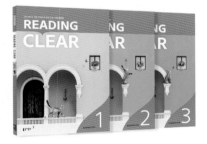

 독해 **READING CLEAR | LEVEL 1~3**

문장 해석과 지문 이해를 한 번에 끝내다!

- 핵심 구문 32개로 어려운 문법 구문의 정확한 해석 훈련
- Reading Map으로 글의 핵심 및 구조 파악 훈련

 듣기 **LISTENING CLEAR | LEVEL 1~3**

듣기 기본기와 듣기 평가를 한 번에 끝내다!

- 최신 중학 영어듣기능력평가 완벽 반영
- 1.0배속/1.2배속/받아쓰기용 음원 별도 제공으로 학습 편의성 강화

 실전 문법 **빠르게 통하는 영문법 핵심 1200제 | LEVEL 1~3**

실전 문제로 내신과 실력 완성에 빠르게 통한다!

- 대표 기출 유형과 다양한 실전 문제로 내신 완벽 대비
- 시험에 자주 나오는 실전 문제로 실전 풀이 능력 빠르게 향상

문제로 영문법이 쉬워진다!

그래머 클라우드 3000제

중학영문법을 쉽게 이해하고 싶어 하는
학생들에게 추천합니다!

✓ 핵심 문법 Point와 연습 문제로 자연스럽게 개념 이해

✓ 3단계 개념완성 Test로 유형별 문제와 서술형까지 집중 훈련

✓ 학교 시험에 자주 출제되는 문제로 내신 완벽 대비